PRETTIES

L'auteur

Scott Westerfeld est né au Texas. Compositeur de musique électronique pour la scène, concepteur multimédia et critique littéraire, il vit entre New York et Sydney.

Il est l'auteur de cinq romans de SF pour adultes, dont *L'I.A. et son double*, déjà paru en France, et le space opera en deux parties paru aux éditions Pocket : *Les Légions immortelles* et *Le Secret de l'Empire*.

Scott Westerfeld écrit également pour les jeunes adultes : les séries *Uglies* et *Midnighters*, ainsi que les romans *Code Cool*, *V-Virus* et *A-Apocalypse*.

La série *Uglies*

1. *Uglies*
2. *Pretties*
3. *Specials*
4. *Extras*
5. *Secrets*

La série *Midnighters*

1. *L'heure secrète*
2. *L'étreinte des ténèbres*
3. *Le long jour bleu*

La série *Léviathan*

1. *Léviathan*
2. *Béhémoth (parution septembre 2011)*
3. *Goliath (parution septembre 2012)*

Retrouvez l'auteur sur son site :
www.scottwesterfeld.com

PRETTIES
SCOTT WESTERFELD

Traduit de l'anglais (États-Unis)
par Guillaume Fournier

POCKET JEUNESSE

*À la communauté S.F. australienne
pour son accueil et son soutien.*
L'auteur

Titre original :
Pretties

Publié pour la première fois en 2005 par Simon Pulse,
département de Simon & Schuster
Children's Publishing Division, New York

Loi n° 49956 du 16 juillet 1949 sur les publications
destinées à la jeunesse : mars 2011

ISBN : 978-2-266-21427-8

Première partie

LA BELLE
AU BOIS DORMANT

*Rappelez-vous que les plus belles choses
de ce monde sont les plus inutiles.*

John RUSKIN, *Les Pierres de Venise, I*

Première
partie

LA BELLE
AU BOIS DORMANT

CRIMINELLE

Trouver comment s'habiller constituait toujours le grand défi de l'après-midi.

L'invitation à la résidence Valentino stipulait «semi-habillée». C'était le «semi» qui posait problème : ce simple mot ouvrait bien trop de possibilités. Tally allait devoir se creuser la cervelle.

— Semi-habillée, *semi*-habillée, marmonna-t-elle en fouillant du regard sa penderie.

Ses habits se balançaient sur les cintres, tandis que le tambour roulait d'avant en arrière au gré de ses clignements de souris oculaire. Décidément, «semi» était un mot *foireux*.

— C'est un mot, ça, «semi»?

Il sonnait curieusement dans sa bouche, encore pâteuse après les excès de la nuit précédente.

— La moitié d'un, répondit la chambre (qui devait se croire maligne).

— Très drôle, grommela Tally.

La pièce se mit à tanguer. Elle s'effondra sur son lit et fixa le plafond. Il était stupide de se torturer ainsi pour la moitié d'un mot.

— Arrête ça! dit-elle.

La chambre comprit cet ordre de travers et referma le mur coulissant de la penderie. Tally n'eut pas la force de lui expliquer qu'elle s'adressait à sa gueule de bois, laquelle s'étalait sous son crâne comme un gros chat alangui, trop fainéant pour bouger.

La nuit dernière, Peris et elle étaient sortis patiner avec quelques autres Crims pour essayer la nouvelle piste flottante au-dessus du stade Néfertiti. La couche de glace, maintenue en l'air par une résille de suspenseurs, était suffisamment mince pour qu'on voie à travers. Une horde de petits Zambonies, filant entre les patineurs comme des insectes aquatiques affolés, la maintenaient transparente, et les feux d'artifice qui explosaient dans le stade en contrebas la faisaient luire comme une espèce de verre fumé qui changeait de couleur toutes les deux ou trois secondes.

Ils portaient tous des gilets de sustentation, au cas où la glace se serait brisée sous leurs patins. Cela n'était pas arrivé, bien sûr, mais l'idée que le monde pouvait s'écrouler à tout moment avec un grand crac avait encouragé Tally à boire du champagne plus que de raison.

Zane, qui était plus ou moins le chef des Crims, avait fini par s'ennuyer et en renverser une bouteille entière sur la glace. De quoi la faire fondre, selon lui, et précipiter quelqu'un dans le vide au milieu des feux d'artifice. En tout cas, il n'en avait pas répandu suffisamment pour éviter à Tally son mal de crâne ce matin.

La pièce produisit la sonnerie spéciale indiquant qu'un autre Crim cherchait à la joindre.

— Oui ?

— C'est moi, Tally.

— Shay-la ! (Tally se redressa tant bien que mal sur un coude.) J'ai besoin d'un coup de main !

— La soirée ? Je suis au courant.

— Qu'est-ce qu'on est censés comprendre par l'expression : soirée *semi*-habillée, dis-moi un peu ?

Shay rit.

— Tu retardes sérieusement, Tally-wa. Tu n'as pas reçu le message ?

— Quel message ?

— Il y a des heures qu'il a été transmis !

Tally jeta un coup d'œil à sa bague d'interface, restée sur la table de chevet. Elle ne la portait jamais la nuit, vieille habitude de l'époque où elle était Ugly et faisait le mur tous les soirs. L'anneau vibrait doucement, encore en mode silencieux.

— Oh ! Je viens de me réveiller.

— Eh bien, oublie cette histoire de semi-machin-chose. Ils ont changé le thème au dernier moment. Maintenant, il faut qu'on se dégotte un déguisement !

Tally consulta l'horloge : presque cinq heures de l'après-midi.

— Quoi, en trois heures ?

— Ouais, je sais. J'ai mis ma chambre sens dessus dessous sans rien trouver. C'est la honte. Je peux descendre ?

— Je t'en prie.

— Dans cinq minutes ?

— Sûr. Apporte le petit déjeuner. Bye.

Tally laissa retomber sa tête sur l'oreiller. Le lit tournoyait comme une planche magnétique, maintenant. La journée commençait à peine et tirait déjà à sa fin.

Elle enfila sa bague d'interface et écouta d'un air

9

maussade le message précisant que personne ne serait admis ce soir sans un déguisement véritablement *intense*. Trois heures pour trouver quelque chose de correct, alors que tout le monde avait déjà une sérieuse avance !

Parfois, elle avait l'impression qu'être une *vraie* criminelle avait été beaucoup, beaucoup plus simple.

Shay n'avait pas lésiné sur le petit déjeuner : omelette au homard, toasts, pommes de terre sautées, beignets de maïs, raisin, muffins au chocolat et Bloody Mary – plus de nourriture qu'une boîte entière de brûle-calories n'en pouvait effacer. Le plateau surchargé tremblait dans les airs, comme un gamin le premier jour d'école.

— Heu... Shay ? Tu veux qu'on se déguise en dirigeables, ou quoi ?

Shay gloussa.

— Non, mais tu avais l'air plutôt mal en point. Et il faut que tu sois intense, ce soir. Tous les Crims seront là pour décider de ton admission.

— Intense, super. (Tally soupira, et soulagea le plateau d'un Bloody Mary. Elle fronça les sourcils à la première gorgée.) Pas assez salé.

— Aucun problème, dit Shay.

Et elle racla le caviar qui décorait une omelette pour le mélanger au cocktail.

— Beurk ! Ça a le goût de poisson, maintenant.

— Le caviar, c'est bon avec tout.

Shay en prit une cuillerée elle aussi, l'enfourna dans sa bouche et ferma les yeux pour se concentrer sur le

10

goût des petits œufs de poisson. Puis elle tourna sa bague pour mettre un peu de musique.

Tally avala sa bouchée et reprit une autre gorgée de Bloody Mary, ce qui eut l'avantage de stabiliser la pièce. Les muffins au chocolat sentaient délicieusement bon. Elle attaqua ensuite les pommes de terre sautées, puis l'omelette.

Un bon gueuleton au réveil lui donnait une impression de puissance, comme si un tourbillon de saveurs artificielles pouvait effacer des mois de ragoût et de SpagBol.

La musique diffusée dans la pièce lui était inconnue.

— Merci, Shay-la. Tu me sauves la vie.

— Pas de problème, Tally-wa.

— Où étais-tu passée, hier soir ?

Shay sourit, avec l'air de quelqu'un qui a commis une bêtise.

— Un nouveau petit ami ?

Shay secoua la tête. Battit des paupières.

— Ne me dis pas que tu es repassée sur le billard ? demanda Tally. (Shay gloussa.) Tu *l'as fait*. Tu sais pourtant qu'on y a droit une seule fois par semaine ! Tu débloques, là.

— C'est O.K., Tally-wa. Simple retouche locale.

— Où ça ?

Le visage de Shay ne paraissait pas différent. L'opération concernait-elle une partie de son corps cachée sous le pyjama ?

— Regarde mieux.

Les longs cils de Shay battirent une fois de plus.

11

Tally se pencha en avant, fixant les yeux immenses, parfaits, semés de poussière de diamant, et son pouls s'accéléra.

Un mois après son arrivée à New Pretty Town, Tally demeurait fascinée par les yeux des autres Pretties. Ils lui paraissaient si grands, si chaleureux, brillant d'intérêt. Les splendides pupilles de Shay semblaient murmurer : *Je t'écoute. Je suis fascinée par ce que tu me racontes.* En elles, le monde se réduisait à l'image de Tally, baignée dans un rayonnement d'attention.

C'était encore plus bizarre avec Shay : Tally l'avait connue à l'époque où elle était Ugly, avant que l'Opération ne la transforme.

— Plus près, fit Shay.

Tally prit une longue inspiration, et la pièce se remit à tourner, mais dans le bon sens. Elle fit signe aux fenêtres de s'éclaircir légèrement et, à la lumière accrue, vit la retouche.

— Ooh… très joli.

Plus gros que les autres paillettes implantées, douze minuscules rubis bordaient les pupilles de Shay, luisant d'un rouge léger sur l'émeraude de ses iris.

— Intense, non ?

— Sûr. Attends une minute… Ceux d'en bas à gauche ne sont pas différents ?

Tally plissa les paupières. Dans chaque œil, un joyau semblait scintiller, minuscule bougie blanche au sein de profondeurs cuivrées.

— Il est cinq heures ! s'exclama Shay. Tu saisis ?

Il fallut une seconde à Tally pour se rappeler comment lire la grosse horloge au centre de la ville.

— Hum, sauf que tu indiques sept heures. Cinq heures, cela ne correspondrait pas plutôt au coin inférieur *droit*?

Shay renifla de mépris.

— Ça tourne à l'envers, bêtasse. Je veux dire, où serait l'intérêt, sinon?

— Attends, fit Tally, tu as des joyaux dans les yeux? Et ils indiquent l'heure? En tournant à l'envers? Il n'y a pas un petit détail de trop, Shay?

Tally regretta immédiatement ce qu'elle venait de dire. Une expression tragique vint obscurcir le visage de Shay, assombrissant la beauté de l'instant précédent. Celle-ci parut sur le point de pleurer. Une nouvelle opération constituait toujours un sujet délicat, presque autant qu'une nouvelle coupe de cheveux.

— Tu détestes, l'accusa Shay d'une voix douce.

— Pas du tout. Je te l'ai dit: très joli.

— Vraiment?

— Bien sûr. Et c'est chouette qu'ils tournent à l'envers.

Shay retrouva le sourire et Tally poussa un soupir de soulagement. Elle se serait fichu des claques! Seuls les nouveaux Pretties commettaient ce genre d'impair, et elle avait bénéficié de l'Opération depuis un mois. Pourquoi continuait-elle à dire des choses aussi foireuses? Un autre commentaire de ce genre, ce soir, et l'un des Crims risquait de voter contre elle. Un veto suffisait pour que l'on vous refuse l'admission.

Et elle resterait seule, comme si, de nouveau, elle était en fuite.

Shay déclara:

— Nous devrions peut-être nous déguiser en horloges, ce soir, en l'honneur de mes nouveaux globes oculaires.

Tally s'esclaffa, comprenant que cette pauvre blague signifiait qu'elle était pardonnée. Après tout, Shay et elle en avaient vu d'autres.

— As-tu parlé à Peris et Fausto?

Shay acquiesça.

— Ils disent qu'on est tous supposés venir en criminels. Ils ont déjà trouvé une idée, mais c'est un secret.

— Tu parles d'un truc foireux. Comme s'ils avaient vraiment fait les quatre cents coups! Ce qu'ils ont commis de pire en tant qu'Uglies, ç'aura été de faire le mur et de franchir le fleuve une fois ou deux. Ils n'ont jamais mis les pieds à La Fumée.

La chanson s'acheva juste à ce moment-là, et le dernier mot de Tally tomba dans le silence soudain. Elle tenta de trouver quelque chose à dire, mais la conversation s'était éteinte. La mélodie suivante se fit attendre une éternité. Quand elle démarra enfin, Tally se sentit soulagée.

— Un costume de Crim ne devrait pas nous poser de problème, Shay-la. On est les deux plus grandes criminelles de la ville.

Shay et Tally se creusèrent la tête pendant deux heures, faisant cracher par la fente murale des costumes qu'elles essayaient au fur et à mesure. Elles pensèrent à se déguiser en bandits, mais ne savaient pas vraiment à quoi ils ressemblaient – dans les vieux films, les méchants rappelaient moins des Crims que des demeurés. L'habit de pirates leur irait beaucoup mieux, mais Shay ne tenait pas à porter un bandeau sur l'un de ses yeux tout neufs. Les costumes de chasseuses étaient une autre idée, sauf que la fente murale refusait d'entendre parler de fusils, qu'ils soient factices ou non. Tally passa en revue les dictateurs célèbres de l'Histoire, mais la plupart d'entre eux étaient des hommes totalement dépourvus de style.

— Nous devrions peut-être nous habiller en Rouillées! dit Shay. À l'école, c'étaient toujours eux les méchants.

— Sauf qu'ils n'étaient pas très différents de nous. Seulement plus moches.

— On pourrait couper des arbres, brûler du pétrole, je ne sais pas, moi!

Tally rit.

— Il s'agit d'un costume, Shay-la, pas d'un mode de vie.

Shay écarta les bras et fit d'autres propositions qui se voulaient intenses.

— Et si on fumait du tabac? Si on conduisait une voiture?

Mais la fente murale ne voulut entendre parler ni de cigarettes ni de véhicules.

C'était amusant, cependant, d'être là en compagnie de Shay à essayer des déguisements, puis de les retirer avec des gloussements et des reniflements de mépris avant de les fourrer dans le recycleur. Tally adorait se voir dans de nouveaux habits, jusqu'aux plus grotesques. Une part d'elle-même se rappelait encore l'époque où son reflet dans le miroir lui faisait mal – avec ses yeux trop rapprochés, son nez trop court, ses cheveux qui frisottaient sans arrêt. Désormais, une sorte d'étrangère splendide se tenait face à Tally, reproduisant le moindre de ses gestes – une personne au visage équilibré, à la peau satinée même quand elle avait la gueule de bois, au corps magnifiquement musclé et proportionné. Une personne dont les yeux argentés s'accordaient avec tout ce qu'elle portait.

Mais qui avait un goût atroce en matière de costumes.

Deux heures plus tard, elles étaient toujours allongées sur le lit, lequel se remit à tanguer.

— Je ne trouve rien de bien, Shay-la. Pourquoi ? Mon admission ne sera jamais votée si je ne me déniche pas un costume un peu moins foireux.

Shay lui prit la main.

— Ne t'en fais pas, Tally-wa. Tu es déjà une célébrité. Tu n'as aucune raison de t'inquiéter.

— Facile à dire pour toi.

Elles avaient beau être nées le même jour, Shay était devenue Pretty des semaines et des semaines avant Tally. Elle était une Crim à part entière depuis près d'un mois maintenant.

— Ça ne posera aucun problème, lui assura Shay. Quelqu'un qui a fréquenté les Special Circumstances a le crime dans la peau.

À cette réflexion de Shay, un frisson parcourut Tally, comme un signal douloureux.

— Quand même. J'aurais bien voulu être intense.

— La faute à Peris et Fausto qui n'ont pas voulu nous dire ce qu'ils porteraient.

— Attendons qu'ils arrivent. Et copions-les.

— Ils le méritent, reconnut Shay. Encore un verre ?

— Je veux bien.

La tête de Tally lui tournait trop pour qu'elle aille où que ce soit, si bien que Shay ordonna au plateau déjeuner de s'en aller et de leur apporter du champagne.

Quand Peris et Fausto débarquèrent, ils faisaient des étincelles.

En réalité, ils avaient glissé des feux de Bengale dans leurs cheveux et leurs vêtements, de sorte que des flammes les parcouraient de haut en bas. Fausto ne cessait de glousser en prétendant qu'elles le chatouillaient. Ils portaient tous les deux des gilets de sustentation – comme s'ils venaient de sauter du toit d'un immeuble ravagé par un incendie.

— Fantastique ! s'exclama Shay.

— Hystérique, ajouta Tally. Mais en quoi est-ce un costume de Crim ?

— Aurais-tu oublié ? demanda Peris. Quand tu t'es invitée à une fête l'été dernier, et que tu t'es sauvée en volant un gilet de sustentation avant de sauter du toit ? Le meilleur tour d'Ugly de tous les temps !

— Sûr... Mais pourquoi êtes-vous en feu ? insista Tally. Je veux dire, ça n'a rien de criminel dans le cas d'un incendie.

Shay lui adressa un regard lourd de significations, comme si elle poursuivait ses réflexions foireuses.

— On n'allait pas se contenter d'enfiler des gilets, protesta Fausto. Cracher des flammes est beaucoup plus intense.

— Ouais, renchérit Peris.

Mais l'argument avait porté, et Tally regretta d'avoir

ouvert la bouche. Quelle idiote! Leur costume était authentiquement intense.

Ils éteignirent leurs feux de Bengale pour les économiser jusqu'à la fête, et Shay ordonna à la fente murale de leur fabriquer deux autres gilets.

— Eh, c'est du copiage! s'indigna Fausto.

De toute façon, la fente refusa de fournir des gilets de sustentation, au cas où un étourdi se jetterait avec dans le vide. Elle ne pouvait pas en produire de vrais; il fallait s'adresser au service de Réquisition pour obtenir quoi que ce soit de complexe ou de durable. Et la Réquisition refuserait, car il n'y avait aucun incendie, nulle part.

Shay renifla.

— La résidence est complètement foireuse, aujour–d'hui.

— Comment avez-vous obtenu les vôtres? voulut savoir Tally.

Peris sourit en tripotant son gilet.

— On les a volés sur le toit.

— Alors, ils *sont* criminels, dit Tally en bondissant du lit pour le serrer dans ses bras.

En compagnie de Peris, elle n'avait plus l'impression que la soirée serait barbante, ou que quelqu'un voterait contre elle. Les grands yeux bruns du garçon plongeaient dans les siens, et il la souleva en l'étreignant très fort. Elle avait toujours été proche de Peris à l'époque de leur mocheté, quand ils grandissaient ensemble en multipliant les bêtises; c'était génial de retrouver cette complicité.

Durant toutes ces semaines passées dans la nature, Tally n'avait songé qu'à retrouver Peris – et être jolie à New Pretty Town. Elle n'allait pas être malheureuse en un jour pareil, ou n'importe quel jour, d'ailleurs. Sa tristesse venait probablement d'un excès de champagne.

— Amis pour la vie, lui glissa-t-elle à l'oreille au moment où il la déposa au sol.

— Hé, qu'est-ce que c'est que ce truc ? demanda Shay.

Alors qu'elle fouillait dans l'armoire de Tally, à la recherche d'idées, elle venait de dénicher une masse de laine informe.

— Oh, ça ! (Tally se détacha de Peris.) C'est le sweat-shirt que j'ai rapporté de La Fumée, tu te rappelles ?

Le vêtement lui semblait étrange, différent de son souvenir, et dans un triste état. Il laissait voir les endroits des coutures. Les habitants de La Fumée n'avaient pas de fentes murales – ils devaient tout fabriquer eux-mêmes, et, à l'évidence, n'étaient pas particulièrement doués en ce domaine.

— Tu ne l'as pas recyclé ?

— Non. Il est d'un matériau trop bizarre. La fente ne sait pas quoi en faire.

Shay porta le sweat-shirt à son nez et le renifla.

— Waouh ! Il sent encore La Fumée. L'odeur des feux de camp, et celle de cette espèce de ragoût qu'ils mangeaient tout le temps. Tu te souviens ?

Peris et Fausto s'approchèrent pour humer à leur tour. Ils n'avaient jamais quitté la ville, sauf en excursions scolaires aux Ruines rouillées. Ils n'étaient certainement jamais allés aussi loin que La Fumée, là où les gens devaient travailler toute la journée pour fabriquer des trucs et faire pousser (voire tuer) leur propre nourriture. Chacun y restait moche après son seizième anniversaire. Et jusqu'à son dernier souffle.

Bien sûr, grâce à Tally et aux Special Circumstances, La Fumée appartenait désormais au passé.

— Hé, j'ai trouvé, Tally! s'exclama Shay. On n'a qu'à se déguiser en Fumantes, ce soir!

— Ce serait totalement criminel! dit Fausto, les yeux brillants d'admiration.

Tous trois se tournèrent vers Tally, excités par l'idée. Malgré un mauvais pressentiment, elle comprit qu'il serait foireux de refuser. Et avec un costume aussi intense qu'un véritable sweat-shirt de Fumante, elle ne risquait pas de subir le moindre vote négatif. Car Tally Youngblood avait le crime dans la peau.

LA FÊTE

La fête se déroulait à la résidence Valentino, l'immeuble le plus ancien de New Pretty Town, au bord du fleuve. Le bâtiment n'avait que quelques étages, mais il était coiffé d'une tour de transmission visible de loin. À l'intérieur, les murs étaient en pierre véritable, de sorte que les chambres ne pouvaient pas parler, mais la résidence était réputée depuis toujours pour ses fêtes géantes et somptueuses. La liste d'attente pour devenir résident de Valentino s'étirait à l'infini.

Peris, Fausto, Shay et Tally traversèrent les jardins de plaisir grouillants de monde. Tally aperçut un ange avec de magnifiques ailes de plumes qu'il avait dû réquisitionner des mois auparavant (ce qui constituait ni plus ni moins une tricherie), ainsi qu'une bande de jeunes Pretties portant des costumes de gros lards et des masques à triple menton. Une troupe de Fêtards à demi nus singeaient les pré-Rouillés en jouant du djembé autour de feux de camp.

Peris et Fausto n'arrivaient pas à se mettre d'accord sur le moment où se rallumer. Ils voulaient soigner leur entrée, mais également économiser leurs feux de Bengale pour les autres Crims. En s'approchant du vacarme et des lumières de la résidence, Tally devint de plus en plus nerveuse. Leurs costumes de Fumantes ne ressemblaient pas à grand-chose. Tally portait son vieux sweat-shirt, et Shay en avait revêtu une copie. Elles avaient mis des pantalons de grosse toile, des sacs à dos et des chaussures d'aspect artisanal que Tally avait dû décrire à la fente murale d'après ses souvenirs de La Fumée. Dans un souci d'authenticité, elles s'étaient barbouillé le visage et les vêtements avec de la terre. En chemin, l'idée leur avait paru intense, mais maintenant, elles se sentaient simplement sales.

À la porte, deux Valentino déguisés en gardiens s'assuraient de ne laisser entrer personne sans costume. Ils commencèrent par arrêter Fausto et Peris, pourtant quand ils les virent s'allumer, ils rirent et leur firent signe de passer. En voyant Shay et Tally, ils haussèrent les épaules, mais les laissèrent entrer.

— Attends que les autres Crims nous voient, dit Shay. Eux, ils pigeront.

Les quatre amis s'enfoncèrent dans la foule au milieu d'une totale confusion de costumes. Tally vit des hommes des neiges, des soldats, des personnages de jeux de cartes et tout un comité de scientifiques brandissant des graphiques faciaux. Les personnages historiques étaient nombreux, avec leurs habits des quatre coins du monde. Tally se souvint à quel point les gens étaient tous différents les uns des autres à l'époque où ils étaient beaucoup trop nombreux. Les jeunes Pretties les plus âgés avaient souvent opté pour des costumes modernes : médecins, gardiens, ingénieurs, politiciens – tout ce qu'ils espéraient devenir après l'Opération qui ferait d'eux des grands Pretties. Un groupe de pompiers s'efforça en riant d'éteindre les flammes de Peris et Fausto, mais ne réussit qu'à les agacer.

— Où sont les Grims? ne cessait de demander Shay aux murs de pierre qui demeuraient obstinément muets. C'est nul. Comment font ceux qui habitent ici?

— Je crois qu'ils se trimbalent en permanence avec des téléphones à main, répondit Fausto. On aurait dû en réquisitionner un.

À la résidence Valentino, on ne pouvait pas se contenter d'appeler à haute voix les gens pour les localiser – les pièces étaient trop anciennes, trop stupides; c'était comme se trouver à l'extérieur. Tally appliqua sa paume sur le mur pendant qu'ils progressaient, savourant le contact des vieilles pierres contre sa peau. L'espace d'un instant, elles lui rappelèrent la nature sauvage, rude, silencieuse et immuable. Elle n'avait pas particulièrement hâte de rejoindre les autres Crims; ils allaient tous la jauger du regard en se demandant pour qui voter.

Ils parcoururent les couloirs bondés, jetant un coup d'œil dans des chambres remplies d'astronautes et d'explorateurs de l'ancien temps. Tally dénombra cinq Cléopâtre et deux Lillian Russell. Il y avait même quelques Rudolph Valentino; apparemment, la résidence portait le nom d'un Pretty naturel de l'ère rouillée.

D'autres bandes s'étaient choisi des costumes à thème – les Sportifs, juchés sur des skates magnétiques, portaient des crosses de hockey, les Tornades s'étaient affublés de grandes collerettes coniques en plastique comme s'ils étaient des chiens malades. Et, bien sûr, les membres de l'Essaim étaient partout, bavardant les uns avec les autres par l'intermédiaire de leurs bagues d'interface. Grâce aux antennes qui pointaient de leur peau, ils pouvaient s'appeler de n'importe où, même entre les murs stupides de la résidence Valentino. Les autres bandes avaient l'habitude de se moquer d'eux parce qu'ils ne sortaient jamais autrement qu'en groupes massifs. Ils s'étaient déguisés en mouches avec de gros yeux à facettes, ce qui avait au moins le mérite de la cohérence.

Parmi ce déferlement de costumes, ils ne repérèrent aucun autre Crim, et Tally commença à se demander s'ils n'avaient pas préféré renoncer à la fête plutôt que voter pour elle. Des idées paranoïaques se bousculèrent en elle ; elle ne cessait d'apercevoir quelqu'un qui la suivait dans l'ombre, à demi caché par la foule, mais toujours présent. Chaque fois qu'elle se retournait, pourtant, le costume gris se dérobait prestement.

Tally n'aurait su dire s'il s'agissait d'une fille ou d'un garçon. La personne portait un masque, effrayant mais aussi très beau, avec des yeux de loup qui luisaient dans l'éclairage tamisé. Ce visage en plastique éveilla un écho en Tally, un souvenir douloureux qui mit un moment à se figer. Puis elle réalisa ce que représentait le déguisement : un agent des Special Circumstances.

Tally se rencogna contre le mur de pierre froide, se rappelant les combinaisons grises que portaient les Specials et les jolis visages cruels qu'on leur attribuait. Cette vision lui donna le tournis, comme chaque fois qu'elle repensait à son ancienne vie de fugitive.

Croiser un tel costume ici, à New Pretty Town, était absurde. Shay et elle exceptées, pratiquement personne n'avait jamais vu un Special. Pour la plupart des gens, les Specials n'étaient qu'une rumeur, une légende urbaine, à laquelle on attribuait la paternité de tout ce qui pouvait arriver de bizarre. Ils ne se montraient jamais. Leur travail consistait à défendre la ville contre toute menace extérieure, à la manière des soldats et des espions de l'ère rouillée, mais seuls des criminels endurcis comme Tally Youngblood en avaient vu.

Tout de même, l'individu avait drôlement bien réussi son costume. Il ou elle avait déjà dû rencontrer un Special dans sa vie. Mais pourquoi la suivre, *elle* ? Chaque fois que Tally se retournait, l'inconnu était là, évoluant avec cette grâce redoutable de prédateur qu'elle se rappelait pour avoir été poursuivie parmi les ruines de La Fumée, ce jour terrible où ils étaient venus la chercher.

Elle secoua la tête : repenser à ces moments-là lui remettait chaque fois en mémoire des souvenirs foireux qui ne cadraient pas les uns avec les autres. Jamais les Specials n'avaient poursuivi Tally, naturellement. Pourquoi l'auraient-ils fait ? Ils étaient venus la *sauver*, la ramener à la maison après qu'elle eut quitté la ville pour suivre la piste de Shay. Si les remémorer lui donnait le tournis, c'était parce que leurs traits cruels étaient conçus pour inspirer la peur, de la même façon que les traits des Pretties ordinaires vous faisaient vous sentir bien.

Cette mystérieuse personne n'en avait peut-être pas après elle, en fin de compte ; sans doute y en avait-il plusieurs comme elle, toute une bande dispersée à travers la fête, ce qui lui donnait l'impression d'être suivie. Cette idée paraissait beaucoup plus raisonnable.

Elle rejoignit ses compagnons et plaisanta avec eux en continuant à chercher le reste des Crims. Mais à force de garder un œil sur la silhouette fugitive, Tally acquit peu à peu la conviction qu'il ne s'agissait pas d'une bande. La personne apparaissait toujours seule, ne se mêlait pas vraiment à la fête. Et cette manière qu'elle avait de bouger, si élégante…

Tally s'enjoignit de se calmer. Les Special Circumstances n'avaient aucune raison de la suivre. Et ce n'aurait pas été bien malin de la part d'un Special qu'il se rende à une fête costumée déguisé en *Special*.

Elle eut un rire forcé. Il s'agissait probablement d'un autre Crim qui lui faisait une blague, ayant entendu les sempiternelles histoires qu'elle et Shay racontaient au sujet des Special Circumstances. Si c'était le cas, ce serait complètement foireux de perdre les pédales devant tout le monde. Mieux valait ignorer ce faux Special.

Tally baissa les yeux sur son propre déguisement, se demandant si ses vêtements de Fumante ne contribuaient pas à lui flanquer la frousse. Shay avait raison : l'odeur du vieux sweat-shirt tricoté à la main la ramenait à l'époque de son escapade hors de la ville, aux journées de rude labeur, aux soirées passées à se blottir au coin du feu, mêlées à des souvenirs de visages moches vieillissants qui la réveillaient encore en sursaut, certaines nuits.

Vivre à La Fumée l'avait décidément perturbée.

Les autres ne paraissaient rien remarquer. Étaient-ils tous dans la combine ? Fausto répétait sans arrêt que ses feux de Bengale allaient s'éteindre avant que le reste des Crims ait pu les admirer.

— Allons voir s'ils sont dans l'une des tours, proposa-t-il.

— Au moins, depuis un vrai immeuble, on pourra les appeler, approuva Peris.

Shay renifla et se dirigea vers la porte la plus proche.

— Tout ce que vous voulez, pourvu qu'on sorte de cette foutue grotte.

La fête était en train de se répandre à l'extérieur, se propageant hors des limites des anciens murs de pierre. Shay les entraîna vers une tour de fête choisie au hasard, à travers une foule de coiffeurs affichant des perruques en forme de ruches, entourées chacune de son propre essaim d'abeilles (en réalité, des microsuspenseurs jaune et noir tissant des motifs autour de leur tête).

— Ils ont complètement raté le bourdonnement, commenta Fausto.

Mais Tally vit qu'il était impressionné par leurs costumes. Les feux de Bengale qu'il avait dans les cheveux commençaient à crachoter, et les gens le regardaient d'un air perplexe.

Une fois à l'intérieur de la tour de fête, Peris appela Zane, qui leur apprit que les autres Crims les attendaient en haut.

— Bien vu, Shay.

Ils s'entassèrent tous les quatre dans l'ascenseur en compagnie d'un chirurgien, d'un trilobite et de deux joueurs de hockey à moitié ivres qui s'efforçaient de tenir debout sur leurs skates magnétiques.

— Efface-moi cette expression crispée de ton visage, Tally-wa, dit Shay en pressant l'épaule de son amie. Tu vas être admise sans problème. Tu as un ticket avec Zane.

Tally parvint à sourire, se demandant si c'était vrai. Zane ne cessait de l'interroger sur ses exploits de Ugly, mais il faisait la même chose avec tout le monde, absorbant les histoires des Crims dans ses yeux pailletés d'or. Trouvait-il vraiment que Tally Youngblood avait quelque chose de spécial ?

Au moins une personne le pensait, de toute évidence : quand les portes de l'ascenseur se refermèrent, Tally vit un éclair de soie grise fendre la foule avec grâce.

L'INTRUS

La plupart des autres Crims étaient venus en bûcherons, habillés d'une chemise à carreaux rembourrée de partout, brandissant de fausses tronçonneuses et des flûtes à champagne. On comptait également des bouchers, quelques fumeurs qui s'étaient confectionné de fausses cigarettes, ainsi qu'un bourreau avec un long nœud coulant jeté sur l'épaule. Zane, toujours féru d'histoire, avait revêtu l'uniforme d'un des rares dictateurs à avoir eu, selon lui, un peu de style : ses habits noirs près du corps étaient rehaussés par un brassard rouge des plus intenses. Il s'était offert une chirurgie cosmétique temporaire pour s'affiner les lèvres et se creuser les joues, ce qui le faisait ressembler un peu à un Special.

Le costume de Peris fit rire tout le monde. Ils tentèrent de rallumer Fausto, mais ne réussirent qu'à lui brûler quelques mèches de cheveux, ce qui dégagea une odeur abominable. Il y eut un moment délicat pendant lequel ils tentèrent de deviner en quoi Tally et Shay étaient déguisées, mais bientôt, les autres Crims se pressèrent autour d'elles pour toucher les fibres rugueuses du sweat-shirt artisanal et demander si cela grattait (c'était le cas, mais Tally secoua la tête).

Shay s'approcha de Zane pour lui faire remarquer ses yeux.

— Tu les trouves jolis ? s'enquit-elle.

— Je leur donne cinquante milli-Helens, répondit-il.

Ce qui laissa tout le monde perplexe.

— Un milli-Helen correspond précisément à la beauté nécessaire pour lancer un vaisseau, expliqua Zane, provoquant l'hilarité des Crims les plus âgés. Cinquante, c'est très bien.

Shay sourit ; le compliment de Zane illumina son visage encore mieux que le champagne.

Tally voulait être intense, mais l'idée de cet inconnu déguisé en Special qui la suivait l'obsédait. Après quelques minutes, elle s'échappa sur le balcon de la tour de fête pour se remplir les poumons d'air frais.

Quelques ballons à air chaud étaient amarrés à la tour, flottant dans le ciel comme de gigantesques lunes noires. Les Air-chaud, à bord de l'une des nacelles, s'amusaient à tirer des feux d'artifice en direction des autres. Puis l'un des ballons prit de la hauteur tandis que son amarre retombait mollement le long de la tour ; on entendait le grondement de son brûleur, très net malgré le vacarme de la fête. Il cracha un minuscule jet de flammes avant de disparaître dans le lointain. Si Shay ne l'avait pas présentée aux Crims, Tally aurait aimé rejoindre les Air-chaud. Ils se laissaient dériver dans la nuit, se posaient n'importe où puis appelaient un aérocar pour être récupérés dans quelque banlieue lointaine, voire hors des limites de la ville.

Les idées de Tally s'apaisèrent à force de regarder au-delà du fleuve, en direction des ténèbres d'Uglyville.

C'était étrange. Le souvenir de son escapade en pleine nature était si confus, alors qu'elle se rappelait parfaitement ses années de jeune Ugly, et combien elle aimait contempler les lumières de New Pretty Town depuis la fenêtre de son dortoir, impatiente d'avoir seize ans. Elle s'était toujours imaginée sur cette rive, perchée au sommet d'une tour environnée de feux d'artifice, Pretty au milieu des Pretties.

Bien sûr, la Tally qu'elle évoquait portait généralement une robe de bal – non pas un sweat-shirt en laine et un pantalon de travail, avec le visage barbouillé de terre. Elle entortilla autour de son doigt un brin de laine qui dépassait, se prenant à souhaiter que Shay n'ait jamais retrouvé le sweat-shirt. Tally voulait laisser La Fumée derrière elle, échapper à tous ces souvenirs confus de fuite et de dissimulation, ne plus avoir l'impression d'être une traîtresse. En ce moment même, elle détestait surveiller la porte de l'ascenseur, prête à voir surgir le faux Special qui l'avait suivie jusqu'ici. Elle voulait se sentir chez elle, et non attendre le déclenchement de la prochaine catastrophe.

Peut-être que Shay avait raison de lui répéter que le vote de ce soir allait tout arranger. Les Crims constituaient l'une des bandes les plus fermées de New Pretty Town. On n'y entrait qu'une fois élu, et quand on en faisait partie, on était sûr de ne plus jamais manquer d'amis, de fêtes ou de conversations intenses. Ainsi, Tally n'aurait plus jamais besoin de fuir.

Le truc, c'est que personne n'était admis à moins d'avoir commis les quatre cents coups dans son enfance, et de bonnes histoires à raconter sur la manière de s'éclipser la nuit pour faire de la planche magnétique et violer tous les interdits. Les Crims n'avaient pas oublié leurs années de Uglies, ils aimaient toujours les mauvais tours et autres agissements criminels qui faisaient d'Uglyville, à sa façon, un endroit intense.

— Combien donnes-tu à la vue ?

C'était Zane, brusquement apparu à côté d'elle. Il la regardait du haut de ses deux mètres (taille maximale pour un Pretty), dans son uniforme noir d'autrefois.

— Hein ?

— Une centaine de milli-Helens ? Cinq cents ? Ou même un Helen entier ?

Tally prit une longue inspiration, baissant les yeux sur les eaux noires du fleuve.

— Je ne lui donne rien, voilà. C'est Uglyville, après tout.

Zane eut un petit rire.

— Allons, Tally-wa, ne sois pas méchante envers nos frères et nos sœurs moches. Ils n'y peuvent rien s'ils ne sont pas aussi jolis que toi.

Il repoussa derrière l'oreille de Tally une mèche de cheveux qui lui tombait sur les yeux.

— Ce n'est pas eux, mais l'endroit. Uglyville est une prison.

Ces mots sonnèrent faux dans sa bouche, trop graves pour une telle occasion.

Mais Zane ne parut pas s'en offusquer.

— Tu t'en es échappée, non ? (Il caressa les étranges fibres du sweat-shirt.) La Fumée valait-elle vraiment mieux ?

Tally se demanda s'il attendait une réponse sincère. Elle redoutait de dire quelque chose de foireux. Si

Zane la jugeait à côté de la plaque, les veto pleuvraient, malgré ce que Peris et Shay avaient pu lui promettre.

Elle leva ses yeux vers les siens : ils brillaient comme de l'or, reflétant les feux d'artifice tels de minuscules miroirs. Tally se sentit attirée par quelque chose en eux. Pas simplement par la magie habituelle des Pretties, mais par quelque chose de plus sérieux. La fête qui battait son plein autour d'eux lui semblait avoir disparu. Zane écoutait toujours avec ravissement ses histoires de Fumante. Il les connaissait toutes maintenant, mais peut-être désirait-il savoir autre chose.

— Je me suis sauvée la veille de mon seizième anniversaire, dit-elle. Ce n'était pas pour échapper à Uglyville.

— Exact. (Zane détacha ses yeux des siens et regarda de l'autre côté du fleuve.) Tu échappais plutôt à l'Opération.

— Je voulais retrouver Shay. Je devais rester moche afin de remonter jusqu'à elle.

— Pour la sauver, dit-il avant de reporter ses yeux dorés sur elle. Ça s'est réellement passé ainsi ?

Tally acquiesça avec prudence, encore étourdie par le champagne de la veille. Ou peut-être celui de ce soir. Elle contempla le verre vide qu'elle tenait à la main. Combien en avait-elle bu ?

— C'était une chose que je devais faire, rien de plus.

Tally sentit que les mots qu'elle prononçait sonnaient faux.

— Une circonstance spéciale ? demanda Zane avec une mine pincée.

Tally haussa les sourcils. Elle se demanda quel genre

33

d'exploit avait commis Zane à l'époque où il était Ugly. Il ne racontait pas grand-chose sur lui-même. Bien qu'il ne soit pas beaucoup plus âgé qu'elle, il ne semblait jamais éprouver le besoin d'affirmer son statut de Crim. Il l'était, tout naturellement.

Même avec ses lèvres amincies par la chirurgie, il demeurait très beau. Son visage avait été sculpté de manière beaucoup plus approfondie que la plupart, comme si les chirurgiens avaient voulu pousser les spécifications du Beau Comité à leur extrême limite. Ses pommettes saillaient sous la chair telles des pointes de flèche, et ses sourcils s'incurvaient à une hauteur absurde quand quelque chose l'amusait. Tally réalisa qu'il suffirait d'accentuer encore certains de ses traits de quelques millimètres pour lui donner un air terrible ; en même temps, il était impossible d'imaginer qu'il avait été moche.

— Es-tu déjà allé dans les Ruines rouillées ? demanda-t-elle. Du temps où tu étais… jeune ?

— Pratiquement chaque nuit, l'hiver dernier.

— En hiver ?

— J'adore voir les ruines recouvertes par la neige, dit-il. Les angles s'adoucissent, et le spectacle gagne plusieurs méga-Helens.

Tally se souvint de son trajet en pleine nature au début de l'automne, et du froid qui régnait.

— Il devait faire plutôt frisquet.

— Personne ne voulait venir avec moi. (Il plissa les yeux.) Quand tu parles des ruines, tu ne racontes jamais si tu as rencontré quelqu'un là-bas.

— Rencontré quelqu'un ?

Tally ferma les yeux, subitement au bord de la perte

d'équilibre. Elle se cramponna au balcon et prit une grande inspiration.

— Oui, dit-il. Ça t'est arrivé ?

La flûte à champagne vide lui échappa des doigts et s'enfonça dans les ténèbres en tournoyant.

— Attention là-dessous, murmura Zane, un sourire aux lèvres.

Un fracas de verre brisé retentit dans le noir, suivi d'exclamations et de rires, pareils à des rides qui se propagent à la surface de l'eau.

Tally tâcha de reprendre son sang-froid. Son estomac faisait des nœuds. Quelle honte pour elle de se retrouver dans cet état, sur le point de rendre son petit déjeuner après quelques misérables verres de champagne !

— Tout va bien, Tally, murmura Zane. Laisse-toi simplement aller, sois intense.

Quoi de plus foireux que s'entendre dire une chose pareille ? Pourtant, en dépit de sa chirurgie cosmétique, le regard de Zane s'était radouci, comme s'il tenait vraiment à ce qu'elle se détende.

Elle se détourna du vide, agrippant la rambarde à deux mains dans son dos. Shay et Peris les avaient rejoints sur le balcon ; elle était entourée de tous ses nouveaux amis Crims, protégée et acceptée par le groupe. Mais ils la surveillaient également du coin de l'œil. Peut-être chacun attendait-il quelque chose de spécial de sa part, ce soir.

— Je n'ai jamais vu personne là-bas, répondit Tally. Quelqu'un était supposé venir, mais il ne s'est pas montré.

Elle ne fit pas attention à la réponse de Zane.

Son mystérieux suiveur avait réapparu – de l'autre

côté de la tour surpeuplée, parfaitement immobile, les yeux braqués sur elle. Les pupilles scintillantes sous le masque soutinrent son regard un moment, puis la silhouette se détourna, se faufila entre les vestons blancs du Beau Comité, et disparut derrière les graphiques indiquant les types de beauté en vigueur. Tally n'hésita pas : elle écarta Zane et fendit la foule ; elle n'aurait pas de repos avant d'avoir découvert qui était cette personne, que ce soit un Crim, un Special ou juste un jeune Pretty. Il fallait qu'elle sache qui lui jetait ainsi les Special Circumstances au visage.

Tally esquiva les vestons blancs, rebondit comme une boule de billard au sein d'un groupe en costume de gros lards, roula par-dessus la moitié d'une équipe de hockey. Elle apercevait fugitivement des éclairs de soie grise, mais la foule était si dense, si agitée que le temps pour elle d'atteindre la colonne centrale de la tour, la silhouette s'était évaporée.

En jetant un coup d'œil aux voyants lumineux de la porte de l'ascenseur, elle vit que ce dernier était en train de monter, pas de descendre. Le faux Special était donc toujours dans les parages, quelque part dans la tour.

C'est alors qu'elle repéra la porte de l'escalier de secours, rouge vif, bardée d'avertissements prévenant que son ouverture déclenchait aussitôt une alarme. Son mystérieux suiveur avait *forcément* dû s'enfuir par l'escalier. Une alarme, cela se déconnectait ; elle-même l'avait fait des millions de fois du temps où elle était Ugly.

Tally avança le bras vers la porte, la main tremblante.

Si une sirène se mettait à mugir, cela sonnerait une fin intense à sa brève carrière de Crim.

Tu parles d'une Crim, se dit-elle. Elle ferait une piètre criminelle si elle ne pouvait se permettre de déclencher une alarme de temps à autre.

Elle repoussa le battant. Aucun bruit ne retentit.

Tally pénétra dans la cage d'escalier. La porte se referma derrière elle, étouffant les bruits de la fête. Dans ce calme soudain, elle sentit son cœur marteler contre sa poitrine, entendit son propre souffle, précipité. Néanmoins, la musique s'insinuait partout, faisant vibrer le sol en béton.

La silhouette était assise un peu plus bas, sur les marches.

— Tu es venue.

C'était une voix de garçon, indistincte derrière le masque.

— Où ça, venue ? À la fête ?

— Non, Tally. Ici.

— La porte n'était pas fermée. Qui es-tu ?

— Tu ne me reconnais pas ? (Il parut sincèrement surpris). Qu'est-ce que je te rappelle ?

Tally inspira profondément et répondit avec douceur :

— Les Special Circumstances.

— Bien ! Tu n'as pas oublié.

Il lui parlait lentement, en détachant bien les mots, comme à une demeurée.

— Bien sûr que je n'ai pas oublié. Es-tu l'un des leurs ? Est-ce que je te connais ?

Dans le souvenir de Tally, les visages des Specials se fondaient tous en une même jolie expression cruelle.

— Pourquoi ne pas t'en assurer par toi-même? (L'autre n'esquissa pas un geste pour retirer son masque.) Vas-y, Tally.

Soudain, elle réalisa ce qui était en train de se passer. L'identification du costume, la poursuite à travers la fête, l'alarme de la porte – tout cela n'avait été qu'une mise à l'épreuve. Une sorte de test de recrutement. Il demeurait assis là, se demandant si elle oserait lui arracher son masque.

Tally était lasse des tests.

— Laisse-moi tranquille, dit-elle.

— Tally...

— Je n'ai pas envie de travailler pour les Special Circumstances. Je veux simplement vivre ici, à New Pretty Town.

— Je ne suis pas...

— Fiche-moi la paix! cria-t-elle en serrant les poings.

Son cri roula sur les murs en béton, laissant flotter un silence. La musique de la fête se glissait toujours dans la cage d'escalier, discrète et assourdie.

En fin de compte, l'inconnu masqué laissa échapper un soupir et brandit une bourse en cuir grossier.

— J'ai quelque chose pour toi. Si tu te sens prête. Le veux-tu, Tally?

— Je ne veux rien qui vienne de...

Des bruits de frôlements leur parvenaient d'en bas. Quelqu'un montait l'escalier.

Ils bougèrent simultanément, se penchant par-dessus la rambarde pour regarder dans le vide. Beaucoup plus bas, Tally aperçut des éclairs de soie grise et des mains qui accrochaient la rambarde ; une demi-douzaine de personnes étaient en train de monter à une vitesse incroyable, le bruit de leurs pas à peine audible derrière la musique assourdie.

— À plus tard, dit l'inconnu en se redressant.

Et il la repoussa sur le côté, effrayé à la vue d'authentiques Specials.

Avant que ses doigts n'atteignent la poignée de la porte, Tally lui arracha son masque.

C'était un Ugly. Un *vrai* Ugly.

Son visage ne ressemblait en rien aux masques dont certains s'étaient affublés pour la fête. La différence ne tenait pas à une simple exagération des traits ; elle était générale, comme s'il était constitué d'une substance radicalement étrangère. Durant quelques secondes, la vision parfaite de Tally embrassa le moindre pore béant, les cheveux en bataille, le déséquilibre grossier du visage. Elle eut la chair de poule devant les imperfections, les touffes éparses de barbe, les dents non corrigées, les éruptions du front. Elle voulut s'écarter, mettre de la distance entre elle et cette mocheté triste, crasseuse.

Un nom lui revint pourtant…

— Croy ? fit-elle.

CHUTE

— Plus tard, Tally, dit Croy en reprenant son masque.

Il ouvrit brusquement la porte, et le vacarme de la fête s'engouffra dans la cage d'escalier le temps qu'il s'élance dans la foule.

Tally resta plantée là, devant la porte qui se refermait, trop abasourdie pour réagir. Elle avait conservé un souvenir faussé de la mocheté : le visage de Croy était bien pire que l'image mentale qu'elle gardait des Fumants. Son sourire tordu, ses yeux ternes, les vilaines marques rouges du masque sur sa peau en sueur...

Tally entendit plus distinctement les bruits de pas qui montaient – les vrais Specials se ruaient vers elle – et pour la première fois de la journée, une idée claire lui traversa l'esprit.

Cours.

Elle ouvrit la porte et plongea dans la foule.

Tally trébucha au milieu d'une bande de Naturels couverts de feuilles mortes, et parvint néanmoins à conserver l'équilibre – le sol était poisseux de champagne renversé.

Elle distingua le vêtement gris de Croy. Il se dirigeait vers le balcon où se tenaient les Crims.

Elle fonça derrière lui. Tally ne souhaitait pas qu'on la suive, qu'on vienne remuer ses souvenirs : elle avait juste besoin d'être intense. Il fallait qu'elle rattrape Croy pour lui dire de ne plus rôder autour d'elle. Ils n'étaient pas à Uglyville ni à La Fumée. Il n'avait aucun droit de se trouver là, de surgir ainsi de son passé de Ugly.

Une deuxième raison la poussait à courir : les Specials. Le bref aperçu qu'elle en avait eu avait suffi à placer chaque cellule de son corps en alerte. Leur vitesse inhumaine possédait quelque chose de repoussant, comme la fuite d'un cafard qui détale sur une assiette. Les mouvements de Croy lui avaient peut-être paru inhabituels, son assurance de Fumant se détachant nettement au sein d'une assemblée de jeunes Pretties, mais les Specials appartenaient à une tout autre catégorie.

Tally fit irruption sur le balcon juste à temps pour voir Croy bondir sur la balustrade et mouliner des bras afin de rétablir un équilibre précaire. Puis il réussit à se stabiliser, ploya les genoux et sauta dans la nuit.

Elle courut vers la rambarde et se pencha au-dessus du vide : Croy, rapidement avalé par les ténèbres en contrebas, réapparut, cul par-dessus tête, son costume de soie grise accrochant les reflets des feux d'artifice tandis qu'il rebondissait en direction du fleuve.

Zane s'approcha d'elle et s'inclina lui aussi afin de voir ce qu'elle regardait fixement.

— Hum, l'invitation ne précisait pas « gilet de sustentation de rigueur », murmura-t-il. Qui était-ce ?

Elle était sur le point de répondre quand une alarme se mit à sonner.

Tally fit volte-face et vit la foule s'écarter : le groupe de Specials s'ouvrait un chemin parmi les jeunes Pretties médusés. Leurs visages cruels n'étaient pas plus un déguisement que la mocheté de Croy, et ils étaient tout aussi choquants à voir. Leurs yeux de prédateurs firent frissonner Tally. Elle eut envie de s'enfuir en hurlant.

À l'autre bout du balcon elle aperçut Peris, figé contre la balustrade, pétrifié par le spectacle. Ses feux de Bengale crachotaient, mais le voyant au col de son gilet de sustentation était toujours au vert.

Tally se dirigea vers lui, calculant les angles, évaluant le moment exact où il faudrait sauter. Pendant un instant, les choses lui parurent étrangement claires, comme si la vision de la mocheté de Croy et des Specials aux traits cruels avait arraché un voile dressé entre elle et le monde. Tout lui apparaissait net, précis, avec tant de détails que Tally dut plisser les yeux comme en plein vent.

Elle atteignit Peris pile à l'endroit voulu. Ses bras se refermèrent autour de ses épaules et son élan les fit basculer tous les deux par-dessus la rambarde. Tandis qu'ils quittaient la lumière pour se précipiter dans les ténèbres, le déguisement de Peris s'embrasa une dernière fois dans le souffle de la descente. Les étincelles de ses pièces d'artifice frôlèrent le visage de Tally, aussi fraîches que des flocons de neige.

Il hurlait et riait à la fois, comme s'il était la victime d'une plaisanterie désagréable mais revigorante – un seau d'eau froide sur la tête.

À mi-chemin du sol, l'idée vint à Tally que le gilet de

sustentation ne suffirait peut-être pas à les supporter tous les deux.

Elle resserra son étreinte et entendit Peris grogner tandis que les suspenseurs entraient en action. Le gilet le redressa sèchement, manquant de déboîter les épaules de Tally. Les semaines de rude labeur à La Fumée lui avaient laissé de bons muscles – que l'Opération n'avait fait que renforcer – mais elle faillit lâcher prise quand le gilet absorba la vitesse de leur chute. Ses bras glissèrent un peu, jusqu'à la taille de Peris, et ses doigts se retrouvèrent coincés dans les sangles du harnais.

Lorsque Tally effleura l'herbe du bout du pied, elle lâcha tout. Peris, lui, rebondit dans les airs, cueillant Tally à l'arcade sourcilière d'un coup de genou qui la fit tituber en arrière. Elle perdit l'équilibre et s'effondra sur une pile de feuilles mortes.

Pendant un moment, elle demeura immobile. Les feuilles dégageaient une odeur douceâtre de terre et de pourriture. Elle cligna soudain des paupières en sentant quelque chose lui couler dans l'œil. Peut-être pleuvait-il.

Elle leva la tête vers la tour de fête et les ballons à air chaud loin au-dessus d'elle, le temps de reprendre son souffle. Sur le balcon brillamment illuminé dix étages plus haut, on distinguait quelques silhouettes penchées dans le vide. Tally se demanda s'il y avait des Specials parmi eux.

Peris n'était visible nulle part. Elle se souvint d'avoir sauté en gilet quand elle était Ugly : le système vous entraînait le long d'une pente. Il avait dû rebondir vers le fleuve à la suite de Croy.

Croy. Il fallait qu'il lui parle…

Tally se remit sur ses pieds. Elle avait mal au crâne, mais son esprit était toujours aussi clair. Son pouls s'emballa quand une salve de feux d'artifice illumina le ciel, jetant une lumière rose et des ombres fugaces entre les arbres, soulignant chaque brin d'herbe.

Tout lui paraissait très réel : son dégoût intense devant la mocheté de Croy, sa crainte des Specials, les formes et les odeurs environnantes. Comme si un mince film plastique lui avait été ôté des yeux, redessinant le monde avec des contours plus nets.

Elle descendit la colline au pas de course, vers le ruban miroitant du fleuve et l'obscurité d'Uglyville.

— Croy ! cria-t-elle.

La fleur rose dans le ciel s'estompa, et Tally trébucha sur les racines d'un vieil arbre. Elle s'immobilisa.

Quelqu'un glissait vers elle dans les ténèbres.

— Croy ?

Le feu d'artifice mouchetait sa vision de points lumineux verts.

— Tu n'abandonnes pas comme ça, hein ?

Il se tenait sur une planche magnétique à un mètre du sol, les pieds écartés pour un meilleur équilibre, visiblement très à l'aise. Il avait troqué son costume gris pour des habits d'un noir de jais, et jeté son masque de Pretty cruel. Derrière lui planaient deux autres silhouettes vêtues de noir, de jeunes Uglies en uniformes de dortoir, l'air nerveux.

— Je voulais…

Sa voix mourut. Elle l'avait suivi pour lui dire : *Va-t'en, laisse-moi tranquille, ne remets plus jamais les pieds ici.* Pour le lui hurler à la figure. Mais tout était

44

devenu si clair, si intense… Ce qu'elle voulait désormais, c'était garder en permanence sa lucidité. Et l'intrusion de Croy dans son univers faisait partie du processus, elle le savait.

— Croy, ils arrivent, dit l'un des jeunes Uglies.

— Que voulais-tu, Tally? demanda-t-il calmement.

Elle cligna des paupières, saisie d'un doute, craignant de perdre cette clairvoyance si elle posait les mauvaises questions – redoutant que le voile ne retombe.

Elle se rappela ce qu'il lui avait dit dans l'escalier.

— Tu avais quelque chose pour moi?

Il sourit, et dégagea la bourse en cuir de sa ceinture.

— Ça? Oui, je crois que tu es prête. Il se pose juste un problème: tu ferais mieux de ne pas le prendre maintenant. Les gardiens vont arriver. Peut-être même les Specials.

— Ouais, d'ici une dizaine de secondes, fit l'un des Uglies, agité.

Croy l'ignora.

— Mais on va te le laisser à Valentino 317. Tu t'en souviendras? Valentino 317.

Elle acquiesça, la tête légère, puis cligna des paupières une fois de plus.

Il fronça les sourcils.

— J'espère.

Il fit pivoter sa planche d'un mouvement gracieux, et les deux autres Uglies l'imitèrent.

— À plus tard. Au fait, désolé pour ton œil.

Ils filèrent vers le fleuve et disparurent au cœur de la nuit en se dispersant dans trois directions différentes.

« "Désolé pour" *quoi*? » pensa-t-elle.

Sa vision se brouilla et elle porta la main à son front : elle la ramena poisseuse et vit d'autres taches sombres goutter dans sa paume. Elle finit par enregistrer la douleur, l'élancement qui lui vrillait le crâne au rythme de son pouls. Le choc avec le genou de Peris avait dû lui ouvrir le front. Ses doigts suivirent un filet de sang qui coulait de son arcade et roulait le long de sa joue, chaud comme des larmes.

Tally se laissa tomber dans l'herbe, tremblant soudain de la tête aux pieds.

D'autres feux d'artifice illuminèrent le ciel. Le sang dans sa main prit une coloration rouge vif ; chaque goutte était un petit miroir où se reflétaient les explosions. Des aérocars étaient apparus en grand nombre au-dessus de sa tête.

Tally sentit quelque chose lui échapper avec son saignement, une chose qu'elle voulait retenir...

— Tally !

Levant les yeux, elle vit Peris arriver du bas de la colline en gloussant.

— Ça, ce n'était pas très malin, Tally-wa. J'ai failli me retrouver à la flotte !

Il mima les gestes d'une noyade, étreignant le vide et faisant mine de s'enfoncer sous l'eau.

Elle ne put s'empêcher de rire. Son étrange impression de choc cédait la place à une sensation intense depuis qu'elle avait retrouvé Peris.

— Où est le problème ? Tu ne sais pas nager ?

Il rit lui aussi et s'assit dans l'herbe à côté d'elle, luttant avec les sangles de son gilet.

— Je ne suis pas habillé pour. (Il se massa l'épaule.) En plus... Aïe ! Tu m'as fait mal en t'accrochant à moi.

Tally s'efforça de se rappeler pourquoi elle avait jugé si malin de sauter de la tour, mais la vision de son propre sang lui brouillait les idées, et elle ne songeait plus qu'à dormir. Tout lui paraissait cru et brillant.

— Désolée.

— Préviens-moi juste, la prochaine fois. (Des feux d'artifice explosèrent au-dessus d'eux, et Peris la dévisagea en plissant les yeux, l'air confus.) Tu saignes ?

— Ouais. J'ai pris ton genou dans la figure quand tu as rebondi. Tu parles d'un coup foireux !

— Ce n'est pas joli, joli. (Il tendit la main et lui pressa le bras avec gentillesse.) Ne t'en fais pas, Tally. Je vais appeler une voiture de gardiens. Il y en a partout, ce soir.

L'une d'elles s'approchait justement. Elle passa en silence au-dessus d'eux, ses feux de position jetant une lueur rougeâtre sur l'herbe environnante. Un projecteur les prit dans son faisceau.

Tally réalisait pourquoi la soirée avait aussi mal tourné. Elle avait été trop inquiète sur le choix de sa tenue, sur l'issue du vote des Crims ; elle s'était montrée plus sérieuse qu'intense. Pas étonnant que les invités surprises à la fête lui aient mis la tête à l'envers.

Elle gloussa. Littéralement la tête à l'envers.

Mais tout était rentré dans l'ordre désormais. Les Uglies et les Pretties cruels étaient partis, Peris était là pour s'occuper d'elle. Une sensation paisible envahit Tally. Amusant comme ce coup à la tête l'avait laissée hébétée pendant un moment, elle était même allée jusqu'à discuter avec ces Uglies...

L'aérocar se posa à proximité et deux gardiens en bondirent : l'un d'eux portait une trousse de premiers secours. Quitte à faire soigner sa plaie, se dit Tally, elle pourrait peut-être obtenir des yeux différents, comme ceux de Shay. Pas tout à fait la même retouche, ce qui serait foireux, mais quelque chose dans le genre.

Elle leva la tête vers les traits de grands Pretties des gardiens, calmes, sages, sachant exactement leur mission. Leur sollicitude affichée rendait son visage en sang moins honteux.

Ils la ramenèrent gentiment jusqu'au véhicule, vaporisèrent de la peau neuve sur sa plaie et lui donnèrent une pilule pour en stopper le gonflement. Quand elle leur demanda si elle aurait des bleus, ils lui répondirent en riant que l'Opération avait mis un terme à cela. Elle n'aurait plus jamais aucun bleu.

Parce qu'il s'agissait d'une blessure à la tête, ils firent subir à Tally un examen neurologique : ils agitèrent une lampe rouge devant elle en suivant les mouvements de sa souris oculaire. Le test semblait passablement stupide, mais, selon les gardiens, il prouvait qu'elle ne souffrait pas de commotion ou de dégâts au cerveau. Peris évoqua le jour où lui-même avait traversé une porte vitrée à la résidence Lillian-Russell, et dit comment il était resté éveillé, de crainte de mourir. Tout le monde s'esclaffa.

Les gardiens leur posèrent ensuite quelques questions à propos des Uglies qui avaient franchi le fleuve ce soir et provoqué tout ce chahut.

— Vous les connaissiez ?

Tally soupira, peu désireuse de se laisser entraîner là-dedans. Être cause de cette intrusion au sein de la fête, c'était la honte. Mais la question était soulevée par de grands Pretties, et on ne pouvait l'écarter d'un haussement d'épaules. Ils savaient toujours ce qu'il convenait de faire. Elle n'allait pas mentir face à leurs visages calmes et autoritaires.

— Ouais. Je me rappelle l'un d'eux. Croy.

— Tu l'as connu à La Fumée, pas vrai, Tally ?

Elle acquiesça, se sentant stupide dans son sweatshirt de Fumante, barbouillée de terre et de sang. La faute à la résidence Valentino qui avait modifié le thème d'habillement au dernier moment : il n'y avait rien de plus foireux que de se retrouver déguisé après avoir quitté une fête.

— Sais-tu ce qu'il voulait, Tally ? Pourquoi il était là ?

Elle quêta des yeux le soutien de Peris. Elle le vit suspendu au moindre de ses mots, ses grands yeux lumineux écarquillés. Lui vint alors le sentiment de son importance.

Elle haussa les épaules.

— Simple farce d'Ugly, rien de plus. Il voulait frimer devant ses amis, probablement.

Ce qui ne semblait guère convaincant. Croy ne vivait pas à Uglyville, après tout. C'était un Fumant, venu des terres sauvages. Les deux autres étaient peut-être des Uglies de la ville en train de commettre une bêtise, mais Croy avait forcément une idée derrière la tête.

Pourtant, les gardiens gobèrent son explication avec des sourires et des hochements de tête.

— Ne t'en fais pas, il n'est pas près de recommencer. On gardera un œil sur toi pour éviter que ça ne se reproduise.

Elle leur sourit en retour, et ils la raccompagnèrent à la maison.

Quand Tally regagna sa chambre, elle trouva un message de Peris, qui était retourné à la fête.

— *Devine quoi ?* beuglait-il.

Un vacarme de conversations et de musique se mêlait à ses paroles, donnant à Tally le regret de n'avoir pas regagné la fête elle aussi, malgré la peau neuve vaporisée sur son front.

Elle fronça les sourcils et se laissa tomber sur son lit tandis que le message poursuivait :

— À mon retour, les Crims avaient déjà voté ! Ils ont trouvé totalement intense de voir débarquer des Specials, et ton plongeon du haut de la tour s'est vu attribuer six cents milli-Helens de la part de Zane ! Tu es une vraie Crim ! On se retrouve demain. Ah ! Et surtout, ne te laisse pas effacer cette cicatrice avant que tout le monde ait pu l'admirer. Amis pour la vie !

Alors que le message prenait fin, Tally sentit le lit tournoyer un peu sous elle. Elle ferma les yeux, poussant un long soupir de soulagement. Enfin, elle était une Crim à part entière. Tout ce qu'elle avait jamais désiré était devenu réalité. Elle était belle, et elle vivait à New Pretty Town en compagnie de Peris, de Shay et d'une foule de nouveaux amis. Les désastres et les terreurs de l'an passé – son escapade à La Fumée, la vie là-bas dans des conditions prérouillées misérables, le voyage de retour vers la ville –, tout s'était résolu au mieux.

C'était si merveilleux, et Tally se sentait si fatiguée qu'elle mit un moment à digérer la nouvelle. Elle se repassa le message de Peris plusieurs fois, puis arracha son sweat-shirt avec des mains tremblantes avant de le jeter dans un coin. Demain, elle forcerait la fente murale à le recycler.

Tally s'allongea et contempla fixement le plafond pendant un moment. Elle reçut un appel de Shay mais l'ignora, réglant sa bague d'interface en mode sommeil. Tout était si parfait, la réalité si fragile, que la moindre interruption risquait de mettre son bel avenir en péril. Le lit sous elle, la résidence Komachi, et jusqu'à la ville qui l'environnait – tout cela paraissait aussi ténu qu'une bulle de savon, creuse et frémissante.

Le coup qu'elle avait reçu à la tête était probablement à l'origine de cette sensation de vide qui sous-tendait sa joie. Après une bonne nuit de sommeil – en espérant qu'elle n'aurait pas la gueule de bois au petit matin – le monde aurait retrouvé sa solide perfection.

Tally s'endormit en quelques minutes, heureuse de faire enfin partie des Crims.

Mais elle eut un rêve totalement foireux.

ZANE

Il y avait donc cette magnifique princesse.

Elle était enfermée au sommet d'une haute tour, entre des murs de pierre, dans des salles froides et vides incapables de parler. Ne se trouvaient ni ascenseur ni échelle d'incendie, de sorte que Tally se demandait bien par quel moyen la princesse était arrivée là-haut.

La tour était gardée par un dragon. Il avait des yeux à facettes, des traits voraces et cruels, et se déplaçait avec une brutalité qui contenait quelque chose de répugnant. Tally avait beau rêver, elle le reconnut exactement pour ce qu'il était – un Pretty cruel, un agent des Special Circumstances, à moins qu'il ne s'agisse d'un groupe d'agents fondus en un seul et même serpent de soie grise.

Un rêve de ce genre devait bien entendu comporter un prince.

Ce dernier franchit le barrage du dragon, non pas à coups d'épée mais en se collant à la muraille, trouvant des fentes entre les vieilles pierres branlantes où insinuer ses doigts. Il réussit facilement l'escalade et jeta un bref regard amusé au dragon, lequel s'était laissé distraire par une bande de rats qui détalaient entre ses griffes.

Le prince se glissa à travers la meurtrière, prit la princesse entre ses bras et l'éveilla d'un baiser. Ce qui mit un terme à l'histoire. Redescendre et repasser devant le dragon ne présentait aucun intérêt, car il s'agissait d'un rêve et non d'un film ou même d'un conte de fées. Tout se terminait par un baiser – une fin heureuse et classique. À l'exception d'un détail.

Le prince était moche.

Tally se réveilla en proie à un mal de tête lancinant.

En apercevant son reflet dans le miroir mural, elle se souvint que sa gueule de bois n'était pas seule en cause. Et découvrit que recevoir un coup de genou en pleine tête n'avait rien de séduisant. Conformément à l'avertissement des gardiens de la nuit dernière, la peau vaporisée sur son arcade avait pris une vilaine coloration rougeâtre. Elle allait devoir se rendre au bureau de chirurgie pour effacer la cicatrice.

Elle décida cependant de ne pas s'en occuper tout de suite. Comme l'avait dit Peris, cela lui donnait un petit air criminel. Elle sourit en se rappelant son nouveau statut. La cicatrice était parfaite.

Elle avait reçu une montagne d'appels. Des Crims qui lui adressaient leurs félicitations avinées et lui narraient quelques folies commises lors de la fête (rien d'aussi intense que son plongeon du haut de la tour avec Peris). Elle les écouta les yeux clos. Voilà ce qu'on gagnait à se faire accepter par une bande : quoi qu'il arrive, on avait toujours des amis.

Zane lui avait laissé trois messages, le dernier pour lui proposer de partager son petit déjeuner. Il n'avait pas l'air aussi saoul que les autres, donc il était peut-être déjà levé.

Quand elle l'appela, il répondit aussitôt.

— Comment vas-tu?

— Un peu amochée, dit-elle. Peris t'a raconté comment je m'étais cogné la tête?

— Ouais. Tu as vraiment saigné?

— Pas mal.

— Waouh! (Zane en avait le souffle coupé. Envolé, son habituel sang-froid!) Joli plongeon, en tout cas. Je suis bien content que tu ne te sois pas... enfin, tuée.

Tally sourit.

— Merci.

— Tu as lu ce truc bizarre à propos de la fête d'hier soir?

Il y avait un flash info parmi les messages de Tally, mais elle n'avait pas pris la peine de le consulter.

— Quel truc bizarre?

— Quelqu'un a piraté le courrier électronique pour envoyer cette invitation, celle qui a changé la soirée en fête costumée. Les membres du comité d'organisation de Valentino ont cru à une initiative de l'un d'entre eux, si bien qu'ils ont tous suivi le mouvement. Mais en réalité, personne ne sait qui l'a écrite. Ça donne le tournis, hein?

Tally cligna des yeux. La pièce lui apparaissait floue subitement. Le tournis, c'était le mot juste; le monde semblait tournoyer autour d'elle, comme si elle se retrouvait dans l'estomac d'une bête énorme et hors de contrôle. Seuls les Uglies commettaient des actes comme pirater le courrier. Et une seule personne avait intérêt à transformer la fête à Valentino en soirée costumée : Croy, avec son masque de Pretty cruel et ses propositions délirantes.

Ce qui voulait dire que toute l'affaire tournait autour de Tally Youngblood.

— C'est gravement foireux, Zane.

— Tu peux le dire. Tu as faim ?

Elle acquiesça, ce qui eut pour effet de relancer sa migraine. De l'autre côté de la fenêtre, on apercevait les tours de fête de la résidence Garbo, hautes et fuselées. Tally les fixa du regard dans l'espoir que sa chambre cesserait d'osciller. Elle réagissait sans doute de manière excessive ; peut-être s'agissait-il simplement d'une blague d'Uglies, sans conséquence, voire d'un oubli commis par le membre du comité d'organisation.

Même s'il n'était question que d'une erreur, Croy avait dû préparer son costume à l'avance. Dans les Ruines rouillées comme dans les terres sauvages où se cachaient les Fumants, on ne trouvait pas de fente murale ; tout devait être fabriqué à la main, ce qui demandait beaucoup de temps et d'effort. Et Croy n'avait pas choisi n'importe quel déguisement... Tally se souvint du regard froid des yeux à facettes, et se sentit mal.

Peut-être que manger un peu lui ferait du bien.

— Ouais, j'ai gravement faim. Allons prendre un petit déjeuner.

Ils se retrouvèrent au parc Denzel, un jardin de plaisir qui serpentait depuis le centre de New Pretty Town jusqu'à la résidence Valentino. La résidence elle-même était dissimulée par les arbres, mais on apercevait la tour de transmission qui la dominait, avec le drapeau Valentino à l'ancienne mode qui claquait dans la bise. Dans le jardin, les dégâts de la nuit précédente avaient été pour la plupart nettoyés, à l'exception de quelques plaques de terre noircie, laissées par les feux de joie des Fêtards. Un robot de maintenance flottait au-dessus d'un de ces cercles de cendres, retournant la terre à coups de griffes précautionneux, semant des graines dans le sol brûlé.

Tally avait haussé les sourcils (*aïe!*) en entendant Zane lui proposer un pique-nique, mais cette marche dans l'air frais contribua à lui éclaircir les idées. Les pilules données par les gardiens avaient beau atténuer la douleur, elles ne faisaient rien pour arranger son état général. À New Pretty Town, la rumeur voulait que les médecins sachent guérir la gueule de bois, mais gardent le remède secret – par principe.

Zane arriva pile à l'heure, le petit déjeuner sautillant doucement derrière lui dans le vent frais. Il écarquilla les yeux en découvrant la cicatrice qu'elle avait au front, et leva une main, comme s'il avait l'intention de la toucher.

— Joliment foireux, hein? dit-elle.

— Totalement criminel, tu veux dire, rétorqua-t-il avec admiration.

— Mais pas terrible sur le plan des milli-Helens, non?

Il resta un moment songeur.

— Je ne mesurerais pas ça en milli-Helens. Par contre, je ne sais pas ce que j'utiliserais à la place. Quelque chose de plus intense.

Tally sourit. Peris avait eu raison de lui conseiller

de ne pas faire soigner son visage tout de suite ; avec sa fascination pour la cicatrice, Zane paraissait encore plus beau, et son expression éveillait un drôle de picotement chez Tally – comme si elle était le centre du monde, mais sans la sensation de tournis.

La chirurgie cosmétique de Zane s'était estompée ; ses lèvres avaient retrouvé leur rondeur coutumière. Il conservait un aspect extrême à la lumière du jour. Son visage était tout en contrastes, menton et pommettes acérés, front haut. Il avait le même teint olivâtre que les autres mais au soleil, ses cheveux bruns le faisaient paraître presque pâle. Les règles de l'Opération interdisaient les cheveux noirs, que le comité jugeait excessifs, mais Zane teintait les siens avec de l'encre à calligraphie. Par ailleurs, il ne mangeait pas grand-chose, ce qui lui donnait un visage décharné, un regard brûlant. De tous les Pretties que Tally avait rencontrés depuis son Opération, lui seul se détachait du lot. Peut-être était-ce la raison qui avait fait de lui le chef des Crims – il fallait en effet se montrer différent de tout le monde pour être un vrai criminel.

Ses yeux dorés balayèrent les lieux à la recherche d'un emplacement adéquat et finirent par se poser sur un coin ombragé, au pied d'un grand chêne.

Ils s'assirent dans l'herbe et les feuilles, au milieu des senteurs de rosée et d'humus. Le petit déjeuner se posa entre eux, dégageant un peu de chaleur grâce aux éléments rayonnants qui empêchaient les œufs brouillés et les pommes de terre sautées de refroidir.

Tally se servit une assiette d'œufs, de fromage et d'avocat avant d'enfourner la moitié d'un muffin. Levant les yeux vers Zane, elle remarqua qu'il se contentait d'une tasse de café et se demanda ce qu'il pensait d'elle en la voyant s'empiffrer ainsi.

Mais quelle importance ? Elle était une Crim désormais, élue de plein droit. Zane l'avait invitée, après tout ; c'est lui qui avait voulu sortir. Il était temps qu'elle remise ses inquiétudes au placard et commence enfin à s'amuser. Il y avait pire qu'être assise dans ce parc idéal, à se laisser détailler sous toutes les coutures par un magnifique jeune homme.

Tally engloutit le reste de son muffin marbré de chocolat à moitié fondu, et prit sa fourchette pour attaquer les œufs. Elle espérait que le petit déjeuner comprenait quelques comprimés anticalories. Ils produisaient plus d'effet quand on les absorbait juste après le repas, et elle avait l'intention de dévorer comme une ogresse. Peut-être était-ce le fait d'avoir perdu du sang qui l'affamait ainsi.

— Dis-moi, qui était ce type, la nuit dernière ? demanda Zane.

Tally, la bouche pleine, se contenta de hausser les épaules, mais il attendit patiemment qu'elle ait terminé de mâcher.

— Un Ugly qui s'était invité à la fête, répondit-elle enfin.

— J'avais deviné ! Qui d'autre aurait les Special Circumstances aux trousses ? Je voulais dire, était-ce quelqu'un que tu connais ?

Tally détourna les yeux. C'était plutôt gênant d'être poursuivie par sa vie d'Ugly de l'autre côté du fleuve, du moins en personne. Mais Peris l'avait entendue parler aux gardiens la veille au soir, de sorte que mentir à Zane ne servirait pas à grand-chose.

— Ouais, il me semble que je l'ai rencontré. À La Fumée. Un certain Croy.

Une expression étrange passa sur le visage de Zane. Ses yeux dorés se fixèrent au loin, à la recherche de quelque chose. Un moment plus tard, il acquiesçait.

— Je le connais, moi aussi.

Tally se figea, sa fourchette à mi-chemin de sa bouche.

— Tu rigoles…

Zane secoua la tête.

— Je croyais que tu ne t'étais jamais enfui ! s'étonna Tally.

— C'est vrai. (Il ramena ses jambes contre lui et passa son bras autour des genoux, alors qu'il sirotait son café.) Pas plus loin que les Ruines rouillées, en tout cas. Mais Croy et moi étions amis quand nous étions gamins. Nous dormions dans le même dortoir.

— C'est… marrant. (Tally finit par prendre une bouchée d'œufs, qu'elle mâcha lentement. La ville comptait un million d'habitants, et Zane avait connu Croy.) Combien de chances y avait-il pour ça ?

Zane secoua de nouveau la tête.

— Ce n'est pas une coïncidence, Tally-wa.

Tally cessa de mastiquer. Les œufs avaient un drôle de goût dans sa bouche, comme si tout allait se remettre à tournoyer. Les coïncidences semblaient singulièrement se raréfier ces derniers temps.

— Comment ça ?

Zane se pencha en avant.

— Tally, tu sais que Shay et moi vivions dans le même dortoir, pas vrai ? Du temps où nous étions Uglies ?

— Sûr, dit-elle. C'est comme ça qu'elle vous a rejoints en arrivant ici.

Tally s'interrompit un moment, puis sentit les éléments se mettre en place. Les souvenirs de La Fumée lui revenaient toujours au ralenti, comme des bulles remontant à travers un liquide épais et visqueux.

— À La Fumée, dit-elle en pesant soigneusement ses mots, c'est Shay qui m'a présentée à Croy. Ils étaient de vieux amis. Donc, vous vous connaissiez tous les trois ?

— Exact.

Zane fit la grimace, comme s'il venait de trouver un cafard dans son café.

Tally baissa les yeux sur son assiette d'un air maussade. La foireuse affaire de l'été précédent revenait s'insinuer dans ses pensées.

— Nous étions six copains de dortoir, dit-il. On s'appelait déjà les Crims, à l'époque. Nous faisions des trucs d'Uglies habituels : sortir pendant la nuit, pirater les mouchards du dortoir, traverser le fleuve pour venir espionner les jeunes Pretties.

Tally se rappela les récits de Shay.

— Et traîner dans les Ruines rouillées ?

— Ouais, après que quelques Uglies plus âgés nous eurent montré le chemin. (Il leva les yeux vers la colline au centre de New Pretty Town.) Là-bas, on réalise à quel point le monde est vaste. Je veux dire, vingt millions d'habitants y vivaient ; en comparaison, cet endroit est minuscule.

Tally ferma les yeux et reposa sa fourchette dans son assiette. Son appétit l'avait quittée. Après tout ce qui s'était passé la nuit dernière, ce pique-nique avec

Zane n'était peut-être pas une si bonne idée. Celui-ci donnait parfois l'impression de se considérer toujours comme un Ugly, à vouloir rester intense, à rejeter les plaisirs faciles de la beauté. C'est ce qui en faisait un si bon chef des Crims.

— O.K., sauf que les Rouillés sont tous morts, déclara-t-elle d'une voix douce. Ils étaient trop nombreux, et complètement débiles.

— Je sais, je sais. « Ils ont failli détruire le monde », récita-t-il avant de soupirer. Mais se rendre dans les ruines reste pour moi la chose la plus excitante qui soit.

Zane avait les yeux brillants en disant cela, et Tally se souvint de ses propres visites aux ruines, de la façon dont la majesté de la ville fantôme maintenait chaque nerf de son corps en état d'alerte. L'impression de l'existence d'un danger tapi là, quelque part, différente des sensations, inoffensives, d'une ascension en ballon ou d'un saut en gilet de sustentation.

Elle frissonna, se rappelant un peu de cette excitation d'autrefois en croisant le regard de Zane.

— Je connais.

— Je savais que je n'y retournerais plus jamais après l'Opération. Les jeunes Pretties ne prennent pas le moindre risque. Alors, quand j'ai vu approcher mon seizième anniversaire, j'ai commencé à songer à quitter la ville, à m'enfuir dans la nature. Au moins pour un moment.

Tally acquiesça, pensive. Elle se souvint que Shay lui avait raconté exactement la même chose quand elles avaient fait connaissance. C'étaient ces mots-là qui l'avaient entraînée sur le chemin de La Fumée.

— Alors, tu as persuadé Shay, Croy et les autres de venir avec toi ?

— J'ai essayé. (Il rit.) Au début, ils m'ont pris pour un fou, parce qu'on ne peut pas vivre dans la nature. Mais nous avons rencontré un type, là-bas, qui…

— Stop ! s'écria Tally.

Son cœur battait soudain à tout rompre, de la même façon que le métabolisme s'enclenchait pour brûler les calories sous l'effet d'un comprimé. Son visage se mit à ruisseler, la brise fraîchit d'un coup ; elle sentit une humidité sur ses joues, sauf que les beaux visages ne suaient pas…

Tally cligna des paupières, les poings serrés à s'enfoncer les ongles dans la paume. Le monde avait subi un changement subtil. Des rais de soleil perçaient les frondaisons tandis qu'elle s'appliquait à respirer lentement, profondément. La même chose lui était arrivée la veille quand elle avait vu Croy.

— Tally ? fit Zane.

Elle secoua la tête, ne tenant pas à ce qu'il ajoute quoi que ce soit. Pas à propos d'une rencontre qu'il avait vécue dans les Ruines rouillées. Elle se vit lui parler à toute vitesse pour le faire taire, lui répétant ce que Shay lui avait dit.

— Tu avais entendu parler de La Fumée, c'est ça ? Où les gens vivaient comme avant l'ère rouillée et restaient moches toute leur vie. Alors, tu as décidé d'aller là-bas. Mais le moment venu, tu t'es dégonflé. Shay m'a raconté cette nuit-là : elle avait préparé son sac et tout, mais en fin de compte, elle a pris peur.

Zane hocha la tête, les yeux baissés sur son café.

— Donc toi aussi, tu as laissé tomber, dit Tally. Alors que tu devais t'enfuir avec les autres.

— Ouais, avoua-t-il froidement. Je suis resté, alors que c'était mon idée au départ. Et je suis devenu Pretty, comme prévu.

Tally détourna la tête, impuissante à contenir les souvenirs de l'été précédent. Les amis de Shay s'étaient tous enfuis pour La Fumée ou étaient devenus Pretties, la laissant seule à Uglyville. Ensuite, elle et Tally étaient devenues les meilleures amies du monde. La deuxième tentative de fuite de Shay avait été la bonne, et Tally s'était retrouvée impliquée malgré elle dans ce gâchis.

Elle s'efforça de se calmer. L'été dernier avait peut-être tourné au cauchemar, mais grâce à lui elle était une Crim désormais, et non une jeune Pretty quelconque, postulant auprès d'une bande foireuse, sans rien d'intense. Cela en avait valu la peine, puisqu'elle était devenue belle et populaire.

Elle regarda Zane, dont les yeux splendides fixaient le fond de son café, et sentit qu'elle se détendait. Elle sourit. Il avait l'air tellement tragique assis là, ses sourcils noirs courbés par le désespoir, regrettant encore d'avoir renoncé à s'enfuir pour La Fumée. Elle allongea le bras pour lui prendre la main.

— Hé, ne t'en fais pas. Ça n'avait rien de génial, tu sais. Surtout des coups de soleil et des piqûres de moustiques…

Il releva la tête vers elle.

— Au moins, tu as couru le risque, Tally. Tu as eu le courage d'aller voir par toi-même.

— Je n'avais pas tellement le choix. Il fallait bien

que je retrouve Shay. (Elle frissonna, et retira sa main.) J'ai eu beaucoup de chance d'en revenir.

Zane se rapprocha d'elle plus près. Ses doigts délicats frôlèrent la peau neuve qui recouvrait sa cicatrice. Ses yeux dorés étaient immenses.

— Je suis bien content que tu l'aies fait.

Elle sourit, toucha le dos de sa main.

— Moi aussi.

Les doigts de Zane s'enfoncèrent dans ses cheveux, et il l'attira doucement vers lui. Elle ferma les yeux, laissant les lèvres du garçon se poser sur les siennes, levant la main pour caresser sa joue lisse et sans défaut.

Le pouls de Tally s'accéléra de nouveau, et son esprit s'emballa tandis que ses lèvres s'entrouvraient. La réalité se remit à tournoyer autour d'elle, mais cette fois, elle trouva la sensation agréable.

À son arrivée à New Pretty Town, Peris l'avait mise en garde à propos du sexe. Se trouver trop proche des autres Pretties vous faisait facilement tourner la tête quand vous étiez nouvelle. Il fallait du temps pour s'habituer à ces visages somptueux, ces corps parfaits, ces yeux lumineux. Quand tout le monde était beau, on pouvait bien vite tomber amoureuse du premier qui vous embrassait.

Mais peut-être le moment était-il venu. Elle était là depuis un mois, et Zane était spécial. Pas seulement parce qu'il était le chef des Crims et avait l'air différent, mais aussi par sa manière de chercher en permanence à rester intense, à enfreindre les règles. D'une certaine manière, cela le rendait encore plus beau que les autres.

De tous les événements imprévus de ces dernières

vingt-quatre heures, celui-ci était le plus délicieux que vivait Tally. Les lèvres de Zane étaient chaudes, douces, parfaites… Et elle se sentait en sécurité.

Après un long moment, ils se détachèrent l'un de l'autre. Tally, les yeux toujours fermés, sentait le souffle du jeune Pretty sur elle, sa main tiède et douce sur sa nuque.

— David, murmura-t-elle.

QUESTION D'INTENSITÉ

Zane se recula, les yeux plissés d'étonnement.

— Oh, je suis désolée, bafouilla Tally. Je ne sais pas ce qui m'a…

Elle laissa sa phrase en suspens. Zane acquiesça lentement.

— Non, c'est O.K.

— Je ne voulais pas… continua Tally.

Mais Zane lui fit signe de se taire, et une expression songeuse naquit sur ses traits magnifiques. Les yeux fixés au sol, il redressa quelques brins d'herbe entre deux doigts.

— Je me souviens, maintenant.

— De quoi te souviens-tu ?

— C'était son nom.

— Le nom de qui ?

Zane parlait d'une voix douce, égale, comme s'il ne tenait pas à réveiller une personne endormie à proximité.

— De celui qui était censé nous conduire jusqu'à La Fumée. David.

Tally étouffa une exclamation de surprise. Ses yeux clignèrent, comme si la luminosité du soleil avait augmenté d'un cran. Elle sentait encore les lèvres de Zane contre les siennes, la chaleur de ses mains contre son corps, mais soudain, elle se mit à trembler.

Elle prit la main de Zane.

— Je ne voulais pas dire ça.

— Je sais. Mais les souvenirs reviennent parfois sans qu'on y pense. (Il releva la tête, les yeux brillants.) Parle-moi de David.

Tally avala sa salive et se détourna.

David. Elle se souvenait de lui, maintenant, avec son grand nez et son front dégagé. Les chaussures faites à la main qu'il portait, ainsi que son blouson en peaux d'animaux crevés cousues les unes aux autres. David avait grandi à La Fumée, n'avait jamais mis les pieds dans une ville de sa vie entière. Son visage était moche en tous points, tanné de manière irrégulière par le soleil, avec une cicatrice qui lui barrait le sourcil… Pourtant cette réminiscence remua quelque chose en Tally.

Elle secoua la tête, stupéfaite. Incroyable, elle avait réussi à oublier David !

— Tu l'as rencontré dans les Ruines rouillées, pas vrai ? insista Zane.

— Non, dit-elle. Shay m'avait parlé de lui, et nous avons tenté de le faire venir en allumant un signal, une fois. Mais il ne s'est pas montré. C'est lui qui a emmené Shay à La Fumée, par contre.

— Il était censé m'emmener, moi aussi. (Zane soupira.) Mais tu t'es rendue à La Fumée toute seule, n'est-ce pas ?

— Ouais. Sauf que quand je suis arrivée là-bas, lui et moi…

67

Tally se souvenait désormais. Cela paraissait remonter à un million d'années, mais elle se revoyait – Ugly – en train d'embrasser David, de voyager avec lui pendant des semaines à travers les terres sauvages. Leur relation lui avait semblé forte et indestructible, sur le moment. Et puis, sans qu'elle puisse se l'expliquer, il avait disparu.

— Qu'est-il devenu ? voulut savoir Zane. A-t-il été capturé par les Specials quand ils ont pris La Fumée ?

Elle secoua la tête. Ses autres souvenirs de David demeuraient vagues, incertains, mais les circonstances de leur séparation avaient purement et simplement… disparu.

— Je l'ignore.

Tally se sentait faible. Pour la centième fois de la journée, tout se remit à osciller autour d'elle. Elle tendit la main vers le plateau du petit déjeuner, mais Zane lui retint le bras.

— Non, ne mange pas.

— Quoi ?

— Ne mange rien de plus, Tally. En fait, prends plutôt deux de ces comprimés.

Il sortit de sa poche une tablette d'anticalories – dont quatre comprimés avaient déjà été consommés.

— Ça aide aussi quand ton cœur bat plus vite.

Il dégagea deux comprimés, qu'il avala avec une gorgée de café.

— Ça aide à quoi ? demanda-t-elle.

Zane indiqua sa propre tête.

— À réfléchir. La faim facilite la concentration. La faim ou n'importe quelle forme d'excitation, d'ailleurs. (Il sourit et lui pressa la tablette dans la main.) Embrasser quelqu'un pour la première fois, par exemple. Ça, c'est ce qui marche le mieux.

Tally baissa les yeux sur la tablette d'anticalories, sans comprendre. L'aluminium scintillait au soleil, et ses bords donnaient l'impression d'être tranchants comme des rasoirs.

— Mais je n'ai presque rien mangé. Certainement pas assez pour prendre du poids.

— Ce n'est pas la question. J'ai besoin de te parler, Tally. Je te veux avec moi quelques minutes encore. J'attendais quelqu'un tel que toi depuis longtemps. J'ai besoin que tu sois… intense.

— Les anticalories vont me rendre intense ?

— Ils vont t'aider. Je t'expliquerai plus tard. Fais-moi confiance, Tally-wa.

Son regard restait fixé sur elle avec une lueur presque démentielle, comme lorsqu'il dévoilait un nouveau plan diabolique aux autres Crims. Il était difficile de lui résister lorsqu'il était dans cet état, même si ses arguments n'avaient aucun sens.

— O.K., si tu veux.

Les doigts malhabiles, elle détacha deux comprimés de la tablette. Mais au moment de les porter à sa bouche, elle hésita. On n'était pas supposé en prendre lorsque l'on n'avait rien mangé. C'était dangereux. À l'époque des Rouillés – avant l'Opération, quand tout le monde était moche –, il existait une maladie affreuse. Ceux qui en souffraient refusaient de s'alimenter. Ils avaient tellement peur de grossir qu'ils en devenaient beaucoup trop maigres, parfois au point de se laisser mourir de faim dans un monde où la nourriture abondait. C'était l'une des choses effrayantes que l'Opération avait permis de supprimer.

Mais deux comprimés d'anticalories ne la tueraient pas. Voyant Zane lui tendre sa tasse, Tally les avala avec une gorgée de café, dont l'amertume la fit grimacer.

— Plutôt corsé, hein ? dit-il avec un large sourire.

Après un moment, Tally sentit son pouls s'accélérer – son métabolisme s'enclenchait. Sa vision demeurait parfaitement nette. Comme la nuit précédente, elle avait l'impression qu'un mince film plastique venait d'être ôté devant ses yeux.

— O.K., dit Zane. Quelle est la dernière chose dont tu te souviennes à propos de David ?

Tally essaya de calmer le tremblement de ses mains, luttant pour dissiper la brume qui enveloppait ses souvenirs moches.

— Nous étions dans les ruines, dit-elle. Tu te souviens de ce que Shay t'a raconté, sur la façon dont nous l'avons enlevée ?

Zane hocha la tête, même si Shay formulait de plusieurs manières cette histoire. Dans certaines versions, elle s'était fait enlever par Tally et les Fumants au siège même des Special Circumstances. Selon d'autres variantes, elle s'était enfuie pour arracher Tally aux Fumants, et elles avaient regagné la ville ensemble. Bien entendu, Shay n'était pas la seule à modifier ses récits de temps en temps. Les Crims exagéraient toujours leurs exploits antérieurs, dans le but de les rendre plus intenses. Mais Tally avait la sensation que Zane voulait entendre la vérité.

— Les Specials avaient détruit La Fumée, continua-t-elle. Mais nous étions encore quelques-uns à nous cacher dans les ruines.

— La Nouvelle-Fumée. Voilà comment les Uglies vous appelaient.

— C'est ça. Mais comment le sais-tu ? Tu devais déjà être beau, à ce moment-là ?

Zane sourit.

— Tu crois être la première nouvelle Pretty que je fais parler de son passé, Tally-wa ?

— Oh !

Se rappelant leur baiser quelques instants plus tôt, Tally se demanda par quelle méthode exacte Zane s'y prenait pour amener les autres à se rappeler leurs années mochés.

— Pourquoi es-tu revenue en ville ? demanda-t-il. Ne me dis pas que Shay t'a réellement délivrée.

Tally secoua la tête.

— Je ne crois pas.

— Est-ce que les Specials t'avaient capturée ? Avaient-ils capturé David également ?

— Non.

La réponse lui vint aux lèvres sans ambiguïté. Aussi brumeux que soient ses souvenirs, David était toujours en liberté quelque part, elle le savait. Elle le revoyait clairement maintenant, en train de se terrer dans les ruines.

— Allez, Tally, dis-moi pourquoi tu t'es livrée ?

Zane lui tenait toujours la main, la serrait fort en attendant une réponse. Son visage était tout proche, ses yeux dorés brillaient dans l'ombre des frondaisons, buvant ses moindres paroles. Pourtant, la mémoire de

Tally se dérobait. Tenter d'évoquer cette époque revenait à se cogner la tête contre un mur.

Elle se mordit la lèvre.

— Pourquoi je n'arrive pas à me rappeler ? Qu'est-ce qui cloche chez moi, Zane ?

— C'est une bonne question. Mais quelle que soit la réponse, elle concerne chacun d'entre nous.

— Qui ça, nous ? Les Crims ?

Il secoua la tête, jetant un coup d'œil en direction des tours de fête.

— Pas seulement. Tout le monde. Au moins, ceux qui vivent à New Pretty Town. La plupart des gens refusent de discuter du temps où ils étaient moches. Ils prétendent ne plus s'intéresser à tous ces trucs de gosses.

Tally acquiesça. Elle s'en était vite rendu compte en arrivant à New Pretty Town – en dehors des Crims, parler de ses années moches était totalement ringard.

— Mais quand on insiste, continua Zane, on s'aperçoit que presque tous sont *incapables* de s'en souvenir.

Tally fronça les sourcils.

— Pourtant, nous autres Crims parlons sans arrêt du passé.

— Nous étions des fauteurs de troubles, dit Zane. Nous avons des histoires excitantes plein la tête. Mais continuons à nous les raconter, à nous écouter les uns les autres, et à enfreindre les règles. Il faut rester intense, sans quoi nous oublierons peu à peu tout ce qui remonte à cette période. Définitivement.

Soutenant son regard fixe, elle eut une révélation soudaine.

— C'est la raison d'être des Crims, pas vrai ?

Il acquiesça.

— Exact, Tally – nous empêcher d'oublier, et m'aider à comprendre ce qui cloche chez nous.

— Comment as-tu… Qu'est-ce qui te rend si différent ?

— Autre bonne question. Peut-être suis-je né ainsi, à moins que ce ne soit la promesse que je me suis faite après m'être dégonflé cette nuit-là, l'été dernier : un de ces jours je quitterais la ville, beau ou non. Par contre, ça c'est révélé beaucoup plus dur que je ne pensais. (Son visage s'éclaira.) La vie devenait sacrément ennuyeuse ces temps-ci, et je commençais à oublier malgré moi. Mais ensuite, tu as débarqué avec tes histoires à dormir debout. Les choses sont beaucoup plus intenses maintenant.

— J'imagine que oui. (Tally baissa les yeux sur sa main toujours dans la sienne.) J'ai une autre question, Zane-la…

Il sourit.

— J'aime bien tes questions.

Tally détourna la tête, un peu embarrassée.

— Quand tu m'as embrassée tout à l'heure, c'était pour m'aider à rester intense et à me souvenir ? Ou bien est-ce que…

Elle n'acheva pas sa phrase et le regarda droit dans les yeux.

Zane sourit.

— À ton avis ?

Sans lui laisser le temps de répondre, il l'attrapa aux épaules, l'attira vers lui et l'embrassa, cette fois-ci avec plus de fougue. La chaleur de ses lèvres se conjugua à la force de ses mains sur elle, au goût du café et au parfum de ses cheveux.

Après, Tally se pencha en arrière, haletante, car leur baiser lui avait totalement coupé la respiration. Mais cela l'avait rendue intense, plus que les comprimés anticalories ou même le plongeon du haut de la tour de fête, la nuit précédente. Et elle se souvint encore d'une chose, si évidente qu'elle aurait dû la mentionner depuis longtemps, mais qu'elle avait néanmoins négligée.

Et qui allait mettre Zane au comble de la joie.

— Hier soir, dit-elle, Croy m'a dit qu'il avait quelque chose pour moi, mais sans préciser quoi. Il comptait le laisser ici, à New Pretty Town, caché de manière que les gardiens ne puissent pas le trouver.

— Un truc de La Nouvelle-Fumée ? dit Zane en écarquillant les yeux. Où ça ?

— Valentino 317.

VALENTINO 317

— Attends une minute, dit Zane. (Il ôta à Tally sa bague d'interface, puis la sienne, et l'entraîna un peu plus loin dans le jardin de plaisir.) Mieux vaut les planquer quelque part, dit-il. Pour éviter d'être suivis.

— Oh, tu as raison. (Tally se souvint de ses années moches, de la facilité avec laquelle elle trompait les surveillants de son dortoir.) Les gardiens, la nuit dernière – ils m'ont dit qu'ils garderaient un œil sur moi.

Zane eut un petit rire.

— Ils ont *toujours* un œil sur moi.

Il enfila les bagues sur deux grands roseaux, qui ployèrent sous le poids du métal.

— Le vent va les agiter de temps en temps, expliqua-t-il. De cette manière, ça ne donnera pas l'impression qu'on les a retirées.

— Ça ne risque pas de paraître un peu bizarre? Qu'on reste au même endroit si longtemps?

— C'est un jardin de plaisir. (Zane rit.) J'ai passé pas mal de temps par ici.

Un pincement de jalousie traversa Tally, mais elle n'en montra rien.

— Et pour les retrouver?

— Je connais l'endroit par cœur. Cesse de t'inquiéter.

— Désolée.

Il se tourna vers elle en s'esclaffant.

— Ne sois pas désolée. C'est le meilleur petit déjeuner que j'ai pris depuis des siècles.

Ils laissèrent leurs bagues et partirent le long du fleuve en direction de la résidence Valentino. Que découvriraient-ils dans la chambre 317 ? Dans la plupart des résidences, chaque chambre avait son propre nom – celle de Tally à Komachi s'appelait Etcetera ; celle de Shay, Ciel bleu – mais Valentino était si ancienne que les chambres y comportaient encore des numéros. Les Valentino en faisaient toute une histoire, très fiers des traditions de leur résidence décrépite.

— Malin, comme cachette, commenta Zane alors qu'ils approchaient des bâtiments. Plus facile de garder un secret quand les murs ne parlent pas.

— C'est probablement pour cette raison qu'ils se sont introduits dans une fête à Valentino, plutôt que dans n'importe quelle autre résidence, dit Tally.

— Sauf qu'il a fallu que je fasse tout foirer, dit Zane.

Tally leva les yeux vers lui.

— Toi ?

— Au début, on vous attendait dans la partie en pierre, mais comme on n'arrivait pas à vous retrouver, j'ai proposé qu'on grimpe dans la tour de l'extension moderne pour vous appeler grâce aux murs intelligents.

— Nous avons eu la même idée, dit Tally.

Zane secoua la tête.

— Ouais, enfin, si nous étions tous restés dans les étages inférieurs, les Specials n'auraient pas repéré Croy aussi vite. Il aurait eu le temps de te parler.

— Donc, ils peuvent nous écouter grâce aux murs?

— Exact. (Zane sourit.) Pourquoi crois-tu que je t'ai proposé un pique-nique alors qu'il fait un froid de canard?

Tally hocha la tête, méditant ces propos. L'interface de la ville transmettait vos messages, répondait à vos questions, vous rappelait votre emploi du temps, pouvait même éteindre et allumer les lumières dans votre chambre. Si les Special Circumstances désiraient vous surveiller, ils pouvaient savoir tout ce que vous faisiez et une bonne moitié de ce à quoi vous pensiez.

Elle se souvint de sa conversation avec Croy dans la tour, sa bague d'interface au doigt, entre les murs qui n'en perdaient pas une miette...

— Est-ce qu'ils surveillent *tout le monde*?

— Non, ce serait impossible, et la plupart des gens n'en valent pas le coup, d'ailleurs. Mais certains d'entre nous ont un traitement spécial. Comme dans « Special Circumstances ».

Tally lâcha un juron. Les Specials étaient arrivés si rapidement la veille au soir. Elle n'avait disposé que de quelques minutes avec Croy, comme s'ils attendaient à proximité. Peut-être leur avait-on signalé la présence d'un intrus à la fête ; ou peut-être qu'ils n'étaient jamais bien loin de Tally Youngblood...

Elle regarda entre les arbres. Des ombres bougeaient dans la brise, et elle imagina des silhouettes grises passant au milieu des troncs.

— Je ne pense pas que c'était à cause de toi, la nuit dernière, Zane. C'était ma faute.

— Comment ça ?

— Tout est toujours ma faute.

— C'est foireux, Tally, protesta Zane avec douceur. Il n'y a rien de mal à être spéciale.

Sa voix mourut tandis qu'ils franchissaient l'arche principale de la résidence Valentino. À l'intérieur des murs de pierre froide, l'endroit était silencieux comme une tombe.

— La soirée se poursuivait quand on en est partis, chuchota Zane. Ils doivent tous être encore au lit.

Tally hocha la tête. Les premiers robots de maintenance n'étaient même pas à pied d'œuvre. Des fragments de déguisements déchirés jonchaient les couloirs. Les boissons renversées emplissaient l'air d'une écœurante odeur sucrée, et poissaient le sol sous leurs semelles. Tout le sel de la fête s'était envolé, comme quand l'intensité se changeait en gueule de bois.

Tally se sentait nue sans bague d'interface, ce qui lui rappelait l'époque où, moche, elle franchissait le fleuve la peur au ventre à l'idée de se faire prendre. Mais la peur la rendait intense. Ses sens étaient assez aiguisés pour qu'elle entende le frôlement des détritus chassés par les courants d'air, distingue entre l'odeur de raisin du champagne répandu et l'arôme âcre de la bière éventée. Hormis le bruit de leurs pas, la résidence était entièrement silencieuse.

— Quelle que soit la personne qui habite au 317, elle est à coup sûr en train de dormir, murmura Tally.

— Dans ce cas, on la réveillera, dit doucement Zane. Ses yeux brillaient dans la pénombre.

Les chambres du premier niveau étaient numérotées dans la centaine, de sorte qu'ils cherchèrent un moyen de monter. On avait installé de nouveaux ascenseurs dans la partie ancienne, mais sans bagues d'interface, les portes refusaient de s'ouvrir. Un escalier de pierre conduisit Zane et Tally au troisième niveau, face au 301. Les nombres défilèrent tandis qu'ils parcouraient le couloir, pairs d'un côté, impairs de l'autre. Zane pressa la main de Tally en atteignant le 315.

Mais la chambre suivante était numérotée 319.

Ils revinrent sur leurs pas, vérifièrent l'autre côté du couloir, mais ne trouvèrent que les portes 316, 318 et 320. En inspectant le reste de l'étage, ils dénichèrent d'autres 320 et 330, pairs et impairs, mais pas de Valentino 317.

— Intense, comme énigme, commenta Zane avec un gloussement.

Tally soupira.

— Peut-être que toute cette histoire n'était qu'une blague.

— Tu crois que les Nouveaux-Fumants pirateraient une invitation lancée dans toute la ville, passeraient le fleuve en douce et s'introduiraient dans une fête rien que pour nous faire perdre notre temps?

— Sans doute pas, admit Tally. (Mais une chose en elle commença à s'estomper. Elle fut soudain prise d'un doute sur la pertinence de cette expédition. Se faufiler clandestinement dans la résidence d'autrui était plutôt foireux, après tout.) Tu crois que le petit déjeuner est encore chaud? demanda-t-elle.

— Tally... (Zane braqua son regard brûlant sur elle.

Les mains tremblantes, il lui repoussa les cheveux derrière les oreilles.) Reste avec moi.

— Je suis là, dit-elle.

Il l'attira plus près, jusqu'à ce que ses lèvres frôlent les siennes.

— Je veux dire, reste intense.

Tally l'embrassa, et avec la pression de ses lèvres, le monde retrouva sa netteté. Elle chassa la faim de son esprit et dit :

— O.K. Et si c'était l'ascenseur ?

— Lequel ?

Elle le conduisit devant l'espace de séparation entre Valentino 315 et 319. Le mur de pierre était interrompu par une porte d'ascenseur.

— Il devait y avoir une chambre ici autrefois.

— Mais on l'a supprimée pour installer l'ascenseur. (Zane s'esclaffa.) Foutus Pretties. Incapables de grimper deux étages !

— Si bien que le 317 est peut-être l'ascenseur, aujourd'hui.

— Oui, eh bien, c'est foireux, conclut Zane. On ne peut pas l'appeler sans nos bagues.

— On pourrait attendre que quelqu'un l'appelle, et nous glisser à l'intérieur.

Zane balaya du regard le couloir désert, jonché de verres en plastique et de décorations en papier.

— Ça peut prendre des heures, dit-il en soupirant. On aura perdu notre intensité.

— Ouais… Notre intensité.

Un voile flou commençait à retomber devant les yeux de Tally, et son estomac grondait par manque de nourriture, ce qui fit naître l'image mentale d'un muffin au chocolat tout chaud. Elle secoua la tête pour s'en débarrasser, et visualisa plutôt un uniforme des Special Circumstances. La nuit dernière, la vision de la soie grise lui avait affûté l'esprit, l'avait entraînée à la suite de Croy jusque dans la cage d'escalier. Cet incident n'avait été qu'un test orchestré afin de voir à quel point son cerveau fonctionnait. Une nouvelle étape qui constituait peut-être un autre test. Une énigme intense, ainsi que Zane l'avait dit.

Elle fixa la porte de l'ascenseur. Il devait forcément y avoir moyen d'entrer.

Peu à peu, un souvenir lui revint. Il remontait à l'époque où elle était Ugly, il n'y avait pas si longtemps. Tally se rappelait une chute dans un puits sans lumière. C'était l'une des histoires que Shay adorait l'entendre raconter, la manière dont David et Tally s'étaient introduits au siège des Special Circumstances…

— Le toit, dit Tally.

— Quoi ?

— On peut descendre dans un puits d'ascenseur par le toit. Je l'ai déjà fait.

— Sérieusement ?

En guise de réponse, Tally l'embrassa de nouveau. Elle ne se souvenait pas au juste comment, mais savait que si elle parvenait à rester intense, cela lui reviendrait.

— Suis-moi.

Accéder au toit ne fut pas aussi simple qu'elle l'avait escompté – l'escalier qu'ils avaient emprunté s'arrêtait au troisième niveau. Tally grimaça ; la frustration recommençait à lui embrouiller les idées. À Komachi, grimper sur le toit ne présentait pas de difficulté.

— C'est foireux. Comment font-ils en cas d'incendie ?

— La pierre ne brûle pas, répondit Zane. (Il indiqua une petite fenêtre au bout du couloir. Le soleil tombait en biais à travers ses carreaux de verre fumé.) Par ici la sortie.

Il se dirigea dans cette direction.

— Quoi ? Tu veux escalader le mur ?

Zane sortit la tête à l'extérieur et jeta un coup d'œil en bas, en laissant échapper un long sifflement.

— Rien de tel que les hauteurs pour rester intense.

Tally fronça les sourcils, pas bien certaine de vouloir être intense à ce point.

Zane se hissa sur l'appui de la fenêtre et se pencha au-dehors, en se retenant au rebord supérieur. Il se mit debout avec précaution, jusqu'à ce que Tally ne voie plus que ses bottes sur la corniche extérieure. Son pouls se remit à pulser à toute allure ; elle le sentait battre au bout de ses doigts. Toutes ses sensations s'aiguisèrent.

Pendant un long moment, Zane ne fit pas un mouvement. Puis ses pieds se déplacèrent plus près du bord, jusqu'à ce que seuls ses orteils reposent encore sur la corniche, en équilibre instable.

— Qu'est-ce que tu fabriques là-haut ?

Pour seule réponse, ses bottes s'élevèrent lentement dans les airs. Puis Tally entendit le frottement sourd de ses semelles sur la pierre. Elle passa la tête par la fenêtre et regarda au-dehors.

Au-dessus d'elle, Zane était accroché au toit, les pieds dans le vide. L'une de ses bottes finit par trouver une prise dans une fissure entre les pierres, et il se hissa hors de vue sur le toit.

Un instant plus tard, il réapparaissait avec un large sourire.

— Monte!

Tally rentra la tête dans les épaules et, prenant une grande inspiration, posa ses mains sur la corniche. La pierre était rugueuse et froide. Le vent qui s'engouffrait par la fenêtre fit se dresser le duvet qu'elle avait sur les bras.

— Reste intense, dit doucement Tally.

Elle se hissa sur l'appui de la fenêtre, sentant la froideur de la pierre sous ses cuisses, et jeta un bref coup d'œil vers le sol. Il y avait une longue distance avant les feuilles éparses et les racines qui interrompraient sa chute. Une rafale de vent fit frissonner les arbres voisins, dont Tally put distinguer la moindre branche. Une odeur de sapin parvint à ses narines. L'intensité ne serait pas un problème.

Elle avança un pied sur la corniche, puis l'autre.

Le plus effrayant consista à se mettre debout. Tally se leva en se tenant au cadre, cherchant d'une main une prise. Elle n'osa pas s'autoriser à regarder en bas une nouvelle fois. Le mur de pierre était constellé de trous et de fissures, mais aucun ne semblait assez large pour y glisser davantage que le bout de ses doigts.

Une fois sur la pointe des pieds, Tally se retrouva un instant paralysée. Elle se balançait lentement dans la brise, pareille à une tour bâtie trop haute et sans soutien.

— Intense, hein? lui lança Zane d'en haut. Attrape le rebord.

Elle s'arracha à la contemplation du mur et leva les yeux. Le rebord du toit était hors de sa portée.

— Hé, ce n'est pas juste. Tu es plus grand que moi.

— Aucun problème.

Il lui tendit une main.

— Tu es sûr d'arriver à me tenir ?

— Allez, Tally-wa. À quoi bon avoir tous ces jolis muscles si ce n'est pas pour s'en servir ?

— S'en servir pour se faire tuer ? grommela-t-elle.

Mais elle allongea le bras pour attraper sa main.

Ses nouveaux muscles étaient plus vigoureux qu'elle ne l'aurait cru. Quand ses doigts se furent refermés sur le poignet de Zane, elle décolla facilement de la corniche. Sa main libre agrippa le rebord du toit, et elle parvint à glisser un orteil dans une fissure. Poussant un grognement, elle se hissa vers le haut, roula par-dessus le rebord et atterrit sur le toit. Elle resta allongée un moment, appréciant la solidité de la pierre en gloussant. Une vague de soulagement la submergea.

Zane sourit.

— C'était vrai, ce que je t'ai dit tout à l'heure.

Elle leva un regard interrogateur vers lui.

— J'attendais de rencontrer quelqu'un comme toi.

Les Pretties ne rougissaient pas – pas à la manière des Uglies, en tout cas – mais Tally roula sur ses pieds pour dissimuler sa réaction. L'intensité de cette escalade de trompe-la-mort avait mis une flamme presque insoutenable dans le regard de Zane. Elle se leva pour profiter de la vue.

De là-haut, Tally pouvait distinguer les tours de New Pretty Town, qui les dominaient toujours, et les rubans verdoyants des jardins d'agrément qui serpentaient vers la colline centrale. De l'autre côté du fleuve, Uglyville était déjà réveillée. De nouveaux Uglies couraient après un ballon noir et blanc sur un terrain de football, et le vent lui porta aux oreilles de furieux coups de sifflet. Le paysage semblait terriblement proche, d'une netteté parfaite ; son système nerveux résonnait encore de ce qu'elle avait ressenti en se balançant au poignet de Zane.

Le toit était constitué d'une vaste dalle de pierre sur laquelle se dressaient trois conduits de ventilation, la grande antenne de transmission ainsi qu'un cabanon en tôle de la taille d'un placard d'Ugly. Tally indiqua ce dernier.

— C'est pile au-dessus de l'ascenseur.

Ils traversèrent le toit. Sur la porte du vieux cabanon, sur une plaque métallique piquée de rouille pareille à celles qui jonchaient les ruines, des lettres avaient été laborieusement grattées à la main : VALENTINO 317.

— Superintuition, Tally, dit Zane avec un grand sourire. (Il fit mine d'ouvrir la porte, mais une chaîne flambant neuve se tendit avec un crissement de protestation.) Humm...

Tally se pencha sur ce qui empêchait la chaîne de glisser, en se creusant les méninges.

— On appelle ça un... cadenas, je crois. (Elle palpa l'objet en acier lisse, tâchant de se rappeler comment il fonctionnait.) Ils en avaient à La Fumée, pour protéger les trucs qu'on aurait pu leur voler.

— Génial. Après tout ce binz, on a quand même besoin de nos bagues.

Tally secoua la tête.

— Les Fumants n'utilisent pas de bagues d'interface, Zane. Pour ouvrir un cadenas, il faut… (Elle fouilla dans sa mémoire à la recherche d'un autre mot ancien, qu'elle trouva.) Il doit y avoir une clef quelque part.

— Une clef? Comme un mot de passe?

— Non. Ce genre de clef est un petit objet en métal. On l'enfonce dans le cadenas, on la tourne, et ça déclenche l'ouverture.

— À quoi ça ressemble?

— À un morceau de métal plat, à peu près long comme le pouce, dentelé sur un bord.

Malgré le petit rire que lui inspira cette image, Zane se mit aussitôt à chercher.

Tally contempla la porte. De toute évidence, le cabanon était beaucoup plus vieux que la chaîne qui la fermait. Elle se demanda à quoi il servait autrefois. Mettant ses mains en visière au-dessus de ses yeux, Tally s'avança vers l'entrebâillement de la porte pour y jeter un coup d'œil. Ses yeux s'adaptèrent progressivement à l'obscurité, et elle put distinguer des formes sombres à l'intérieur.

Il semblait y avoir une énorme poulie, ainsi qu'un moteur mécanique rudimentaire comme elle en avait vu à La Fumée. Autrefois l'ascenseur montait et descendait sans doute au bout d'une chaîne. Ce cabanon était très ancien; on avait dû l'abandonner après l'invention des suspenseurs, qui remontait à une éternité. Les modernes fonctionnaient selon le même principe que les planches magnétiques ou les gilets de sustentation (ce qui était autrement plus sûr que pendouiller au bout d'une chaîne… Tally avait le frisson à cette idée).

Lorsqu'on avait modernisé le système, l'ancien mécanisme avait probablement été abandonné à la rouille sur ce toit.

Elle tira d'un coup sec sur le cadenas, mais il tint bon. Massif, grossier, il paraissait déplacé ici, dans la ville. Quand les gardiens voulaient interdire l'accès à quelque chose, ils installaient un capteur qui avertissait de ne pas s'approcher. Seuls les Nouveaux-Fumants iraient se servir d'un cadenas en métal.

Croy lui avait demandé de venir ici, il devait donc y avoir une clef à proximité.

— Encore un test stupide, marmonna-t-elle.

— Un quoi? demanda Zane, qui avait grimpé sur le toit du cabanon à la recherche de la clef.

— Un test idiot comme l'initiative pour Croy de se déguiser en Special, expliqua-t-elle. Ou ce test Valentino 317. La clef est probablement bien cachée, parce que tout ça n'est qu'une épreuve. Pour qu'il soit difficile de mettre la main sur ce que Croy m'a laissé. Ils ne veulent pas qu'on le trouve sans être intenses.

— À moins, dit Zane perché sur un coin du cabanon, que la recherche soit conçue pour nous *rendre* intenses, de manière que nous ayons la tête claire en le trouvant.

— Peu importe, dit Tally avec un soupir.

Elle éprouva une pointe d'agacement, et aussi la sensation que ce test ne finirait jamais, que chaque solution aboutirait à une autre série de problèmes, comme dans un jeu électronique stupide. La meilleure chose à faire serait peut-être d'oublier toute l'affaire et de s'offrir un bon petit déjeuner. Qu'avait-elle à prouver aux

Nouveaux-Fumants, de toute façon ? Ils ne comptaient pas. Ils étaient moches alors qu'elle était belle.

Mais le cerveau de Zane continuait à fonctionner à plein régime.

— Donc, ils auraient dissimulé cette clef à un endroit difficile d'accès. Mais qu'est-ce qui pourrait bien être plus difficile que de grimper jusqu'ici ?

Le regard de Tally parcourut le toit, et s'arrêta sur la tour arachnéenne de l'antenne de transmission. Au sommet, une vingtaine d'étages plus haut, le drapeau de Valentino claquait au vent. À cette vue, le monde retrouva sa netteté, et Tally sourit.

— Grimper là-haut, fit-elle.

LA HAUTE TOUR

L'antenne de transmission était la partie la plus récente de la résidence Valentino, tout en acier peint de polymères blancs, afin de tenir la rouille à distance. Elle faisait partie du système de localisation des bagues d'interface, supposé permettre de retrouver rapidement ceux qui s'égaraient ou se blessaient en dehors d'un petit bâtiment.

Ses poutrelles blanches s'entrecroisaient au-dessus des têtes de Tally et de Zane, scintillant au soleil comme de la porcelaine. Elle n'avait pas l'air difficile à escalader, à ceci près qu'elle montait cinq fois plus haut que la résidence, plus haut même qu'une tour de fête. En fixant son sommet, Tally entendit un grondement sourd provenir de son estomac. Elle était pratiquement sûre que cela ne venait pas de la faim.

— Au moins, elle n'est pas gardée par un dragon, dit-elle.

Zane baissa le regard anxieux qu'il avait levé vers la tour.

— Pardon ? dit-il.

Tally secoua la tête.

— Rien, un rêve que j'ai fait.

— Tu crois vraiment que la clef est là-haut?

— J'en ai peur.

— Les Nouveaux-Fumants ont grimpé jusqu'au sommet?

De vieux souvenirs lui revinrent en mémoire.

— Pas la peine. Ils ont dû se servir de leur planche. Une planche magnétique peut monter aussi haut si elle reste assez près d'un gros bloc de métal.

— Tu sais, il nous suffirait d'en réquisitionner une… suggéra Zane d'une voix douce.

Elle lui adressa un regard surpris.

Il grommela :

— Bien sûr, ça n'aurait plus grand-chose d'intense, pas vrai?

— Non. Sans compter que tout ce qui vole contient un mouchard. Tu sais débrider une planche magnétique?

— Je l'ai su, mais j'ai oublié.

— Pareil pour moi. Donc, c'est réglé. On grimpe.

— O.K., dit-il. Mais avant…

Il prit Tally par la main, l'attira contre lui, et ils s'embrassèrent de nouveau.

Tally cligna des yeux, une fois, puis sentit un large sourire s'étaler sur son visage.

— Juste pour nous garder intenses.

La première partie de l'ascension se révéla facile.

Tally et Zane restèrent ensemble, escaladant deux côtés opposés de la tour, trouvant toutes les prises qu'ils voulaient dans le fouillis des poutrelles et des câbles. Quelques rafales de vent les secouaient de temps à autre, mais Tally n'avait besoin que d'un rapide coup d'œil vers le bas pour retrouver toute sa concentration.

À mi-chemin, ils pouvaient déjà contempler sans limites la résidence Valentino, les jardins de plaisir qui s'étendaient dans toutes les directions, et même le pont d'envol pour aérocars sur le toit de l'hôpital où se pratiquait l'Opération. Le fleuve étincelait au soleil ; midi était proche. Sur la rive opposée, à Uglyville, Tally vit son ancien dortoir à moitié caché par les arbres. Sur le terrain de football, quelques Uglies les regardaient en les montrant du doigt, probablement en train de se demander qui escaladait la tour.

Tally ignorait combien de temps il faudrait pour que quelqu'un les remarque depuis cette rive-ci et alerte les gardiens.

Grâce à ses nouveaux muscles, l'escalade en elle-même ne représentait pas un gros effort. Mais à mesure que tous deux se rapprochaient du sommet, la tour se faisait plus étroite, les prises moins larges. Le revêtement de polymères était glissant, encore humide de rosée en certains endroits que le soleil n'avait pas eu le temps de sécher. Des antennes à micro-ondes et d'épaisses tresses de câbles encombraient les poutrelles, et le doute commença à s'insinuer dans l'esprit de Tally. Y avait-il vraiment une clef là-haut ? Pourquoi les Nouveaux-Fumants lui feraient-ils risquer sa vie pour un simple test ? À mesure que l'escalade devenait plus ardue et la perspective de la chute plus impressionnante, Tally ne put que se demander ce qu'elle faisait là sur cette haute antenne en plein vent.

La nuit précédente, son seul but était de devenir une Crim, belle, populaire, entourée d'une bande de nouveaux amis. Et elle avait bel et bien obtenu ce qu'elle désirait. Pour couronner le tout, Zane l'avait embrassée, développement intense qu'elle n'avait même pas osé imaginer avant ce matin.

Bien sûr, obtenir ce qu'on veut ne tourne jamais comme on s'y attendrait. Être une Crim n'était pas une question de satisfaction, et sortir avec Zane impliquait, il semble, de risquer sa vie et de sauter le petit déjeuner. Tally n'avait été admise que la veille au soir, et elle devait déjà refaire ses preuves.

Et pour quoi ? Tenait-elle vraiment à déverrouiller le vieux cabanon en contrebas ? Quoi qu'il renferme, cela ne ferait qu'aggraver son mal de crâne et lui rappeler David, La Fumée, ainsi que tout ce qu'elle avait laissé derrière elle. Elle avait l'impression qu'à chaque pas supplémentaire dans sa nouvelle vie, quelque chose s'appliquait à la ramener à ses années moches.

L'esprit embrouillé, Tally fit un faux pas.

La semelle de sa chaussure ripa sur un gros câble plastifié, rejetant ses jambes loin de la tour, au point qu'elle lâcha sa prise sur une poutrelle encore humide de rosée. Elle tomba en roulant sur elle-même, gagnée par la sensation de chute libre qu'elle connaissait si bien après ses innombrables plongeons en planche magnétique ou du haut d'un bâtiment.

Son instinct lui conseilla de se détendre, jusqu'à ce qu'elle réalise la grosse différence entre cette chute et les autres : Tally ne portait ni bracelets anticrash ni gilet de sustentation. Cette fois-ci, elle tombait *vraiment*. Il n'y avait rien pour la rattraper.

Ses réflexes de nouvelle Pretty entrèrent en action, et ses mains se saisirent d'un câble qui passait à portée d'elle. Ses paumes glissèrent sur le plastique isolant ; la friction lui échauffa la peau comme si le câble brûlait. Ses jambes revinrent vers la tour – genoux pliés, corps en torsion – et Tally absorba l'impact contre le métal avec sa hanche, un choc qui l'ébranla de la tête aux pieds mais ne lui fit pas desserrer ses doigts en feu.

Cherchant désespérément une prise, Tally trouva du bout du pied une épaisse poutrelle sur laquelle elle put s'appuyer à point nommé. Elle passa les bras autour du câble, tous les muscles bandés, percevant à peine les cris de Zane au-dessus d'elle, et regarda vers le fleuve, abasourdie par sa propre vision. Tout scintillait, comme si Uglyville avait été arrosée de poussière de diamant.

L'esprit clair et dégagé tel le ciel après la pluie du matin, Tally comprenait enfin pourquoi elle grimpait là-haut. Non pas pour impressionner Zane ou les Fumants, ni pour passer un test, mais parce qu'une part d'elle-même aspirait à ce moment, à cette lucidité qu'elle ne ressentait plus depuis l'Opération. C'était beaucoup plus qu'intense.

— Tu vas bien ? lui cria une voix lointaine.

Elle leva les yeux vers Zane. En voyant de quelle hauteur elle était tombée, sa gorge se noua, mais elle parvint à sourire.

— Je suis intense. À fond ! Attends-moi.

Elle se remit à grimper rapidement, ignorant sa hanche meurtrie. Ses paumes à vif protestaient chaque fois qu'elles se refermaient sur une prise, mais en moins d'une minute, elle remonta au niveau de Zane. Les yeux d'or de ce dernier étaient plus immenses que jamais, comme si la chute lui avait fait encore plus peur qu'à Tally.

Elle sourit de nouveau, consciente que c'était sans doute le cas.

— Amène-toi.

Elle le dépassa, se hissant sur les derniers mètres.

Parvenue au sommet, elle trouva un aimant noir fixé à la base du mât, avec une clef flambant neuve posée dessus. Elle détacha avec précaution la clef, qu'elle glissa dans sa poche tandis que le drapeau de Valentino claquait fort au-dessus de sa tête.

— Je l'ai! hurla-t-elle.

Et elle entama la descente, repassant devant Zane avant même qu'il puisse esquisser un geste, stupéfait.

Ce n'est pas avant son arrivée sur le toit que Tally s'aperçut à quel point ses muscles étaient raides. Son cœur continuait à battre la chamade, et le monde demeurait limpide. Elle sortit la clef de sa poche et l'effleura d'un doigt tremblant, tous ses sens enregistrant les moindres détails du métal dentelé.

— Grouille-toi! cria-t-elle à Zane, qui était encore à mi-hauteur.

Il se mit à descendre plus vite, mais Tally poussa un grognement de mépris et, pivotant sur les talons, se dirigea vers le cabanon.

Le cadenas s'ouvrit avec un déclic quand elle tourna la clef. La vieille porte rouillée s'écarta en grinçant, raclant contre la pierre. Tally s'avança à l'intérieur, momentanément aveuglée par l'obscurité, tout excitée. Si les Fumants avaient organisé cette mise en scène pour la rendre intense, ils avaient réussi leur coup.

Une odeur très ancienne flottait dans l'air chaud et immobile de la petite pièce. À mesure que ses yeux s'adaptaient à l'obscurité, elle vit les graffitis écaillés qui s'affichaient sur chaque centimètre carré des murs, les slogans qui se recouvraient les uns les autres, les tags griffonnés, et les noms de différents couples proclamant leur amour. Certaines dates comportaient des années absurdes, jusqu'à ce que Tally réalise qu'elles étaient rédigées à la façon des Rouillés, qui tenaient compte des siècles avant l'effondrement. La machinerie de l'ancien ascenseur était décorée d'autres graffitis, et le sol jonché de produits interdits depuis longtemps : bombes de peinture vides, tubes de nanoglu écrasés, pièces d'artifice noircies qui dégageaient une vague odeur de feu de camp. Tally aperçut un rectangle de papier jauni, écrasé et noirci à une extrémité, qui ressemblait aux cigarettes dont on parlait dans les livres d'histoire. Elle le ramassa, le renifla, puis le lâcha – l'odeur lui soulevait l'estomac.

Une cigarette ? Elle se rappela que cet endroit était antérieur aux suspenseurs, antérieur à la ville même ; un étrange vestige oublié. Elle se demanda combien de générations d'Uglies et de jeunes Pretties turbulents comme les Crims s'étaient retrouvées là.

La bourse que lui avait montrée Croy l'attendait sur l'un des engrenages rouillés du mécanisme.

Tally la ramassa. Le contact du cuir entre ses mains lui fit une drôle de sensation, la renvoyant aux textures grossières de La Fumée. En l'ouvrant, elle trouva une feuille de papier à l'intérieur. Un léger bruit sec lui parvint du sol, et elle réalisa qu'elle avait fait tomber quelque chose de la bourse – deux petites choses, en fait. Tally s'agenouilla, les yeux plissés, et palpa le sol de pierre avec ses paumes en feu jusqu'à ce qu'elle découvre deux pilules blanches.

Elle les contempla fixement. Un souvenir se réveilla à la lisière de sa conscience.

La pièce s'assombrit alors, et elle leva les yeux : Zane se tenait sur le seuil, les yeux brillants dans la pénombre.

— Hé ! Merci de m'avoir attendu, Tally.

Voyant qu'elle ne répondait rien, il vint s'agenouiller près d'elle.

— Tu vas bien ? (Il lui posa la main sur l'épaule.) Tu ne t'es pas cogné la tête en tombant, au moins ?

— Non. Ça m'a juste éclairci les idées. J'ai trouvé ça.

Elle lui tendit la feuille de papier. Zane la défroissa avant de l'élever à la lumière qui provenait de la porte. Elle était couverte d'une écriture en pattes de mouche.

Tally baissa les yeux sur les pilules qu'elle tenait dans sa main. Blanches et minuscules, elles ressemblaient à des comprimés anticalories. Mais Tally ne doutait pas qu'il s'agissait de tout autre chose.

Zane abaissa lentement la feuille de papier, les yeux écarquillés.

— C'est une lettre, et elle t'est adressée.

— Une lettre ? De qui ?

— De toi, Tally. (Sa voix résonna faiblement entre les parois métalliques du cabanon.) C'est une lettre de toi.

LETTRE À SOI-MÊME

Chère Tally,

Tu es moi.

Ou si tu veux, je suis toi — Tally Youngblood. La même personne. Sauf que si tu lis cette lettre, ça veut dire qu'on est aussi deux personnes différentes. Enfin, d'après nos prévisions à nous, les Nouveaux-Fumants. On t'a transformée. Voilà pourquoi je t'écris.

Je me demande si tu te souviens d'avoir écrit ces mots (en fait, c'est Shay qui les a écrits pour moi. Elle a appris l'écriture manuelle à l'école.) Est-ce que cela t'évoque un peu ton journal intime, à l'époque où tu étais gamine, ou plutôt le journal intime d'une totale étrangère ?

Si tu n'arrives pas du tout à te souvenir de cette lettre, on est toutes les deux dans un beau merdier. Enfin, surtout moi. Parce que si je ne peux pas me souvenir de moi-même, ça veut dire que le moi qui a dicté cette lettre a été complètement effacé. Peut-être même que *cela signifie que je suis morte, en un sens. Alors essaie de faire un effort, s'il te plaît.*

Tally marqua une pause et suivit du bout du doigt les mots griffonnés, tâchant de se rappeler les avoir dictés. Shay adorait lui montrer comment tracer des lettres avec un crayon, talent qu'elle avait acquis en préparation de son voyage à La Fumée. Elle avait d'ailleurs laissé une note manuscrite à Tally pour lui indiquer comment la rejoindre. Mais s'agissait-il bien de l'écriture de Shay ?

Plus important, le texte disait-il vrai ? Tally était incapable de s'en souvenir. Elle inspira profondément et reprit sa lecture…

Bref, voici ce que je veux te dire : on a trafiqué ton cerveau — notre cerveau —, voilà pourquoi cette lettre peut te paraître un peu bizarre.

Nous (c'est-à-dire « nous » à La Nouvelle-Fumée, pas « nous » comme toi et moi) ignorons comment ça marche exactement, mais nous sommes à peu près certains qu'il arrive quelque chose à tous ceux qui subissent l'Opération. Quand ils te rendent beau, ils te font également des lésions (de minuscules cicatrices, en gros) au cerveau. Ça te transforme, mais pas dans le bon sens du terme. Regarde-toi dans un miroir, Tally. Si tu es belle, tu les as.

Tally entendit un hoquet de surprise contre son oreille. En se retournant, elle vit Zane qui lisait par-dessus son épaule.

— On dirait que tu n'avais pas tort au sujet des Pretties, dit-elle.

Il acquiesça lentement.

— Ouais. Génial. (Il indiqua le paragraphe suivant.) Tu as lu la suite ?

Elle rebaissa les yeux sur la feuille.

La bonne nouvelle, c'est qu'il existe un remède. Voilà pourquoi David est venu te chercher, pour te donner les pilules qui vont te remettre la cervelle à l'endroit (j'espère que tu te souviens quand même de David). C'est un brave gars, même s'il a été forcé de te kidnapper pour t'amener ici. Fais-lui confiance. C'est peut-être un peu effrayant pour toi de te retrouver là, hors de la ville, dans cette cachette que les Nouveaux-Fumants t'ont dénichée, mais les responsables de ces lésions vont te rechercher, et tu dois rester en sécurité jusqu'à ce que tu sois guérie.

Tally interrompit sa lecture.

— Me kidnapper ?

— Apparemment, le plan a changé depuis que tu as écrit cette lettre, observa Zane.

Tally se sentit toute drôle, tandis que l'image de David se précisait dans sa tête.

— Si je l'ai bien écrite. Et si c'est vrai. De toute façon, c'est Croy qui est venu me trouver, et non… David. (En prononçant ce nom, elle sentit les souvenirs affluer : les mains de David, rendues rugueuses par des années de labeur, son blouson en peaux cousues, la cicatrice blanche qui lui barrait le sourcil. Un sentiment proche de la panique enfla en elle.) Qu'est-il arrivé à David, Zane? Pourquoi n'est-il pas venu lui-même?

Zane secoua la tête.

— Je ne sais pas. Toi et lui, est-ce que vous étiez...?

Tally contempla la lettre. Elle la vit se brouiller sous ses yeux, tandis qu'une larme unique tombait sur le papier. L'encre se dilua dans la tache, noircissant la larme.

— J'en suis presque sûre. (Sa voix était rauque, chargée d'émotion.) Mais il s'est produit quelque chose.

— Ah?

— Je ne sais plus quoi.

Tally se demanda pourquoi elle n'arrivait pas à se souvenir. Était-ce vraiment le fait de *lésions* – ces cicatrices au cerveau contre lesquelles la lettre la mettait en garde? Ou juste qu'elle ne voulait rien se rappeler?

— Qu'as-tu dans la main, Tally? s'enquit Zane.

Elle ouvrit sa paume rougie pour révéler les minuscules pilules blanches qu'elle tenait.

— Le remède. Laisse-moi terminer ça.

Elle prit une longue inspiration.

Un dernier truc: Maddy (la mère de David, celle qui a inventé le remède) m'a demandé d'ajouter ce qui suit, une histoire de «consentement éclairé»:

«Par la présente, moi, Tally Youngblood, autorise Maddy et David à me donner ces pilules pour guérir mon cerveau de la beauté.

Je suis consciente qu'il s'agit d'un médicament encore jamais testé, et qu'il est possible que ses effets soient désastreux. Que je me retrouve à l'état de légume. »

J'en suis la première désolée, mais c'est un risque à courir. C'est pour cette raison que je me suis livrée, que je suis devenue Pretty, afin qu'on puisse tester les pilules et sauver Shay, Peris et tous les autres dont le cerveau a été trafiqué.

Donc, il faut que tu les prennes. Pour moi. Et pardon d'avance si tu refuses, et que David et Maddy doivent te les faire avaler de force. Tu te sentiras mieux après, je te le promets.

Bonne chance.

Amitiés,

Tally

Tally laissa la feuille retomber. Insensiblement, les mots griffonnés étaient parvenus à supprimer sa lucidité sur le monde, et ses idées lui semblaient de nouveau confuses et embrouillées. Son cœur continuait de battre à un rythme accéléré, mais cela n'avait rien à voir avec ce qu'elle avait ressenti juste après sa chute du haut de la tour ; cela ressemblait davantage à de la panique, comme si elle se retrouvait piégée dans le petit cabanon en métal.

Zane laissa échapper un sifflement léger.

— Alors, c'est pour ça que tu étais revenue.

— Tu crois à cette histoire, hein ?

Les yeux de Zane jetèrent une lueur dorée dans la pénombre.

— Bien sûr. Tout s'éclaire, maintenant : pourquoi tu ne te souvenais pas de David ni des circonstances de ton retour ; pourquoi Shay a tant de versions différentes de cette histoire ; pourquoi les Nouveaux-Fumants s'intéressent autant à toi.

— Parce que j'ai la cervelle en bouillie ?

Zane secoua la tête.

— Nous avons *tous* la cervelle en compote, Tally. Exactement comme je le pensais. Mais tu t'es livrée de ton plein gré, sachant qu'il existait un remède. (Il indiqua les comprimés au creux de sa main.) Voilà la raison de ta présence ici.

Elle fixa les pilules, qui paraissaient minuscules et insignifiantes dans la pénombre du cabanon.

— Pourtant la lettre prévient qu'il est possible qu'elles ne fonctionnent pas. Ou qu'elles me transforment en légume…

Il lui saisit doucement le poignet.

— Si tu ne veux pas les prendre, Tally, ce sera moi.

Elle referma la main.

— Je ne peux pas te laisser faire ça.

— J'attendais ce moment depuis longtemps. Un moyen d'échapper à la beauté, de rester intense en permanence !

— Ce n'est pas ce que j'attendais, moi ! cria Tally. Je voulais simplement devenir une Crim !

Il désigna la lettre.

— Si, pourtant.

— Ce n'était pas moi. Elle l'écrit elle-même.

— Mais, tu…

— J'ai très bien pu changer d'avis !

— Non, *tu* n'as pas changé d'avis. L'Opération l'a fait pour toi.

Elle ouvrit la bouche, mais demeura muette.

— Tally, tu t'es livrée en sachant que tu devrais ensuite t'exposer au remède. C'était incroyablement courageux. (Zane lui caressa le visage, les yeux brillants dans le rai de soleil qui tombait devant lui.) Mais si tu ne veux plus, laisse-moi courir le risque.

Tally secoua la tête, se demandant ce qui l'effrayait le plus : que les pilules lui fassent du mal, ou que Zane se change en légume sous ses yeux. Peut-être avait-elle simplement peur de découvrir ce qui était arrivé à David. Si seulement Croy l'avait laissée tranquille, ou s'ils n'avaient jamais trouvé Valentino 317 ! Si elle pouvait oublier les pilules, rester belle et bête, elle n'aurait plus de souci à se faire.

— Je veux juste oublier David.

— Pourquoi ? (Zane se pencha plus près.) Que t'a-t-il fait ?

— Rien du tout. Il ne m'a rien fait. Mais pourquoi est-ce Croy qui m'a apporté ces pilules et non David qui est venu m'enlever ? Et s'il était…

Le cabanon trembla un bref instant, la réduisant au silence. Tous deux levèrent la tête ; ils venaient d'être survolés par quelque chose de gros.

— Un aérocar… chuchota Tally.

— Il ne fait probablement que passer. Pour eux, nous sommes toujours dans le jardin de plaisir.

— Sauf si quelqu'un nous a vus sur la… (Elle se tut en voyant un nuage de poussière s'infiltrer par la porte ouverte.) Il se pose…

— Ils savent que nous sommes ici, dit Zane qui entreprit aussitôt de déchirer la lettre.

— Mais qu'est-ce que tu fais ?

— Il ne faut pas qu'ils trouvent ça, dit-il. Ils ne doivent pas savoir qu'il existe un remède.

Il se fourra un bout de la lettre dans la bouche. Le goût lui arracha une grimace.

Elle contempla les pilules au creux de sa main.

— Et ça ?

Il avala le papier avec dégoût.

— Il faut que je les prenne, tout de suite.

Il saisit un autre morceau de lettre et se mit à mâcher.

— Elles sont si petites, dit-elle. On pourrait les cacher.

Il secoua la tête, avalant la bouchée suivante.

— Le fait d'avoir retiré nos bagues va forcément éveiller les soupçons, Tally. Ils voudront savoir ce que nous avons fabriqué. Avec de la nourriture dans le ventre, tu ne seras plus aussi intense – tu risques de paniquer et de leur remettre les pilules.

Des pas s'approchèrent sur le toit. Zane tira la porte du mieux qu'il put, ramenant les deux bouts de la chaîne à l'intérieur avant de refermer le cadenas. Ils se retrouvèrent plongés dans l'obscurité.

— Ça ne les arrêtera pas longtemps. Donne-moi les pilules. Si elles fonctionnent, je promets de faire en sorte que tu...

Une voix appela de l'extérieur, et Tally sentit un frisson lui parcourir l'échine. La voix avait quelque chose de cinglant, comme un rasoir crissant près de ses tympans. Ce n'étaient pas des gardiens là-dehors. Il s'agissait d'une circonstance spéciale…

Dans la pénombre du cabanon, les pilules semblaient la fixer comme deux yeux blancs sans âme. Tally avait maintenant la certitude que les mots de la lettre, qui la suppliaient de les prendre, étaient les siens. Peut-être que si elle le faisait, tout deviendrait limpide et intense en permanence, ainsi que Zane l'avait dit.

À moins que les pilules ne donnent rien, ou ne laissent d'elle qu'une enveloppe creuse, morte.

Ou peut-être était-ce David qui était mort. Tally se demanda si une part d'elle-même se souviendrait toujours de son visage. Mais si elle ne prenait pas les pilules, elle ne connaîtrait jamais la vérité.

Tally voulut porter les pilules à sa bouche et s'aperçut qu'elle en était incapable. Elle imaginait son cerveau en train de se déliter, de s'effacer, comme celui de cette autre Tally qui avait rédigé la lettre. Elle plongea son regard dans les beaux yeux implorants de Zane. Lui, au moins, n'avait aucun doute.

Peut-être n'avait-elle pas besoin de faire cela toute seule…

La porte crissa sous l'effet d'une brusque traction ; la chaîne se tendit. On cogna brutalement contre le battant, et le son produit roula comme un feu d'artifice dans le cabanon. Les Specials étaient forts, mais l'étaient-ils assez pour arracher une porte en métal ?

— *Maintenant*, Tally, chuchota Zane.

— Je ne peux pas.

— Alors donne-les-moi.

Secouant la tête, elle se rapprocha encore pour lui parler à l'oreille en dépit du martèlement à la porte.

— Je ne peux pas te demander ça, Zane, et je suis incapable de le faire seule. Mais peut-être que si on en prenait chacun une…

— Quoi ? Tu es cinglée. On ne sait même pas comment…

— On ne sait *rien du tout*, Zane.

Le martèlement s'interrompit, et Tally fit signe à Zane de se taire. Les Specials n'étaient pas seulement forts et rapides, ils avaient aussi l'ouïe fine des prédateurs.

Soudain, une vive lumière étincela dans l'entrebâillement de la porte, jetant des ombres saccadées à l'intérieur du cabanon et laissant des traces incandescentes sur les rétines de Tally. Le chalumeau attaqua la chaîne en sifflant, et une odeur de métal fondu leur parvint aux narines. Les Specials seraient là dans quelques secondes.

— Ensemble, murmura-t-elle en tendant une pilule à Zane.

Avec une grande inspiration, elle plaça l'autre sur le bout de sa langue. Un goût amer lui explosa dans la bouche, comme si elle avait mordu dans un pépin. Elle avala la pilule, qui lui laissa une saveur acide au fond de la gorge.

— Je t'en prie, l'implora-t-elle doucement. Fais ça avec moi.

Il soupira et avala la pilule avec une grimace. Il la contempla en secouant la tête.

— Nous sommes peut-être en train de commettre une grosse bêtise, Tally.

Elle s'efforça de sourire.

— Au moins, on l'aura commise ensemble.

Se penchant en avant, elle le prit par la nuque et l'embrassa. David n'était pas venu pour la sauver. Soit il était mort, soit il se fichait de ce qui pouvait lui arriver. Il était moche alors que Zane était beau, intense, et qu'il était là.

— Nous avons besoin l'un de l'autre, maintenant, dit-elle.

Ils s'embrassaient encore quand les Specials firent irruption dans le cabanon.

Deuxième partie

LE REMÈDE

Les baisers sont un meilleur sort que la sagesse.

E. E. Cummings, *Puisque la sensation est première*

PERCÉE

En une nuit, le premier gel de l'hiver s'était installé. Les arbres luisaient, leurs branches nues recouvertes de stalactites. Des doigts noirs scintillants barraient la fenêtre, découpant le ciel en minuscules fragments.

Tally pressa une main contre la vitre, laissant le froid s'insinuer à travers le verre jusque dans sa paume. Le froid perçant rendait la lumière de l'après-midi plus vive, aussi cassante qu'elle imaginait les stalactites au-dehors. Cela focalisa la partie de son esprit qui aurait voulu s'immerger de nouveau dans les beaux rêves.

Lorsqu'elle finit par retirer sa main, une silhouette indistincte montra son empreinte sur le verre, avant de s'estomper lentement.

— Adieu, Tally aux idées embrumées, dit-elle.

Puis elle sourit et posa sa main glacée sur la joue de Zane.

— Qu'est-ce que… grommela-t-il, en bougeant juste assez pour écarter sa main.

— Réveille-toi, mon joli.

Ses yeux s'entrouvrirent.

— Moins de lumière, dit-il dans son bracelet d'interface.

La chambre obéit, opacifiant la fenêtre.

Tally fronça les sourcils.

— Encore mal à la tête ?

Zane souffrait parfois de violentes migraines qui l'obligeaient à garder le lit pendant des heures, mais elles n'étaient pas aussi sévères que les premières semaines après qu'il avait pris sa pilule.

— Non, murmura-t-il. Juste envie de dormir.

Elle tendit le bras vers les commandes manuelles, réglant la vitre sur « transparent ».

— Dans ce cas, il est temps de se lever. Ou nous allons être en retard à la patinoire.

Il la dévisagea d'un œil à travers ses paupières plissées.

— Le patinage, c'est foireux.

— C'est dormir qui est foireux. Lève-toi, et sois intense.

— L'intensité, c'est foireux.

Tally haussa un sourcil, ce qui n'était plus douloureux. En brave petite Pretty, elle s'était fait recoudre le front, même si elle avait immortalisé sa cicatrice au moyen d'un tatouage : des tourbillons celtiques noirs juste au-dessus de l'œil, qui tournoyaient au rythme de son pouls. Pour ne pas lésiner, elle s'était offert également la même opération des yeux que Shay, les horloges qui tournaient à l'envers et tout.

— Être intense n'a *rien* de foireux, gros paresseux.

Tally plaça de nouveau sa main contre la vitre pour la recharger en froid. Son bracelet d'interface étincelait au soleil à l'instar des arbres gelés en contrebas, et pour la millionième fois, elle en chercha la soudure. Mais l'objet semblait forgé d'un seul et même bloc d'acier, adapté à la forme de son poignet. En tirant dessus, elle le sentit bouger légèrement ; elle amaigrissait chaque jour un peu plus.

— Je voudrais un café, dit-elle dans le bracelet, avec délicatesse.

Un arôme agréable s'infiltra dans la pièce, et Zane s'agita de nouveau. Quand sa main fut assez froide, Tally la plaqua sur sa poitrine nue. Il tressaillit mais ne résista pas ; il se contenta de froisser deux pleines poignées de draps en prenant une grande inspiration. Ses yeux s'ouvrirent. Leurs iris dorés brillaient comme le soleil hivernal.

— Ça, c'était intense.

— Je croyais que l'intensité, c'était foireux.

Il sourit, haussant les épaules. Zane était encore plus beau quand il se réveillait. Les vestiges du sommeil adoucissaient son regard et la sévérité de ses traits, lui donnant un air presque vulnérable, comme un gamin perdu et affamé. Tally ne lui en avait jamais parlé, bien sûr, sans quoi il serait probablement repassé sur la table d'opération pour arranger ça.

Elle gagna la machine à café en marchant sur les piles de vêtements et d'assiettes sales non recyclées qui occupaient chaque centimètre carré du sol. Comme d'habitude, la chambre de Zane était un vrai bazar. Son armoire était à moitié ouverte, trop pleine pour se fermer. C'était une chambre dans laquelle on pouvait facilement dissimuler quelque chose.

Tout en sirotant son café, Tally commanda à la fente murale leurs ensembles de patinage habituels : gros blousons en plastique doublés de fausse fourrure de lapin ; pantalons rembourrés aux genoux en cas de mauvaise chute ; écharpes noires ; et, le plus important, gants épais qui remontaient presque jusqu'au coude. Tandis que la fente se mettait à cracher les vêtements, elle apporta son café à Zane, lequel finit tant bien que mal par émerger du sommeil.

Zane et Tally sautèrent le petit déjeuner – un repas qu'ils ne prenaient plus depuis un mois – et s'équipèrent dans l'ascenseur jusqu'à la porte de la résidence Pulcher, en parlant couramment le pretty d'un bout à l'autre.

— T'as vu le verglas, Zane-la ? Hyperglacial.

— L'hiver est totalement intense.

— Totalement. L'été est trop... Tu sais ? *Brûlant*, voilà, quoi.

— C'est clair.

À l'entrée, ils sourirent au surveillant et sortirent dans le froid, marquant un bref arrêt sur les marches de la résidence. Tally tendit sa tasse de café à Zane, le temps de remonter ses gants dans ses manches, pour mettre deux épaisseurs de vêtements sur le bracelet d'interface à son bras gauche. Puis elle enveloppa l'écharpe noire autour de ce même bras pour plus de précaution. Elle prit ensuite les deux tasses des mains de Zane, regardant la vapeur du café s'élever en volutes, tandis qu'il l'imitait avec ses propres gants.

Quand il eut fini, Tally dit à voix basse :

— Je croyais que nous étions censés nous comporter normalement aujourd'hui.

— Je me comporte normalement.

— Arrête. « L'intensité, c'est foireux » ?

— Quoi ? J'en fais trop ?

Elle secoua la tête, gloussa, et l'entraîna vers la patinoire flottante.

Un mois s'était écoulé depuis qu'ils avaient pris les pilules, et pour l'instant ni Tally ni Zane n'était réduit à l'état de légume. Les premières heures, néanmoins, s'étaient révélées totalement foireuses. Les Specials les avaient fouillés avec acharnement, ainsi que Valentino 317, enfermant tout ce qu'ils trouvaient dans de petits sachets en plastique. Ils les avaient bombardés de questions avec leur grosse voix, pour tâcher de découvrir pourquoi deux jeunes Pretties avaient escaladé la tour de transmission. Tally tenta bien de prétendre qu'ils voulaient rien qu'un peu d'intimité, mais aucune explication ne parut satisfaire les Specials.

Au bout du compte, des gardiens arrivèrent avec leurs bagues d'interface, une bombe désinfectante pour les paumes de Tally, et des muffins. Tally s'empiffra comme un chien affamé jusqu'à ce que toute son intensité se soit envolée, puis elle eut son sourire de Pretty et demanda à être opérée pour sa cicatrice de la nuit précédente. Après une nouvelle heure d'interrogatoire fastidieux, les Specials laissèrent les gardiens l'emmener à l'hôpital avec Zane.

C'était à peu près tout, à l'exception des bracelets d'interface. Les médecins avaient mis le sien à Tally pendant son opération, et Zane s'était réveillé avec, le lendemain matin. Ils fonctionnaient comme des bagues d'interface, à ceci près qu'ils pouvaient envoyer des messages vocaux de n'importe où, comme un téléphone cellulaire. Cela voulait dire qu'on les entendaient discuter même à l'extérieur. Et contrairement aux bagues, les bracelets ne pouvaient pas s'enlever. C'étaient des menottes reliées à une chaîne invisible, et aucun des outils que Zane et Tally avaient pu essayer n'était parvenu à les entamer.

Les bracelets étaient devenus la grande mode de la saison. Quand les Crims les découvrirent, Zane eut le plus grand mal à empêcher tout le monde d'en réquisitionner. Il dut demander à la fente murale d'en fabriquer des imitations factices, qu'il distribua autour de lui. Au cours des semaines suivantes, le mot se répandit que les bracelets constituaient un nouveau symbole de criminalité, signifiant que vous aviez escaladé la tour de transmission sur le toit de la résidence Valentino ; apparemment, l'exploit de Zane et de Tally avait eu des centaines de témoins, les jeunes Pretties s'appelant les uns les autres pour courir aux fenêtres et assister au spectacle. Au bout de quelques semaines, seuls les plus réfractaires à la mode se promenaient sans bout de métal autour du poignet, et il avait fallu installer des surveillants pour tenir les jeunes Pretties à l'écart de la tour.

On commençait à reconnaître Zane et Tally chaque fois qu'ils sortaient en public, et le nombre de gens qui voulaient rejoindre les Crims grossissait de jour en jour. On aurait dit que tout le monde avait envie d'être intense.

Tally s'inquiétait un peu à l'idée de la percée, mais Zane et elle ne parlèrent pas beaucoup sur le chemin de la patinoire. Même si leurs bracelets ne risquaient pas d'entendre quoi que ce soit sous les épais vêtements d'hiver, le silence était devenu une habitude qui les accompagnait partout. Tally s'était accoutumée à communiquer par d'autres moyens : clins d'œil, roulements d'yeux et autres mots suggérés en silence. À vivre ainsi comme des conspirateurs, le moindre geste se chargeait de sens, le moindre contact prenait une signification muette.

Dans l'ascenseur de verre qui les emportait vers la plaque de glace flottante, au-dessus de l'énorme cuvette du stade Néfertiti, Zane prit Tally par la main. Ses yeux brillèrent, comme ils le faisaient toujours quand il préparait un bon tour, telle une embuscade aux boules de neige depuis le toit de la résidence Pulcher. Son regard malicieux tomba à point nommé pour calmer quelque peu les nerfs de Tally. Les autres Crims ne devaient pas s'apercevoir qu'elle était nerveuse.

La plupart d'entre eux étaient déjà là, troquant leurs bottes contre des patins ou cherchant des gilets de sustentation à leur taille. Certains parmi les nouveaux étaient en train de s'échauffer, visiblement malhabiles sur la glace flottante ; le chuintement de leurs patins évoquait un surveillant de bibliothèque qui vous rappelle au silence.

Shay s'approcha pour prendre Tally dans ses bras, interrompant sa glissade en lui rentrant dedans.

— Hé, Maigrichonne-wa.

— Hé, Bigleuse-la, répliqua Tally en gloussant.

Les surnoms moches étaient revenus à la mode. Shay et Tally avaient échangé les leurs depuis que Tally perdait du poids. Ressentir la faim n'avait rien de drôle, mais tôt ou tard, elle espérait devenir suffisamment mince pour faire glisser sa main hors du bracelet.

Elle vit que Shay s'était enveloppé une écharpe

noire autour de l'avant-bras, par solidarité. Elle portait également une autre version du tatouage de Tally, un nœud de vipères qui s'enroulait autour du sourcil avant de redescendre le long de la joue. Bon nombre de Crims avaient de nouveaux tatouages faciaux réglés sur les battements de leur cœur – ainsi, on constatait immédiatement à quel point ils étaient intenses. Des tasses de café auto-chauffantes s'élevaient des nuages de vapeur au-dessus de la bande des Crims, et tous les tatouages tournoyaient.

Un chœur de salutations s'éleva à la vue de Zane et Tally. L'excitation générale grandit. Peris s'approcha en glissant, avec à la main un gilet de sustentation et les patins habituels de Tally.

— Merci, Gros-Pif, dit Tally en envoyant valser ses bottes avant de s'asseoir sur la glace.

Ici, sur la patinoire, les skates magnétiques n'étaient pas autorisés ; les lames en métal des patins scintillaient comme des dagues dans la lumière hivernale. Tally noua ses lacets.

— Tu as ta flasque ? demanda-t-elle à Peris.

Il la sortit.

— Vodka double.

— Excellent pour briser la glace.

Tally et Zane avaient cessé de boire de l'alcool, qui rendait d'humeur légère plutôt qu'intense, mais les boissons fortes avaient d'autres usages.

Elle tendit ses mains gantées pour que Peris l'aide à se relever. Leur élan les emporta dans une petite valse improvisée sur la glace. Ils reprirent leur équilibre, se cramponnant l'un à l'autre, hilares.

— N'oublie pas ton gilet, Maigrichonne, dit-il.

Elle le lui prit des mains et serra les sangles.

— Ce serait plutôt foireux, hein ?

Peris acquiesça avec nervosité.

— Des nouvelles de nos amis de l'autre rive ? s'enquit-elle, réduisant sa voix à un murmure.

— Pas un appel. Ils sont toujours injoignables.

Tally fronça les sourcils. La visite de Croy remontait à un mois, et depuis, les Nouveaux-Fumants n'avaient pas donné signe de vie. Ce silence était inquiétant, à moins qu'il ne s'agisse d'un autre test insupportable. D'un côté comme de l'autre, elle avait hâte de partir à leur recherche, dès qu'elle se serait débarrassée de ce stupide bracelet.

— Où en est Fausto avec le débridage de cette planche ?

Peris se contenta d'un haussement d'épaules, son regard distrait posé sur les autres Crims qui étaient en train d'envahir la patinoire avec des rires et des cris, fendant la masse des petits Zambonies occupés à polir la glace.

Tally consulta le tatouage que Peris portait au front – un troisième œil qui clignait en accord avec son pouls – et contempla ses yeux magnifiques, bruns, doux et sans fond. Peris paraissait plus intense que le mois dernier – tous les Crims donnaient cette impression –, mais Tally ne constatait plus d'amélioration de jour en jour. C'était si difficile pour ceux qui n'avaient pas pris les pilules, qui n'étaient pas à moitié guéris comme Zane et Tally. Ils parvenaient à s'animer de manière ponctuelle, mais on avait bien du mal à les garder concentrés.

Enfin, la percée allait les secouer un bon coup.

— C'est O.K., Gros-Pif. Allons patiner.

Tally s'élança sur la glace et prit de la vitesse en longeant la bordure extérieure de la patinoire. Elle plongea son regard à travers la plaque de glace tachetée sous ses patins. Les suspenseurs magnétiques qui la maintenaient dans les airs étaient faciles à voir. Espacés de quelques mètres les uns des autres, ils projetaient en étoile autour d'eux un réseau de filaments réfrigérants. Beaucoup plus bas, on voyait l'ovale ventru du stade, légèrement déformé ; les projecteurs étaient en train de s'allumer, en prévision du match de football qui commencerait dans quarante-cinq minutes. Comme toujours, le coup d'envoi serait précédé d'un feu d'artifice, une fois que la foule aurait pris place. Ce serait très beau.

Le ciel au-dessus de sa tête était une immensité bleue immaculée, hormis quelques ballons à air chaud amarrés aux plus hautes tours de fête. Lorsqu'elle se trouvait en l'air, la patinoire dominait tout le reste de New Pretty Town. Tally pouvait contempler la ville entière en contrebas.

Elle patina derrière Zane, qu'elle rejoignit au moment où il effectuait une pirouette.

— Les autres ont l'air intenses, d'après toi ?

— Surtout nerveux.

Il repartit avec élégance, patinant à l'envers aussi naturellement qu'il respirait. Ses muscles améliorés par l'Opération avaient perdu la timidité et la langueur des Pretties ; il pouvait faire le poirier sans trembler, grimper jusqu'à sa fenêtre à la résidence Pulcher en quelques secondes, et rattraper à la course le monorail qui transportait les anciens Pretties depuis Crumblyville, la banlieue, jusqu'à l'hôpital central. Zane n'était jamais en sueur et pouvait retenir sa respiration pendant deux minutes entières.

Quand elle le voyait accomplir ces tours de force, Tally se souvenait des rangers qui l'avaient arrachée à un feu de broussaille lors de son voyage à La Fumée. Zane dégageait la même assurance physique – fort et rapide, sans l'allure saccadée, inhumaine, des agents des Special Circumstances. Tally elle-même était loin d'être une mauviette, mais on aurait dit que le remède avait hissé la force et la coordination de Zane vers de nouveaux sommets. Elle adorait glisser sur la glace avec lui, décrire des cercles autour des autres, être le centre gracieux de ce vortex bariolé que constituaient les Crims.

— Aucun signe de La Nouvelle-Fumée ? demanda-t-il, presque inaudible à cause du crissement des patins.

— Pas d'après Peris.

Zane lâcha un juron et vira de manière brutale, projetant de la glace sur un non-Crim qui évoluait laborieusement au bord de la patinoire.

Tally le rattrapa.

— Sois patient, Zane. On va bien finir par se débarrasser de ces trucs.

— J'en ai assez de me montrer patient, Tally. (Il baissa les yeux. Le stade en dessous d'eux était noir de monde ; le public attendait avec impatience le premier match des play-offs interurbains.) Dans combien de temps ?

— D'une minute à l'autre, maintenant.

À l'instant où elle prononçait ces mots, les premières fusées du feu d'artifice explosèrent sous leurs pieds, transformant instantanément la patinoire en une mosaïque de rouges et de bleus. Une seconde plus tard, un *boum!* final fit trembler la glace, suivi d'un long *ahhh!* rejoui de la part du public.

— On y va, annonça Zane avec un grand sourire, son irritation envolée.

Tally lui pressa la main avant de le laisser s'éloigner, puis gagna le centre de la patinoire, l'endroit le plus éloigné des suspenseurs de soutènement qui faisaient le tour de la glace. Elle leva une main et attendit que les autres Crims se regroupent autour d'elle en rangs serrés.

— Les flasques, dit-elle doucement.

Elle entendit le chuchotement se propager à travers le groupe.

Les flasques en métal scintillèrent au soleil, et Tally entendit le crissement des bouchons que l'on dévissait. Elle avait le cœur qui battait à tout rompre, ses sens aiguisés par l'anticipation. Les tatouages dansaient autour d'elle. Elle vit Zane prendre de la vitesse au bord de la patinoire.

— Versez, fit-elle à voix basse.

Un son liquide parcourut la bande, gargouillis de vodka double et d'alcool éthylique en train de s'écouler. Tally crut entendre un craquement, une infime protestation montant de la glace où l'alcool facilitait la fonte.

Avant même d'avoir connu Tally, Zane rêvait déjà d'organiser quelque chose de ce genre. Il avait essayé à plusieurs reprises de verser du champagne sur la glace pendant que les Crims patinaient. Mais le remède l'avait rendu sérieux ; cette fois-ci, il avait effectué un test dans le petit réfrigérateur de sa chambre. Il avait rempli une planchette de glaçons, chaque compartiment avec un mélange un peu différent de vodka et d'eau, et mis le tout au freezer. Les glaçons d'eau avaient gelé normalement ; ceux qui contenaient plus d'alcool s'étaient plus ou moins figés, et ceux composés de vodka presque pure étaient restés à l'état liquide.

Tally regarda la flaque d'alcool se répandre sur la glace d'une lente coulée entre leurs patins, effaçant les traces de lames et de chutes. Leur vision du stade se précisa de plus en plus, jusqu'à ce que Tally puisse distinguer le moindre détail du panache vert et jaune d'une fusée montant à leur rencontre. Quand le coup de tonnerre de l'explosion parvint à ses oreilles, un autre craquement inquiétant lui parvint. Le feu d'artifice croissait en intensité, s'acheminant lentement vers le bouquet final.

Tally fit signe à Zane.

Il boucla son tour puis se dirigea vers eux, patinant de toutes ses forces. Elle sentit un frisson de panique parcourir ses compagnons, comme un troupeau de gazelles qui repère un grand félin à proximité. Quelques Crims s'offrirent une dernière rasade à leur flasque, puis vidèrent dedans du jus d'orange pour effacer les preuves de leur forfait.

Tally sourit, imaginant la jolie confusion qu'ils allaient semer dans l'esprit des gardiens : *Nous étions simplement là, à bavarder, sans faire de mal, sans même patiner, quand brusquement…*

— Écartez-vous ! cria Zane.

Le groupe se fendit en deux pour lui ouvrir la voie.

Il patina jusqu'au centre et s'envola d'un bond à une hauteur inhumaine ; ses yeux et ses lames brillèrent ; puis il retomba de tout son poids sur la glace, patins en avant.

Zane disparut instantanément dans un fracas de verre brisé. Tally entendit la fissure se propager avec un craquement d'arbre abattu. L'espace d'une fraction de seconde, elle fut soulevée dans les airs sur une plaque de glace oscillant à la pointe d'un suspenseur, mais la plaque se brisa en deux et Tally se retrouva en train de tomber, l'estomac lui remontant dans la gorge. Des mains gantées s'accrochèrent de toutes parts à son manteau dans un mouvement de panique générale, puis un grand cri s'éleva tandis que le milieu de la patinoire s'effondrait complètement, projetant éclats de glace, Crims et petits Zambonies sur la pelouse verdoyante du terrain de football, devant dix mille paires d'yeux qui les fixaient en état de choc.

Ça, c'est ce qu'on pouvait appeler un truc intense.

REBOND

Pendant un moment, tout fut calme.

Autour de Tally, les débris de glace dégringolaient sans bruit, tournoyant dans la clarté des projecteurs du stade. Le vent étouffa les cris de guerre des Crims. La foule en contrebas levait les yeux dans un silence abasourdi. Tally écarta les bras pour freiner sa chute, retenant quelques précieuses secondes dans ses doigts en coupe. Cette phase d'un saut en gilet de sustentation ressemblait toujours au vol libre.

Puis, une explosion de lumière et de bruit la fit tournoyer sur elle-même, les tympans matraqués, au point qu'elle dut fermer les yeux sous les lueurs aveuglantes. Après quelques secondes de stupéfaction, elle secoua la tête et osa un regard : des traits de feu arc-en-ciel partaient dans toutes les directions comme si Tally se trouvait au centre d'une galaxie en train de voler en éclats. D'autres crépitations retentirent au-dessus d'elle, libérant une pluie d'étincelles incandescentes. Elle réalisa ce qui avait dû se passer...

Le bouquet final du feu d'artifice était parti au moment précis où la bande de Crims passait à travers la glace. Le minutage de la percée avait été un peu trop précis.

Une fusée se prit en grésillant dans son gilet, brûlant avec insistance, et lui bombardait le visage d'étincelles. Tally agita les bras, pour contrôler sa chute, mais le sol se ruait déjà vers elle. Elle tombait toujours la tête la première quand les sangles de son gilet lui entrèrent dans les chairs, la stoppant net à quelques mètres du sol.

Tandis que le gilet la redressait brutalement et l'envoyait rebondir dans les airs, Tally se roula en boule au cas où elle recevrait quelque chose de lourd. La possibilité que l'un d'entre eux se prenne un morceau de glace ou un Zamboni sur le crâne avait toujours représenté le point faible de ce plan. Mais Tally sortit du rebond indemne et, en atteignant le sommet de sa courbe, elle entendit le *ahhh!* de la foule dans une confusion totale. Ils savaient que quelque chose avait tourné de travers.

Zane et elle avaient envisagé de pirater le tableau d'affichage à ce moment-là, pour atteindre l'esprit embrumé des Pretties pendant qu'ils étaient encore sous le choc. Mais dans ce cas, les gardiens auraient su que la percée avait été planifiée, ce qui aurait entraîné toutes sortes de complications foireuses.

Les Nouveaux-Fumants entendraient parler de l'événement d'une manière ou d'une autre, et eux, au moins, en comprendraient la signification…

Le remède avait fonctionné. La Nouvelle-Fumée avait des alliés dans la ville. Les Pretties voyaient le ciel leur tomber sur la tête.

Les rebonds successifs de Tally la déposèrent au centre du terrain, sur une pelouse jonchée de fragments de glace, de Zambonies tremblotants, de Crims en train de glousser et de quelques patineurs innocents qui les avaient accompagnés dans leur chute, en se félicitant sans doute que les gilets de sustentation soient obligatoires sur la patinoire. Alors qu'elle cherchait Zane du regard, elle vit que son élan l'avait emporté au bout du terrain, jusque dans les cages. Elle se précipita vers lui, avec au passage un coup d'œil aux autres Crims. Tous avaient leur tatouage qui pulsait follement, fumant sous la magie antibeauté de la percée. Mais personne n'était blessé, mis à part quelques bleus ou cheveux roussis.

— Ça a marché, Tally ! lui souffla Fausto quand elle passa devant lui.

Il fixait avec ébahissement un morceau de glace qu'il tenait à la main. Elle continua à courir.

Zane riait de manière hystérique, empêtré dans le filet d'un cage de but. En apercevant Tally, il cria longuement :

— Bu-u-u-u-ut !

Elle s'arrêta de courir, soulagée, et prit le temps d'apprécier l'intensité du moment, la transformation du monde environnant. Elle avait la sensation de pouvoir embrasser la foule entière d'un regard, chaque expression d'une clarté cristalline dans la précision irréelle des lumières du stade. Dix mille visages étaient braqués sur elle, stupéfaits.

Tally s'imagina en train de se lancer dans un grand discours, révélant au public les dessous de l'Opération, l'existence des lésions, le prix terrible de la beauté : ainsi, adorable voulait dire sans cervelle, et leur existence facile était creuse. À la manière dont les gens la regardaient, ils l'auraient peut-être écoutée.

Zane et elle avaient voulu adresser un signal aux Nouveaux-Fumants, mais cela n'était pas le seul objectif de la percée. Une bêtise de cette ampleur réveillerait les Crims pendant plusieurs jours, ils le savaient. Mais une seule expérience, aussi intense soit-elle, suffirait-elle à transformer de manière permanente des Pretties qui n'avaient pas pris les pilules ? D'après ce que révélaient les yeux de Fausto, Tally pensait la chose possible. Et maintenant, en voyant les visages de la foule – jeunes Pretties, grands et même vieux Pretties, tous pris d'un vertige collectif –, elle se demanda si le ciel, en tombant, n'avait pas réveillé quelque chose de plus important.

La ville, en tout cas, ne restait pas indifférente. Des gardiens se déversèrent sur le terrain, trousses de premiers secours à la main. Tally n'avait encore jamais vu une semblable expression de panique sur des visages de grands Pretties. Comme le reste du public, ils semblaient abasourdis qu'un incident d'une telle gravité puisse se produire ici, dans leur ville. Les caméras magnétiques qui se préparaient à retransmettre la rencontre filmaient le terrain, enregistrant les dégâts. D'ici la fin de la journée, réalisa Tally, l'événement aurait fait le tour de toutes les villes du globe.

Elle prit une grande inspiration. Elle éprouvait la même sensation qu'elle avait eue, gamine, en allumant son premier feu d'artifice, stupéfaite qu'une simple pression sur un bouton puisse causer un tel vacarme – n'allait-elle pas avoir des ennuis ? Alors que son euphorie retombait, Tally ne put s'empêcher de penser aussi que, malgré toutes les précautions dont ils avaient entouré leurs préparatifs, quelqu'un découvrirait que la percée n'était pas accidentelle.

Soudain, Tally eut besoin du contact de Zane, de sa présence rassurante, et elle couvrit au pas de course la distance qui la séparait des cages. On était en train de le dépêtrer du filet, tandis que deux gardiens lui pulvérisaient de la bombe désinfectante sur le visage. Tally les écarta pour prendre Zane dans ses bras.

Comme il y avait des gardiens partout, elle s'exprima dans le jargon des Pretties.

— Grave intense, hein ?

— Totalement, approuva-t-il.

Zane ne portait aucun tatouage, mais Tally sentait battre son cœur à travers son épais manteau d'hiver.

— Rien de cassé ?

— Non. Juste des bobos ici et là. (Il se toucha la joue en grimaçant ; le filet y avait imprimé des traces rouges.) J'ai l'impression qu'on a marqué, non ?

Elle s'esclaffa, lui embrassa la joue aussi délicatement qu'elle put, puis colla ses lèvres à son oreille.

— Ça a marché. Ça a marché pour de bon. C'est comme si on pouvait réussir tout ce qu'on veut.

— On peut, c'est sûr.

— Après un coup pareil, les Nouveaux-Fumants sauront *à coup sûr* que le remède fonctionne. Ils nous feront parvenir d'autres pilules, et nous pourrons retransformer tout le monde.

Il se détacha d'elle, hocha la tête, puis se pencha plus près pour l'embrasser doucement sur l'oreille en murmurant :

— Et s'ils n'ont rien remarqué, nous n'aurons plus qu'à nous mettre à leur recherche.

L'INVITÉE SURPRISE

Le champagne coula à flots ce soir-là. Bien qu'ils aient renoncé à boire, Zane et Tally tinrent à lever leurs verres à la survie des Crims lors du Grand Effondrement du stade Néfertiti.

Ils avaient tous répété leur rôle à l'avance, passé en revue chaque réaction potentielle, de sorte que personne ne parla d'alcool répandu sur la glace, ni ne se vanta de la réussite d'un plan – ils se contentèrent de bafouiller, tout à leur excitation, comme de jeunes Pretties se remettant d'une expérience aussi intense qu'inattendue.

L'histoire de la chute fut racontée et répétée partout – la glace en train de se fendre, l'embrasement du bouquet final, la secousse brutale des gilets de sustentation et, quand tout fut terminé, les cris d'alarme des vieux Pretties qui avaient assisté à l'incident, que l'on diffusa plus tard en boucle sur toutes les chaînes. La plupart des Crims avaient été interviewés par les médias. Ils racontaient l'événement avec de grands yeux innocents. Et l'histoire s'amplifiait à mesure qu'elle se répandait dans les journaux : on demandait la démission du conseil en architecture de la ville, une réorganisation complète du calendrier des play-offs de football, ainsi que la fermeture définitive de la patinoire flottante (conséquence foireuse que Tally n'avait pas anticipée).

Mais les nouvelles ne tardèrent pas à virer au ressassement – votre propre visage à l'écran mural devient lassant à la cinquantième reprise –, si bien que Zane entraîna tout le monde dehors pour allumer un grand feu de joie au parc Denzel.

Les Crims étaient toujours intenses. Leurs tatouages tournoyaient à la lueur du feu pendant qu'ils s'échangeaient leurs impressions. Ils s'exprimaient dans le jargon des Pretties au cas où leurs paroles seraient sur écoute, mais Tally n'entendait pas que d'insipides absurdités dans leur discours. C'était comme lorsque Zane et elle donnaient un double sens à leurs formulations artificielles par crainte des bracelets. La conspiration silencieuse qui les unissait faisait des émules autour d'eux. Tally regardait fixement les flammes tout en prêtant l'oreille aux Crims, et commençait à croire que l'excitation intense causée par la percée pourrait vraiment durer. Peut-être était-il possible de trouver en *soi-même* un remède à la beauté, sans qu'il soit besoin de pilules.

— On ferait mieux de finir ce champagne, Maigrichonne, fit Zane en laissant courir ses doigts le long de la nuque de Tally, histoire d'interrompre le cours de ses pensées. Je me suis laissé dire que l'alcool s'évapore très rapidement.

— Il s'évapore ? C'est terrible.

Tally, le visage grave, éleva son champagne à la lueur du feu. Les infos retransmettaient heure par heure la progression de l'enquête. Des ingénieurs s'efforçaient de comprendre comment vingt centimètres de glace soutenus par des suspenseurs avaient pu céder sous le poids de quelques douzaines de personnes. On en attribuait la cause aux ondes de choc du feu d'artifice, à la chaleur des projecteurs du stade, ou même à un phénomène de résonance occasionné par des patineurs évoluant en tandem, comme des soldats qui marchent au pas. Mais aucun expert n'avait imaginé que le véritable responsable de la percée s'était évaporé sans laisser de trace.

Elle leva son verre pour trinquer avec Zane. Il vida le sien, prit celui de Tally et transféra un peu de champagne de l'un à l'autre.

— Merci, Maigrichonne, dit-il.

— De quoi ?

— D'avoir bien voulu partager.

Elle lui adressa un beau sourire. Il voulait parler des pilules, bien sûr, et non du champagne.

— C'était juste normal. Heureusement, il y en avait assez pour deux.

— Une sacrée chance, oui.

Elle acquiesça. Le remède n'était pas parfait, mais si l'on considérait qu'ils n'avaient pris chacun qu'une demi-dose, le test avait été un succès. Zane en sentit les effets presque aussitôt, se débarrassant de sa belle mentalité en quelques jours. La pilule de Tally agit plus lentement, et elle se réveillait encore la plupart du temps avec l'esprit embrumé ; elle avait besoin de Zane pour lui rappeler de rester intense. L'avantage, par contre, c'est qu'elle ne subissait pas ses migraines abominables.

— C'est encore meilleur quand on partage, déclara Tally en trinquant de nouveau avec lui.

Elle se souvint de l'avertissement dans sa lettre à elle-même, et frissonna malgré le feu. Si deux pilules constituaient un traitement beaucoup trop fort, et que Tally ait pris les deux, elle serait peut-être transformée en légume à cette heure.

Zane l'attira plus près.

— Comme je le disais… Merci.

Il l'embrassa de ses lèvres chaudes parmi la froideur de la nuit, les reflets du feu scintillant dans ses yeux, et il garda sa bouche contre la sienne un long moment. Entre le baiser à couper le souffle et le champagne, Tally se sentit gagnée par la belle mentalité, tandis que les contours de la fête autour du feu se brouillaient. Ce qui n'était pas toujours une mauvaise chose…

Zane finit par la lâcher et lui murmura au creux de l'oreille :

— Il faut nous débarrasser de ces trucs.

— Chut.

Même en dépit de leurs manteaux d'hiver et des gants qui couvraient leurs bracelets, Tally se sentait un peu trop célèbre en ce moment pour tirer des plans à voix haute. Les Crims avaient déjà dû jeter des pierres à une caméra magnétique qui couvrait la fête pour un reportage consécutif à l'effondrement de la patinoire.

— Ça me rend cinglé, Tally.

— Ne t'en fais pas. Nous trouverons un moyen.

« Cesse simplement de parler », l'implora-t-elle en silence.

D'un coup de pied, Zane fit voler une branche morte

dans le feu. Alors que la branche s'enflammait, il lâcha un grognement de douleur.

— Zane ?

Il secoua la tête, les doigts pressés contre les tempes. Encore une migraine. Parfois elles s'interrompaient au bout de quelques secondes, parfois elles pouvaient durer des heures.

— Ça va, répondit-il.

Il prit une profonde inspiration.

— Tu devrais aller voir un médecin, tu sais, murmura-t-elle.

— N'y pense pas ! On verrait immédiatement que je suis guéri.

Elle l'attira plus près des crépitements des flammes et colla ses lèvres à son oreille.

— Je t'ai parlé de Maddy et Az, les parents de David ? Ils étaient médecins – chirurgiens – et pendant longtemps, ils n'ont rien su à propos des lésions. Ils pensaient juste que la plupart des gens étaient stupides. Un médecin ordinaire n'y verra que du feu.

Zane secoua farouchement la tête et lui glissa à l'oreille :

— Ça ne s'arrêtera pas à un médecin ordinaire, Tally. Les jeunes Pretties ne tombent jamais malades.

Elle regarda les visages brillants autour d'eux. Les Crims se retrouvaient souvent à l'hôpital, mais pour des blessures, pas des maladies. L'Opération boostait votre système immunitaire, renforçait vos organes, vous donnait de belles dents à tout jamais. Un jeune Pretty en mauvaise santé était une telle rareté qu'on lui ferait sans doute subir une tonne de tests. Et si les migraines de Zane persistaient, on transmettrait les résultats de ces tests à des experts.

— Ils ont déjà un œil sur nous, insista-t-il. On ne peut pas se permettre que quelqu'un fouille dans mon cerveau.

Il tressaillit de nouveau, le visage crispé par la douleur.

— Nous devrions rentrer, dit-elle doucement.

— Reste, toi. Je peux regagner Pulcher tout seul.

Elle grommela et l'entraîna loin du feu.

— Amène-toi.

Il se laissa conduire dans l'obscurité, en faisant le tour du cercle des Crims. Shay les appela, mais Tally lui adressa un vague geste du bras, disant juste :

— Trop de champagne.

Shay eut un sourire compatissant et se retourna face au brasier.

Ils regagnèrent non sans mal la résidence. Le sol nu luisait de gel sous la clarté lunaire, le vent froid paraissait mordant après la chaleur soporifique du feu. La nuit était très belle, mais Tally se préoccupait uniquement de Zane. Que lui arrivait-il ? Était-ce un effet secondaire mineur du remède ? Ou le signe que quelque chose avait mal tourné ?

— Ne t'inquiète pas, Zane, dit-elle dans un souffle. On va tirer ça au clair. Ou bien on s'enfuira d'ici pour se faire aider par les Fumants. C'est un remède de Maddy – elle aura la solution.

Il ne répondit rien, se contenta de monter la colline en trébuchant à ses côtés.

Quand la résidence Pulcher apparut devant eux, Zane marqua une halte.

— Retourne à la fête. Je peux rentrer tout seul à partir d'ici.

Il parlait trop fort.

Elle risqua un tour d'horizon, mais ils étaient seuls – aucun Pretty, nulle caméra volante en vue.

— Je me fais du souci pour toi, chuchota-t-elle.

Il baissa la voix.

— C'est idiot, Maigrichonne. J'ai juste mal au crâne. Comme d'habitude. Ça vient, je crois, du fait que j'ai été beau plus longtemps que toi. (Il eut un sourire forcé.) Il faut simplement plus de temps à mon cerveau pour récupérer.

— Viens donc. Allons nous coucher.

— Non, retourne là-bas. Je ne veux pas qu'ils soient au courant pour… ça.

— Je ne leur dirai rien, promit Tally. (Ils n'avaient encore parlé à personne du remède, pas tant qu'ils ne seraient pas absolument sûrs que les Crims étaient assez intenses pour garder le secret.) Je raconterai que tu as trop bu.

— D'accord, mais retourne à la fête, dit-il sur un ton ferme. Il faut les maintenir intenses. Ne les laisse pas s'enivrer et bavarder à tort et à travers.

Tally ramena son regard en direction du feu, à peine visible à travers les arbres en contrebas. Un peu trop de champagne, et quelqu'un risquait de commencer à se vanter. Elle se tourna vers Zane.

— Ça va aller?

Il acquiesça.

— Je me sens déjà mieux.

Elle inspira dans l'air glacial. Il n'avait pas l'air dans son assiette.

— Zane...

— Écoute, je vais bien. Et quoi qu'il arrive, je suis heureux que nous ayons avalé ces pilules.

Tally prit une longue inspiration pour se calmer.

— Que veux-tu dire par : « Quoi qu'il arrive » ?

— Je ne voulais pas dire ce soir. Je parlais en général. Tu sais.

Tally plongea son regard dans ses yeux pailletés d'or et y lut la souffrance qu'il taisait. Quel que soit le problème de Zane, rester intense ne valait pas la peine si elle devait le perdre. Elle secoua la tête.

— Non, je ne sais pas.

Il soupira.

— O.K., je n'aurais pas dû formuler ça de cette manière. Je vais bien.

— Je me fais du souci pour toi.

— Retourne simplement à la fête.

Il ne servait à rien de discuter. Tally leva le bras, désignant l'écharpe enroulée autour de son poignet.

— D'accord. Mais si tu sens que ça s'aggrave, appelle-moi.

Il lui sourit avec amertume.

— Au moins, ces saletés sont bonnes à quelque chose.

Elle l'embrassa doucement, puis le regarda s'éloigner d'un pas traînant jusqu'à la résidence.

Sur le chemin, Tally sentit l'air se rafraîchir. Elle aurait presque souhaité redevenir une jolie tête vide, rien que pour une nuit, au lieu de devoir veiller sur les Crims. Depuis leur tout premier baiser, sortir avec Zane n'avait fait que compliquer les choses.

Elle soupira. Peut-être en allait-il toujours ainsi.

Zane n'irait jamais consulter un médecin, Tally en était sûre. Si ses migraines s'aggravaient encore, pourrait-elle l'obliger à le faire? Il avait raison: n'importe quel médecin capable de le soigner réussirait probablement à identifier la source de son problème, et lui rendrait aussitôt sa belle mentalité.

Si seulement Croy donnait signe de vie! Tally se demanda combien de temps il faudrait aux Nouveaux-Fumants pour entrer en contact avec eux désormais. Après la percée, ils avaient dû comprendre que le remède fonctionnait. Même s'ils ne recevaient pas les infos à l'endroit où ils se cachaient, les Uglies du monde entier discutaient sans doute de l'effondrement de la patinoire, ainsi que de Tally Youngblood et de son air innocent sur leurs écrans muraux.

Bien sûr, Zane et elle devaient encore inventer un moyen de s'échapper. Tally n'imaginait pas du tout comment se débarrasser des bracelets. À force de maigrir, ils allaient bien finir par les faire glisser de leurs poignets, mais au bout de combien de temps? L'idée d'une course entre leur affaiblissement et la désagrégation du cerveau de Zane n'était guère encourageante.

Et lorsqu'ils auraient trouvé le moyen, elle ne tenait pas à partir sans le reste des Crims. Peris et Shay, tout au moins. Les Crims étaient si intenses, ce soir, qu'ils seraient probablement prêts à sauter sur leurs planches et à s'enfuir sur-le-champ si elle le proposait. Mais le seraient-ils autant demain?

Soudain, Tally se sentit épuisée. Elle devait jongler avec trop de paramètres. Une foule de préoccupations pesaient sur ses épaules. Elle qui aspirait uniquement à devenir une Crim, à se sentir en sécurité au sein d'une bande d'amis, se retrouvait sans le vouloir à la tête d'une rébellion.

— Ton ami a trop forcé sur le champagne?

Tally se figea. La voix avait jailli de l'obscurité, agressant ses oreilles comme un crissement d'ongles sur du métal.

— Qui est là?

Une silhouette émergea de l'ombre, en long manteau d'hiver à capuchon. Elle se déplaçait dans un silence total sur le tapis de feuilles mortes. C'était une femme. Dix centimètres plus grande que Tally, plus grande même que Zane. Il ne pouvait s'agir que d'une Special.

Tally se força à conserver son calme, pour afficher l'expression toute douce d'une nouvelle Pretty.

— Shay? C'est toi qui t'amuses à me faire peur? dit-elle avec colère.

La silhouette avança d'un pas pour venir dans la lumière d'un lampadaire.

— Non, Tally. C'est moi.

La femme repoussa son capuchon.

C'était le docteur Cable.

LE DRAGON

— Est-ce que je vous connais?

Le docteur Cable sourit froidement.

— Je suis sûre que tu te souviens de moi, Tally.

Tally fit un pas en arrière, laissant transparaître une part de sa peur ; même la plus innocente des nouvelles Pretties se serait effrayée à la vue du docteur Cable. Ses traits cruels, soulignés par la clarté lunaire, lui donnaient l'air d'une très belle femme à moitié changée en loup-garou.

Les souvenirs de Tally affluèrent : elle avait été piégée dans le bureau du docteur Cable, lors de cette première rencontre affreuse où elle avait appris l'existence des Special Circumstances, et elle avait accepté de retrouver Shay pour la trahir en échange de l'Opération. Puis à La Fumée, le docteur Cable avait suivi Tally avec une armée de Specials afin de brûler son village d'accueil.

— Ouais, fit Tally. Votre visage me dit quelque chose. Je vous connaissais, avant, non?

— Oh, que oui. (Les dents acérées de Cable étincelèrent sous la lune.) Mais le plus important, Tally, c'est que *je* te connais.

Tally eut un sourire de circonstance. Le docteur

Cable se souvenait certainement de leur dernière entrevue – quand David et Tally étaient venus sauver les Fumants –, au cours de laquelle elle avait pris un sérieux coup sur la tête.

Le docteur Cable indiqua l'écharpe noire qui recouvrait le bracelet de Tally, sous son gant et son manteau.

— Curieuse façon de porter une écharpe.

— Vous retardez, ou quoi ? C'est la grande mode en ce moment.

— J'imagine que c'est toi qui l'as lancée. Tu as toujours débordé d'idées.

Tally lui adressa cette fois un joli sourire.

— Je suppose. Je faisais toutes sortes de blagues quand j'étais Ugly.

— Tu as quand même battu les records, aujourd'hui.

— Oh, vous avez vu les infos ? C'était dingue, non ? La glace s'est brisée d'un coup sous nos patins, comme ça !

— Oui... comme ça. (Le docteur Cable plissa les yeux.) Je dois admettre qu'au début, je me suis laissé abuser. Cette patinoire flottante était le type même de folie architecturale conçue pour amuser les jeunes Pretties. Un accident devait se produire tôt ou tard. Mais ensuite, j'ai réfléchi au minutage – le stade rempli, la centaine de caméras en train de tourner.

Tally cligna des paupières, haussa les épaules.

— Je suppose que c'est la faute du feu d'artifice. On sentait trembler la glace à chaque explosion. Qui a bien pu avoir une idée aussi foireuse ?

Le docteur Cable acquiesça lentement.

— Un accident presque crédible. Et puis, j'ai vu ton visage aux infos, Tally. Tes grands yeux innocents pendant que tu racontais ton *intense* petite histoire. (La lèvre supérieure de Cable se retroussa en un rictus qui n'avait rien d'un sourire.) Et j'ai réalisé que tu étais toujours en train de faire des blagues.

Tally éprouva comme un coup à l'estomac, une sensation qui remontait à ses années d'Ugly : la vieille appréhension de se faire prendre. Elle tenta de masquer sa peur avec une expression de surprise.

— Moi ?

— C'est ça, Tally. Toi. D'une manière ou d'une autre.

Lisant dans le regard du docteur Cable, Tally se voyait déjà traînée de force jusqu'aux sous-sols des Special Circumstances, les effets du remède annulés, sa mémoire effacée de nouveau. À moins que, cette fois, ils ne se donnent même pas la peine de la ramener à New Pretty Town. Elle voulut avaler sa salive, mais elle avait la bouche en coton.

— Ouais, tu parles. Comme si tout ça était ma faute, parvint-elle à dire.

Le docteur Cable s'avança d'un pas, et Tally se fit violence pour ne pas reculer, bien que son corps tout entier lui crie : *Cours*. La femme la dévisagea froidement, comme si elle observait un spécimen ouvert sur la table de dissection.

— J'espère bien que tout est ta faute.

Tally fronça les sourcils.

— Comment ça ?

— Parlons franchement, Tally Youngblood. Ton petit numéro de Pretty commence à me fatiguer. Je ne suis pas ici pour t'emmener dans mes oubliettes.

— Ah non?

— Crois-tu vraiment que je me préoccupe de ce que tu casses à New Pretty Town?

— Heu… oui?

Le docteur Cable renifla, méprisante.

— La maintenance n'est pas mon département. Les Special Circumstances s'intéressent uniquement aux menaces extérieures. La ville sait prendre soin d'elle-même, Tally. Les dispositifs de sécurité sont si nombreux qu'elle ne vaut pas la peine qu'on se fasse du souci. Pourquoi crois-tu que les gilets de sustentation sont obligatoires sur cette patinoire?

Tally cligna des paupières. La question des gilets ne lui avait pas traversé l'esprit; tout était toujours ultrasécurisé à New Pretty Town, sans quoi les jeunes Pretties se tueraient par centaines. Elle haussa les épaules.

— Afin de prévenir une défaillance des suspenseurs? En cas de coupure d'électricité, par exemple?

Cable lâcha un rire cinglant qui dura moins d'une seconde.

— Il n'y a pas eu de coupure d'électricité depuis cent cinquante ans. (Elle secoua la tête à cette idée, et poursuivit :) Tu peux flanquer par terre tout ce que tu veux, Tally. Tes petites plaisanteries ne m'intéressent pas… sauf pour ce qu'elles révèlent à ton sujet.

Le regard de la femme se focalisa sur elle une fois de plus, et Tally dut réprimer une nouvelle envie de fuir. Elle se demanda si cette discussion n'était pas un piège pour l'amener à confesser la faute des Crims. Elle en avait probablement déjà trop dit. Mais il y avait quelque chose chez le docteur Cable – sa voix coupante, ses mouvements de prédatrice, sa simple présence – qui empêchait Tally de poursuivre son numéro. À sa place, tout autre jeune Pretty se serait déjà enfuie en hurlant ou bien liquéfiée sur place.

Par ailleurs, si les Special Circumstances tenaient vraiment à faire avouer Tally, elles avaient d'autres moyens que la conversation.

— Pourquoi êtes-vous ici, alors? demanda Tally de sa voix normale, qu'elle s'efforça de contrôler.

— J'ai toujours admiré ton instinct de survie, Tally. Tu as été une bonne petite traîtresse au moment où il le fallait.

— Heu, merci… je suppose.

Cable hocha la tête.

— Il apparaît aujourd'hui que tu as plus de cervelle que je ne t'en accordais. Tu as magnifiquement résisté au conditionnement.

— Le *conditionnement*. Alors, c'est comme ça que vous l'appelez? (Tally jura.) Comme s'il s'agissait d'un traitement pour les cheveux, ou je ne sais quoi?

— Stupéfiant. (Le docteur Cable se pencha en avant, les yeux braqués sur ceux de Tally comme si elle cherchait à pénétrer son cerveau.) Au fond de toi, tu es encore une petite Ugly qui joue des tours, pas vrai? Très impressionnant. Je pourrais me servir de toi, je crois.

Tally sentit une bouffée de colère grossir en elle.

— Hum, ce n'est pas *déjà* ce que vous avez fait?

— Ainsi, tu t'en souviens. Splendide. (Les beaux yeux cruels de la femme, ternes et froids, montrèrent un certain plaisir.) Je sais que l'expérience n'a pas été agréable, Tally. Mais elle était nécessaire. Nous devions reprendre nos enfants à La Fumée, et tu étais la seule à pouvoir nous aider. Je m'en excuse.

— Vous vous excusez? dit Tally. Pour m'avoir contrainte à trahir mes amis, pour avoir détruit La Fumée, pour avoir tué le père de David? (Son visage afficha malgré elle une expression de dégoût.) Je ne vous laisserai plus vous servir de moi, docteur Cable. J'en ai déjà fait bien assez pour vous.

La femme sourit de plus belle.

— Je suis d'accord. À mon tour de faire quelque chose pour toi. Tu vas trouver mon offre on ne peut plus... intense.

Ce mot, sur les belles lèvres minces et cruelles du docteur Cable, arracha un rire sec à Tally.

— Que savez-vous de l'intensité?

— Tu serais surprise. Aux Special Circumstances, nous connaissons toutes les sensations – en particulier celles que toi et tes soi-disant Crims recherchez constamment. Je peux te les faire vivre, Tally. Toute la journée, chaque jour, de la manière la plus intense qui soit. Le vrai truc, pas une simple évasion hors du brouillard de la beauté – quelque chose de mieux.

— De quoi est-ce que vous parlez?

— Te rappelles-tu ce qu'on éprouve à faire de la planche magnétique, Tally? Ce sentiment d'être en vie? Oui, nous pouvons rendre les gens beaux à l'intérieur – superficiels, paresseux et stupides – mais nous pouvons également les rendre intenses, comme vous dites. Plus intenses que tu ne l'as jamais été en tant qu'Ugly, plus intenses qu'un loup qui saisit sa proie, plus intenses même que les anciens soldats de l'ère rouillée qui s'entretuaient les uns les autres pour un bout de désert riche en pétrole. Les sens plus aiguisés, le corps plus rapide que celui d'aucun athlète, les muscles plus vigoureux que ceux de quiconque au monde.

La voix coupante se tut, et Tally perçut avec netteté la nuit environnante – les stalactites de glace qui gouttaient sur le sol dur, le craquement des arbres dans le vent, le feu un peu plus bas, qui crépitait. Elle entendit même les discussions des Crims : ils se vantaient de leurs exploits de la journée, se disputant pour savoir qui avait rebondi le plus haut ou atterri le plus rudement. Les paroles du docteur Cable rendaient la nuit aussi nette et tranchante qu'un cristal brisé.

— Tu devrais voir le monde comme je le vois, Tally.

— Vous êtes en train de me proposer un… boulot ? En tant que Special ?

— Pas un boulot. Une nouvelle existence. (Le docteur Cable pesa chaque mot avec un soin délibéré.) Tu pourrais devenir l'une des nôtres.

Le souffle court, Tally sentait son pouls battre rapidement à travers tout son corps, comme si l'idée à elle seule était déjà en train de la transformer. Elle se révolta.

— Vous me croyez prête à travailler pour vous ?

— Et sinon, Tally ? Passer le restant de ta vie à rechercher le frisson facile, à grappiller quelques moments d'éveil par-ci, par-là, sans jamais avoir la tête complètement claire ? Alors que tu ferais une excellente Special. Te rendre à La Fumée par tes propres moyens était impressionnant ; j'ai toujours nourri de grands

147

espoirs pour toi. Mais aujourd'hui, quand je vois que tu restes toujours la même fauteuse de troubles après ton opération, je réalise que tu as ça dans le sang. Rejoins-nous.

Un déclic s'opéra en Tally, un fait s'imposait enfin à elle.

— Dites-moi un peu. Quel genre d'Ugly étiez-vous ?

— Bravo, Tally. (La femme lâcha son petit rire glaçant.) Tu connais déjà la réponse, n'est-ce pas ?

— Une fauteuse de troubles.

Cable acquiesça.

— Comme toi. Nous étions tous ainsi. Nous allions dans les ruines, tentions de pousser plus loin, et il fallait nous ramener par la peau du cou. Voilà pourquoi nous laissons les Uglies se livrer à leurs petits tours – afin d'identifier les plus malins. Pour voir lesquels cherchent à se frayer un chemin hors de la cage. C'est toute la finalité de votre rébellion, Tally – vous ouvrir la porte des Special Circumstances.

Tally ferma les yeux, et sut que la femme disait la vérité. Elle se souvint, quand elle était Ugly, à quel point il était facile d'abuser les surveillants du dortoir, comment tout le monde trouvait toujours le moyen de contourner les règles. Elle prit une profonde inspiration.

— Mais pourquoi ?

— Parce qu'il faut bien quelqu'un pour garder la situation sous contrôle, Tally.

— Je ne parlais pas de ça. Ce que je voudrais savoir, c'est pourquoi vous faites ça aux Pretties ? À quoi bon leur trafiquer la cervelle ?

— Mais enfin, Tally, n'est-ce pas évident ? (Le docteur Cable secoua la tête d'un air déçu.) Que vous enseigne-t-on à l'école aujourd'hui ?

— Que les Rouillés ont bien failli détruire le monde, récita Tally.

— Voilà ta réponse.

— Mais nous sommes meilleurs qu'eux ; nous laissons la nature en paix, ignorons les exploitations à ciel ouvert, et fini le pétrole ! Nous ne faisons plus la guerre...

La voix de Tally mourait à mesure qu'elle commençait à comprendre.

Le docteur Cable hocha la tête.

— Nous sommes meilleurs *grâce* à l'Opération, Tally. Abandonné à lui-même, l'être humain est un fléau. Il se multiplie sans restriction, consume les moindres ressources, détruit tout ce qu'il touche. Sans l'Opération, les êtres humains finissent toujours par devenir des Rouillés.

— Pas à La Fumée.

— Rappelle-toi, Tally. Les Fumants déboisaient le terrain, ils tuaient des animaux pour se nourrir. Quand nous nous sommes posés, ils en étaient à *brûler des arbres*.

— Pas tant que ça.

La voix de Tally se brisa.

— Et s'il y avait eu des millions de Fumants ? Des milliards, bientôt ? Hors du confinement de nos villes, l'humanité est une maladie, un cancer de l'organisme planétaire. Tandis que nous... (Elle tendit la main et caressa la joue de Tally. Ses doigts étaient

149

étrangement chauds dans l'air hivernal.) Aux Special Circumstances… *nous* sommes le remède.

Tally secoua la tête, recula en trébuchant.

— Laissez tomber.

— C'est ce que tu veux depuis toujours.

— Vous vous trompez ! cria Tally. Je voulais uniquement devenir Pretty. C'est vous qui n'avez pas arrêté de vous mettre en travers de mon chemin !

Cet éclat les laissa muettes de surprise, tandis que les derniers mots résonnaient à travers le parc. Le silence retomba sur la fête en contrebas, où tout le monde devait se demander qui pouvait bien s'égosiller ainsi sous les arbres.

Le docteur Cable poussa un léger soupir.

— Bon sang, Tally. Du calme ! Inutile de crier. Si tu repousses mon offre, je te laisse regagner ta fête. Tu es libre de devenir une grande Pretty satisfaite d'elle-même. Bientôt, être intense n'aura plus autant d'importance pour toi ; tu oublieras cette petite conversation.

Tally soutint son regard de Pretty cruelle. Elle faillit lui parler du remède, lui cracher au visage que sa conscience ne s'embrumerait pas, ni demain, ni dans cinquante ans ; qu'elle n'allait pas oublier qui elle était. Et qu'elle n'avait pas besoin des Specials pour se sentir vivante.

La gorge encore douloureuse après son cri, Tally dit d'une voix rauque :

— Jamais.

— Je te demande juste d'y réfléchir. Prends ton temps – ça ne fait aucune différence pour moi. Souviens-toi seulement de ce que tu as ressenti en passant à travers la glace. Tu pourrais éprouver la même chose à chaque seconde. (Le docteur Cable agita négligemment la main.) Et si cela peut te pousser à te décider, il serait même possible de trouver de la place pour ton ami Zane. J'avais l'œil sur lui depuis un moment. Il m'a bien aidée autrefois.

Un frisson parcourut Tally, qui secoua la tête.

— Non.

Le docteur Cable hocha la tête.

— Oh, si. Zane s'est montré d'une grande franchise au sujet de David et de La Fumée, ce fameux jour où il ne s'est pas enfui.

Elle tourna les talons et disparut entre les arbres.

RUPTURE

Tally regagna la fête sur des jambes flageolantes.

On avait rajouté du bois dans le feu, et la chaleur dégagée par les flammes avait élargi le cercle des fêtards. Quelqu'un avait réquisitionné des bûches de tourbe de taille industrielle, assez grosses pour engloutir l'allocation collective de carbone des Crims durant une semaine ; on avait jeté par-dessus des branches ramassées dans le parc, et le sifflement du bois vert évoqua à Tally les feux de camp de La Fumée, où les arbres fraîchement abattus et encore gorgés d'eau se mettaient à cracher de la vapeur, comme s'ils manifestaient la colère des esprits de la forêt.

Elle suivit des yeux la colonne de fumée qui s'élevait, sombre et menaçante. Voilà d'où La Fumée tirait son nom. Comme le docteur Cable l'avait dit, les Fumants brûlaient des arbres qu'ils arrachaient encore vifs à la terre. Les humains s'étaient livrés à cette pratique pendant des milliers d'années ; quelques siècles plus tôt, ils avaient bien failli envoyer assez de carbone dans l'atmosphère pour détraquer à jamais le climat. C'est uniquement lorsque quelqu'un avait relâché dans les airs une bactérie s'attaquant au pétrole que la civilisation rouillée avait été interrompue, et la planète sauvée.

Et maintenant, alors qu'ils étaient au plus intense, les Crims prenaient instinctivement la même direction. Soudain, les flammes chaudes et joyeuses accentuèrent le malaise de Tally.

Elle écouta les Crims autour d'elle se vanter de qui avait rebondi le plus loin sur le terrain de football, de qui avait accordé la meilleure interview aux médias. Son entretien avec le docteur Cable avait laissé à Tally tous ses sens en éveil ; elle pouvait identifier chaque son, distinguer chaque bribe de discussion. Les Crims lui parurent soudain ridicules à se répéter le récit de leurs petites victoires. Exactement comme des Pretties.

— Maigrichonne ?

Elle se détourna du feu et découvrit Shay à côté d'elle.

— Est-ce que Zane est O.K. ? (Shay se pencha plus près, et ses yeux s'agrandirent.) Tally-wa, tu as une mine…

Tally n'avait pas besoin d'entendre la suite, elle la lisait clairement dans le regard de Shay : … une mine affreuse. Elle accueillit la nouvelle avec un sourire las. Cela faisait partie du remède, bien sûr. Tally était toujours aussi belle – avec une ossature parfaite, une peau impeccable – mais son visage trahissait son agitation. Maintenant qu'elle nourrissait des pensées autres que jolies, elle ne serait plus aussi magnifique à chaque minute de la journée. La colère, la peur et l'angoisse ne donnaient pas bonne mine.

— Zane va bien. C'est moi.

Shay vint s'appuyer contre Tally et passa le bras autour de ses épaules.

— Qu'est-ce qui te rend si triste, Maigrichonne ? Raconte-moi.

— C'est seulement que... (Elle jeta un œil sur les Crims autour d'elle.) C'est un peu tout, en fait.

Shay baissa la voix.

— Je pensais que notre plan avait fonctionné sans accroc.

— Sûr. Au poil.

— Jusqu'à ce que Zane boive un peu trop, bien sûr. C'est de ça qu'il est question, pas vrai ?

Tally grommela une réponse indistincte. Elle ne voulait pas mentir à Shay. Tôt ou tard, elle lui révélerait l'existence du remède, ce qui reviendrait à lui expliquer les migraines de Zane.

Shay soupira, resserra son étreinte. Il y eut un moment de silence, puis elle demanda :

— Maigrichonne, que vous est-il arrivé là-haut ?

— Où ça, là-haut ?

— Tu sais – quand vous avez escaladé la tour de transmission. Vous n'êtes plus les mêmes, depuis.

Tally joua avec l'écharpe qui lui entourait le poignet, regrettant de ne pas pouvoir tout raconter à son amie. Mais il était trop risqué de lui parler du remède avant qu'ils soient en sécurité hors de la ville.

— Je ne sais pas quoi te dire, Bigleuse. C'était vraiment intense, de grimper là-haut. On voit l'île entière, et on risque de tomber à tout moment. De mourir, même. Ça fait une sacrée différence.

— Je sais, murmura Shay.

— Tu sais quoi ?

— Ce qu'on ressent. J'ai escaladé la tour. Fausto et moi avons réussi à neutraliser les surveillants, et la nuit dernière, j'ai décidé de tenter ma chance. Je voulais être intense pour la percée.

— Sérieusement ? (Tally la dévisagea avec attention. Le visage de Shay brillait de fierté à la lueur du feu ; ses yeux incrustés de joyaux scintillaient. Les Crims étaient tous en train de changer, mais si Shay en était à neutraliser les surveillants et à grimper à la tour Valentino, elle avait de l'avance sur les autres.) C'est génial. Et tu as fait ça *de nuit* ?

— C'était la seule manière, après tout le raffut que vous aviez causé, Zane et toi. Fausto voulait que je porte un gilet de sustentation, mais je tenais à y arriver comme vous. J'aurais pu tomber – me tuer, tu l'as dit. Je me suis même entaillée sur un câble. (Souriante, elle montra une marque rouge qui lui zébrait la paume, puis marqua une petite pause. De vilaines rides apparurent sur son front.) Mais ç'a été plutôt décevant.

— Comment ça ?

— Ça ne m'a pas transformée autant que je l'aurais cru.

Tally haussa les épaules.

— Bah, chaque personne est différente…

— Je suppose, admit Shay à voix basse. Mais ça m'a fait m'interroger… Pour toi, il s'est produit autre chose ce jour-là, Maigrichonne, hein ? On ne te voyait jamais seule avec Zane avant, mais depuis, on dirait que vous avez fondé votre propre club secret, toujours à échanger des sourires et des messes basses. Vous ne faites plus un pas l'un sans l'autre.

— Bigleuse… dit Tally, en soupirant, désolé si on donne l'impression de jouer au couple. Mais tu sais, c'est mon premier amour de Pretty.

Shay s'abîma dans la contemplation du feu.

— C'est ce que j'ai cru, d'abord. Mais ça va plus loin que ça, Tally. Vous êtes tellement différents du reste d'entre nous – tous les deux. (Elle cessa de chuchoter.) Il y a ces drôles de migraines que Zane essaie de cacher, et c'est toi qui as hurlé tout à l'heure, pas vrai ?

Tally se tut.

— Qu'est-ce qui vous a transformés comme ça, ce jour-là ?

Tally indiqua son poignet.

— Chut.

— Ne me dis pas chut ! Raconte-moi.

Tally jeta un regard nerveux alentour. Le feu consumait d'autres branches vertes, en sifflant bruyamment, et la plupart des Crims beuglaient des chansons. Personne n'avait prêté attention à la sortie de Shay, mais Tally sentait le métal froid du bracelet autour de son bras, toujours aux aguets.

— Je ne peux pas te raconter, Bigleuse.

— Oh si, tu peux. (Les traits de Shay parurent changer à la lueur du feu, à mesure que la douceur de la beauté se laissait consumer par la colère.) Vois-tu, Tally, je me suis rappelé une ou deux choses durant cette escalade, à force de fixer le sol en me demandant si j'allais mourir. Et ensuite, je me suis rappelé d'autres faits en traversant la patinoire avant de rebondir sur le terrain de foot. Des tas de souvenirs me sont revenus en mémoire du temps où j'étais Ugly. Formidable, hein ?

Tally se détourna devant l'expression hargneuse de Shay.

— Oui, bien sûr.

— Heureuse que tu approuves. Donc, voilà ce qui m'est revenu : c'est à cause de toi si je suis ici, Tally. Toutes ces histoires que je racontais ? Du flan. La vérité, c'est que tu m'as suivie jusqu'à La Fumée pour me trahir, exact ?

Tally ressentit le même coup de poing à l'estomac que lorsqu'elle avait aperçu le docteur Cable : « coincée », pensa-t-elle. Depuis l'instant où elle avait senti la pilule faire son effet sur elle, Tally avait su, au fond d'elle-même, que ce moment viendrait ; que Shay finirait par se rappeler ce qui s'était véritablement passé alors qu'elles étaient Ugly. Mais elle ne s'attendait pas à ce que cela se produise si tôt.

— Ouais, j'étais venue pour te ramener. C'est de ma faute, ce qui est arrivé à La Fumée. Les Specials m'ont suivie là-bas.

— Exact, tu nous as trahis. *Après* m'avoir volé David, bien entendu. (Shay eut un rire amer.) Je regrette de devoir mettre David sur le tapis, mais qui sait si je m'en souviendrai encore demain, tu comprends ? Alors, je préfère le mentionner tant que je suis intense.

Tally se tourna vers elle.

— Tu t'en souviendras.

Shay se contenta de hausser les épaules.

— Peut-être. Mais ce n'est pas tous les jours qu'on monte un coup comme celui d'aujourd'hui. Tu seras peut-être tirée d'affaire demain.

Tally inspira profondément, inhalant des senteurs de feu de bois, de tourbe, d'aiguilles de pin et de champagne renversé. La lueur des flammes lui faisait tout voir clairement comme en plein jour. Elle ne savait pas quoi dire.

— Regarde-moi, lui dit Shay. (Son tatouage tournoyait vivement ; ses serpents se brouillaient comme les rayons d'une bicyclette.) Raconte-moi ce qui vous est arrivé ce jour-là. Aide-moi à rester intense. Tu me dois bien ça.

Tally sentit sa gorge se serrer. Zane et elle s'étaient promis de n'en parler à personne – pour l'instant. Mais aucun d'eux n'avait réalisé où en était Shay – assez intense pour escalader la tour d'elle-même, pour se rappeler ce qui s'était passé quand elle était encore Ugly. Elle pouvait probablement garder un secret : lui parler du remède lui redonnerait espoir, au moins. C'était la seule manière pour Tally de commencer à se racheter.

Et Shay avait raison : Tally lui devait bien cela.

— O.K. Il s'est en effet passé autre chose ce jour-là.

Shay acquiesça lentement.

— Je le savais. Dis-moi quoi.

Tally désigna l'écharpe de Shay, qu'elles ôtèrent pour l'envelopper autour du poignet de Tally – une épaisseur de plus par-dessus le bracelet. Après une autre inspiration, Tally murmura, de sa voix la plus basse possible :

— Nous avons découvert un remède.

Les yeux de Shay s'étrécirent.

— C'est en rapport avec le fait de jeûner, c'est ça ?

— Non. Enfin, ça aide. La faim, le café, les blagues – tous ces trucs que Zane pratique depuis des mois. Mais le véritable remède est… plus simple que ça.

— Qu'est-ce que c'est ? Je le ferai.

— Tu ne peux pas.

— Merde, Tally ! (Les yeux de Shay étincelèrent.) Si tu peux le faire, j'y arriverai.

Tally secoua la tête.

— C'est une pilule.

— Une pilule ? Comme des vitamines ?

— Non, une pilule spéciale. Croy me l'avait apportée à la soirée Valentino. Essaie de te souvenir, Shay. Avant que toi et moi ne retournions en ville, Maddy avait découvert comment inverser les effets de l'Opération. Tu m'avais aidée à écrire une lettre, ça te revient ?

L'expression de Shay devint momentanément neutre, puis elle fronça les sourcils.

— C'était quand j'étais Pretty.

— Exact. Après avoir délivré les autres, alors que nous nous cachions dans les ruines.

— C'est drôle, ces jours-là sont plus difficiles à se rappeler que ceux où j'étais Ugly.

Shay secoua la tête.

— Bon, Maddy avait donc découvert un remède. Mais il n'était pas testé, ce qui présentait un danger. Elle n'a pas voulu te l'administrer, parce que tu avais refusé. Tu voulais rester Pretty. Alors, je me suis livrée pour le tester moi-même. Voilà pourquoi je suis là.

— Et Croy te l'a apporté le mois dernier ?

Tally hocha la tête, prenant Shay par la main.

— Et ça marche. Tu as vu le résultat sur Zane et moi. Ça nous rend intenses en permanence. Si bien que dès que nous aurons trouvé comment partir d'ici, tu pourras… (Tally s'interrompit en voyant l'expression de Shay.) Qu'est-ce qu'il y a ?

— Zane et toi en avez pris tous les deux ?

— Ouais, dit Tally. Il y avait deux pilules, et nous les avons partagées. J'avais peur de les tester seule.

Shay se tourna vers le feu, dégageant sa main.

— Je n'en reviens pas, Tally.

— De quoi ?

Shay pivota face à elle.

— Pourquoi lui ? Pourquoi ne pas me l'avoir proposé, à moi ?

— Mais, je…

— Je croyais que tu étais mon amie, Tally. J'avais tout fait pour toi. C'est moi qui t'avais appris l'existence de La Fumée. C'est moi qui t'ai présentée à David. Et quand tu es arrivée à New Pretty Town, je t'ai aidée à devenir membre des Crims. Tu n'as pas pensé une seconde à partager le remède avec moi ? C'est quand même ta faute si je me retrouve comme ça !

Tally secoua la tête.

— Nous n'avions pas le temps… Je n'ai pas…

— Non, bien sûr que non ! cracha Shay. Tu connaissais à peine Zane, mais comme il était le chef des Crims, te mettre avec lui était forcément le prochain coup sur ta liste. Juste comme pour David à La Fumée. C'est dans ce but que tu as partagé avec lui.

— Ce n'est pas ça du tout ! cria Tally.

— Tu *es* comme ça, Tally ! Tu as *toujours* été comme ça ! Ce n'est pas un remède qui va te changer – tu trahissais déjà avant de me connaître. Tu n'as pas eu besoin d'une opération pour devenir égoïste, superficielle et imbue de toi-même. *Tu l'étais déjà !*

Tally voulut répondre, mais une angoisse horrible lui remonta dans la gorge, étouffant ses mots. Puis elle remarqua le calme qui régnait autour d'elles, et réalisa que Shay avait hurlé. Les autres Crims les contemplaient avec ébahissement ; seul le sifflement du feu brisait le silence. Les Pretties ne se fâchaient pas. Ils se disputaient très rarement, et jamais ils ne se criaient dessus au beau milieu d'une fête. Ce genre de comportement odieux était le seul fait des Uglies.

Elle baissa les yeux sur son poignet, se demandant si les cris de Shay avaient traversé les couches d'étoffe et de plastique. Si oui, tout s'achèverait ce soir.

Shay se recula en murmurant :

— Je serai peut-être redevenue belle et bête demain, Tally. Mais je me souviendrai de ça, je te le jure. Peu importent les gentilles choses que je serai capable de te dire, sois sûre que je ne suis plus ton amie.

Elle fit volte-face et partit entre les arbres, foulant les branches gelées.

Tally regarda les autres Crims. Leurs verres de champagne scintillaient au clair de lune, reflétant le feu qui brûlait en pure perte. Elle se sentait seule et vulnérable sous leurs regards. Mais après quelques moments d'un long et affreux silence, ils se détournèrent et reprirent leurs histoires de percée.

Tally se sentit prise de vertige. La métamorphose de Shay avait été si choquante, si complète – et elle n'avait même pas pris une pilule ! Quelques minutes de vraie colère l'avaient fait passer de l'indolence des Pretties à la rage… Cela n'avait aucun sens.

Tout d'un coup, Tally se souvint des derniers mots du docteur Cable, selon lesquels Zane aurait aidé les Special Circumstances. Lorsque ses amis s'étaient enfuis, on avait dû l'amener en sa présence, où il avait confessé tout ce qu'il savait de La Fumée et du mystérieux David qui emmenait les Uglies là-bas. Peut-être était-ce cela qui l'avait gardé intense durant tous ces mois – la honte d'être resté en arrière, la culpabilité d'avoir trahi ses amis auprès du docteur Cable.

Tally avait aussi ses propres secrets honteux. Si bien qu'elle aussi était demeurée intense, sans jamais s'adapter totalement, doutant toujours de ce qu'elle voulait, quelle que soit la quantité de champagne qu'elle ingurgitait. Ses vieilles émotions d'Ugly restaient aux aguets, enfouies en elle, prêtes à la transformer.

Shay également avait été changée – non pas par le sentiment de culpabilité, mais par la colère réprimée. Ses jolis sourires dissimulaient le souvenir refoulé des trahisons qui lui avaient coûté David, La Fumée et enfin sa liberté. Il lui avait suffi d'escalader la tour et de traverser la patinoire – stimulations qui avaient brisé le verrouillage de sa mémoire – pour faire remonter cette colère à la surface.

Maintenant, elle haïssait Tally.

Shay n'aurait peut-être pas besoin de pilules, en fin de compte : grâce aux souvenirs du temps où elle était Ugly et de toutes les horreurs que Tally Youngblood avait commises à son encontre, elle trouverait probablement son propre moyen de guérison.

PLUIE

Tally se réveilla avec les idées moches. Elle aurait trouvé cela intense, d'ordinaire. La lumière grise du matin était claire et nette, assez tranchante pour entailler la chair. La pluie cinglait la fenêtre de Zane de grosses gouttes hargneuses, à moitié gelées, qui martelaient le carreau comme des doigts impatients. Elle brouillait les tours et les jardins de la ville, réduisait le paysage à un ensemble de taches grises et vertes, les lumières des autres résidences projetant des halos sur le verre mouillé.

La pluie s'était mise à tomber tard dans la nuit de la fête, éteignant définitivement le feu de joie des Crims, comme si le docteur Cable en avait appelé à une intervention céleste pour noyer leur célébration. Et depuis deux jours, Zane et Tally se retrouvaient piégés à l'intérieur de la résidence Pulcher, incapables de discuter librement entre les murs confinés. Tally n'avait même pas eu l'occasion d'évoquer avec lui la brusque résurgence des souvenirs de Shay, ni sa rencontre avec le docteur Cable dans les bois. Non pas qu'elle soit impatiente de lui révéler ce qu'elle avait avoué à Shay, ou de l'interroger sur ce que Cable avait raconté de son passé.

163

Ce matin-là avait amené avec lui une nouvelle montagne d'appels, mais Tally ne voulait plus répondre à d'autres demandes d'adhésion aux Crims. L'effondrement au stade et les deux derniers jours de couverture médiatique qui s'en étaient suivis avaient fait d'eux la bande la plus en vogue de New Pretty Town. Une masse de nouveaux membres représentait exactement ce dont les Crims n'avaient pas besoin. Ce qu'il leur fallait, c'était rester intenses. Tally craignait toutefois qu'un troisième jour sans sortir à cause de la pluie ne fasse retomber tout le monde dans la belle mentalité.

Zane, déjà debout, sirotait son café avec un regard par la fenêtre, faisant machinalement tourner son bracelet. Il jeta un coup d'œil vers Tally en l'entendant remuer, mais ne prononça pas un mot. Depuis qu'on leur avait mis les bracelets, le silence qui s'était installé entre eux prenait une allure de conspiration. Et Tally se demandait si ces longs silences entre eux ne les coupaient pas peu à peu l'un de l'autre. Shay avait eu raison sur un point : Tally connaissait à peine Zane avant ce jour où ils avaient escaladé la tour. Et les révélations du docteur Cable lui avaient fait réaliser qu'elle ne savait pas grand-chose de lui.

Mais lorsqu'ils se seraient débarrassés de leurs bracelets et qu'ils se retrouveraient hors de la ville, leur mémoire libérée du brouillard de la beauté, rien ne pourrait plus les empêcher de tout se raconter.

— Quel temps foireux, hein ? dit-elle.

— Encore quelques degrés de moins et il se mettra à neiger.

L'humeur de Tally s'éclaircit aussitôt.

— Ouais, ça, ce serait beau. (Elle pêcha un T-shirt sale sur le sol, le roula en boule et le lui jeta à la tête.) Bataille de boules de neige !

Il laissa le vêtement rebondir sur lui, souriant légèrement. Sa migraine du soir de la fête avait fini par disparaître, mais l'avait laissé d'humeur pensive. Sans qu'il leur faille prononcer un mot, ils savaient tous les deux qu'ils devaient quitter la ville au plus tôt.

Restait la question des bracelets.

Tally tira un peu sur le sien, pour voir : il descendit sur sa main. Elle n'avait quasiment rien avalé la veille, résolue à fondre comme beurre au soleil si c'était nécessaire pour se libérer de ce truc, mais commençait à douter d'être un jour assez maigre. La circonférence du bracelet semblait tout juste un peu plus petite que la largeur des os de sa main, dimension qu'aucune grève de la faim ne saurait réduire.

Elle examina les marques rouges laissées par le métal. Le gros os, à l'articulation de son pouce gauche, représentait le nœud du problème. Tally envisagea de tirer brutalement sur son pouce, au risque de briser l'os, afin de permettre le passage du bracelet. Difficile d'imaginer plus douloureux.

On sonna à la porte. Tally soupira : sans doute un importun, lassé de voir ses messages rester sans réponse, qui venait se présenter en personne.

— Nous ne sommes pas là, hein ? fit Zane.

Tally haussa les épaules. Pas s'il s'agissait de Shay, ou d'un autre admirateur désireux d'entrer dans les Crims. À bien y réfléchir, il n'y avait personne qu'elle ait envie de voir.

On sonna de nouveau.

— Qui est-ce? demanda Tally à la chambre.

Mais la chambre l'ignorait. Ce qui voulait dire que le visiteur, quel qu'il soit, ne portait pas sa bague d'interface.

— Intéressant, commenta Zane.

Ils se regardèrent tous les deux, et Tally sentit venir le moment où la curiosité allait prendre le dessus.

— O.K., ouvre, ordonna-t-elle à la chambre.

La porte coulissa, dévoilant Fausto qui avait l'air d'un chaton tout juste repêché du fleuve. Il avait les cheveux plaqués sur le crâne, les vêtements trempés, mais ses yeux pétillaient. Il portait sous chaque bras une planche magnétique dont la surface grumeleuse gouttait sur le sol.

Il entra sans un mot dans la chambre et lâcha les planches. Elles s'immobilisèrent en flottant à hauteur de son genou, tandis que Fausto sortait de ses poches quatre bracelets anticrash et deux capteurs ventraux. Retournant l'une des planches, il indiqua le panneau d'accès sur sa face inférieure. Tally roula sur le lit pour regarder de plus près: on avait ôté les écrous de fixation du panneau, et deux fils rouges sortaient par les trous, leurs deux extrémités entortillées ensemble et scellées avec du ruban adhésif noir.

Fausto mima le geste de séparer les deux fils, puis ouvrit ses mains en un geste qui signifiait: *Où est-elle passée?* Il sourit.

Tally acquiesça lentement. Fausto était toujours intense depuis la percée de la patinoire, comme l'indiquait son tatouage tournoyant. Lui, au moins, n'avait pas perdu son temps durant ces derniers jours de pluie. Il avait débridé ces planches comme un vrai Ugly. Une fois les fils déconnectés, leurs systèmes de contrôle et de pistage s'éteindraient, coupant les planches de l'interface de la ville.

Il ne leur restait plus qu'à se débarrasser des bracelets, et Zane et Tally pourraient s'envoler pour la destination de leur choix.

— Super, dit-elle à voix haute, sans se préoccuper de savoir si les murs l'écoutaient.

Ils n'attendirent pas le retour du soleil.

Voler sous la pluie équivalait à se tenir debout sous une douche froide. Le trou dans le mur leur avait craché des lunettes de protection et des chaussures antidérapantes, de sorte qu'il leur était possible de rester sur la planche, mais tout juste. Le vent violent plaquait le manteau trempé de Tally contre sa peau, lui arrachait son capuchon et menaçait de la renverser à chaque virage.

Ses anciens réflexes d'Ugly n'avaient pas disparu, cependant. Au contraire, l'Opération avait amélioré son équilibre, et la pluie glaciale empêchait Tally de retomber dans la belle mentalité, même avec la chaleur de son manteau montée au maximum. Le cœur battant et les mains tremblantes, elle gardait les idées parfaitement claires.

Zane et elle filèrent vers le fleuve à hauteur des arbres, suivant le sentier tortueux du parc Denzel. Les branches dansaient dans le vent, pareilles à des mains qui cherchaient à les saisir pour les précipiter au sol. À mesure que Tally se penchait pour virer, coupant le vent à l'aide de ses mains, les dernières traces d'engourdissement matinal disparaissaient. Le poids du capteur accroché à son anneau ventral – qui indiquait à la planche l'endroit du centre de gravité – lui ramena en mémoire ses expéditions aux Ruines rouillées en compagnie de Shay, pour lui rappeler à quel point il était facile de se faufiler hors de la ville à l'époque où elle était Ugly.

Seule la présence inévitable du bracelet d'interface venait gâcher son plaisir. Les bracelets anticrash étaient suffisamment gros pour recouvrir l'anneau de métal, leur plastique mou s'adaptant à sa forme, pourtant, la menotte était bien là et lui rentrait dans la chair.

Ils atteignirent le fleuve et, passèrent sous les ponts au ras de l'eau, leurs planches giflant les moutonnements d'écume soulevés par le vent. Avec un rire de dément, Zane vira devant Tally et plongea l'arrière de sa planche dans l'eau, ce qui souleva un rideau d'écume.

Elle s'accroupit afin d'éviter le gros de l'aspersion, et fila pour passer en tête. Coupant la route de Zane, elle tapa la surface du fleuve avec le dessous de sa planche, soulevant une muraille d'eau devant lui. Elle l'entendit pousser un hurlement quand il passa à travers.

« Était-ce cela, être Special ? » se demanda Tally : tous les sens en éveil, une intensité de chaque instant, le corps pareil à une machine minutieusement réglée ? Elle se souvint qu'Az et Maddy affirmaient que les Specials n'avaient pas de lésions – ils étaient guéris.

Bien sûr, il y avait un prix à payer pour devenir Special : un nouveau visage avec des dents de loup et des yeux froids et ternes qui terrorisaient tous ceux que vous rencontriez. Et cette allure de prédateur n'était rien, comparée au devoir de travailler pour les Special Circumstances – traquer les Uglies fugitifs, écraser quiconque était perçu comme une menace pour la ville.

Et si l'Opération des Specials vous transformait le cerveau d'une autre manière, et vous rendait obéissant plutôt que stupide ? Et si l'Opération implantait *en vous* un dispositif similaire au bracelet d'interface, un système qui indiquerait à tout moment votre position ?

Une giclée d'eau en pleine face rappela Tally à l'ordre et elle prit brusquement de l'altitude, filant au-dessus d'une passerelle. En contrebas, Zane regardait par-dessus son épaule d'un air perplexe, tâchant de comprendre où elle était passée.

Tally plongea juste devant lui, frappant le fleuve avec un claquement sourd qui fit jaillir une explosion d'eau. Mais elle comprit aussitôt que l'impact avait été trop fort. À cette vitesse, l'eau devenait dure comme du béton, et ses pieds glissèrent. Elle se sentit déraper...

Elle tomba pendant un bref instant, puis les bracelets anticrash entrèrent en action ; ils lui tordirent cruellement les poignets, avant de l'immobiliser en sûreté.

Elle se retrouva dans l'eau glacée jusqu'à la taille, suspendue par ses bracelets, et se réjouit de voir que son attaque avait également entraîné la chute de Zane.

— Drôlement intense, ta manœuvre ! lui cria-t-il en se hissant sur sa planche.

Trop essoufflée pour répliquer, elle rampa elle aussi sur sa planche et resta allongée sur le ventre tout en riant. Sans ajouter un mot, ils regagnèrent la terre ferme pour reprendre leur souffle.

Sur la berge boueuse, ils se serrèrent l'un contre l'autre afin de se réchauffer. Le cœur de Tally battait à tout rompre ; les eaux piquetées de pluie s'étalaient devant eux comme un vaste champ de fleurs scintillantes.

— C'est si beau, dit Tally en tâchant de s'imaginer ce que cela serait de vivre dans la nature avec Zane, d'éprouver cette intensité tous les jours, loin des restrictions abrutissantes de la ville.

Son poignet lui faisait mal, et elle ôta son bracelet anticrash pour y jeter un coup d'œil. Dans sa chute, l'anneau de métal coincé par-dessous lui avait entaillé la peau. Tally tenta de le dégager mais même avec la main trempée, le bracelet se bloqua à l'endroit habituel.

— Toujours coincé, dit-elle.

Zane lui prit la main et dit avec bienveillance :

— Ne force pas, Tally. (Il couvrit le bracelet avec sa manche et poursuivit dans un murmure :) Tu vas seulement réussir à faire enfler ton poignet.

Elle jura et se couvrit le visage de son capuchon. La pluie martelait le plastique sans répit.

— Je pensais qu'avec l'eau…

— Pas du tout. Le froid contracte le métal, il est peut-être encore plus serré.

Tally dévisagea Zane en haussant un sourcil.

— Dans ce cas, chuchota-t-elle, est-ce que la chaleur pourrait les élargir ?

Il demeura silencieux un moment. Puis il répondit, si doucement qu'elle l'entendit à peine :

— S'ils devenaient vraiment chauds ? Je pense qu'ils s'élargiraient un peu.

— À quel point ?

Il haussa les épaules, de façon presque imperceptible sous son manteau d'hiver.

— Quelle quantité de chaleur es-tu capable de supporter ? répondit-il avec curiosité.

— Et si on utilisait une bougie?

Zane secoua la tête.

— Il faut quelque chose de beaucoup plus chaud. Que l'on puisse contrôler, afin de ne pas nous rôtir les mains. On se brûlerait quand même, cela dit.

Elle contempla la bosse sous sa manche et soupira.

— C'est toujours mieux que se briser le pouce...

— Mieux que quoi?

— Rien. Juste une chose à quoi j'avais...

Sa voix mourut.

Le regard de Zane suivit le sien de l'autre côté du fleuve. Depuis la berge opposée, deux silhouettes sur des planches magnétiques les observaient, le visage masqué par leurs manteaux à capuchons.

Tally se retint d'élever la voix.

— Des Fumants?

Zane secoua la tête.

— Ils portent des blousons de dortoir.

— Que peuvent bien fabriquer des Uglies sous une pluie pareille?

Il se leva.

— On n'a qu'à leur poser la question, fit-il.

LES SCARIFICATEURS

Sur la berge d'Uglyville, Zane, Tally et les deux Uglies s'abritèrent sous la bâche d'un recycleur à papier, dissimulés à la vue et protégés de la pluie. Ces derniers ne portaient pas leur bague, remarqua Tally avec satisfaction : l'interface de la ville ne serait donc pas informée de leur rencontre.

— C'est vraiment toi, Tally ? murmura la fille.

— Heu… ouais. Tu m'as vue aux infos ?

— Non ! C'est moi, Sussy. Et lui, c'est Dex, dit-elle. Tu ne te souviens pas de nous ?

— Rappelle-moi…

La fille se contenta de la fixer du regard. Elle avait une lanière de cuir autour du cou, qui ressemblait à un truc qu'une Fumante pourrait porter – faite à la main et décolorée par l'âge. Où se l'était-elle procurée ?

— On t'a aidée à l'époque où tu étais… Ugly, avec ce coup de « La Fumée vit », ça te revient ? dit le garçon.

Une image émergea lentement dans l'esprit de Tally : d'immenses lettres de feu allumées pour faire diversion, tandis que David et elle s'infiltraient au siège des Special Circumstances. Trois Uglies avaient organisé ce tour, puis les avaient aidés à se cacher dans les

Ruines rouillées en leur apportant des nouvelles de la ville et des provisions, avec des blagues sans fin pour détourner l'attention des gardiens et des Specials.

— Tu as du mal à te rappeler, constata Dex. Alors, c'est vrai ? Ils vous font un truc au cerveau ?

— Ouais, c'est vrai, admit Zane. Mais pas si fort, tu veux ?

La pluie crépitait avec un vacarme de réacteur sur la bâche en plastique, rendant la conversation difficile, néanmoins, il valait mieux ne pas élever la voix, à cause du bracelet d'interface.

— Désolé, fit Dex.

Il était ébahi par la métamorphose de Tally. Sussy demeurait silencieuse, frappée de stupeur.

Devant eux, Tally éprouvait une grande assurance ainsi qu'un étrange sentiment de puissance. Il était évident que les deux Uglies feraient tout ce que Zane ou elle leur demanderait. Du temps où elle avait encore le cerveau conditionné, ce genre d'égards lui avait paru normal. Maintenant qu'elle avait la tête claire, elle trouvait cela plutôt embarrassant.

Cependant, discuter avec les deux Uglies était moins gênant qu'elle ne l'aurait cru. Ayant cessé de penser en Pretty depuis un mois, elle pouvait affronter leur mocheté plus facilement. Ils ne l'horrifiaient pas autant que le premier coup d'œil qu'elle avait jeté sur Croy, par exemple. Le mince espace entre les deux incisives de Sussy lui paraissait plus charmant que répugnant, et même les points noirs de Dex ne lui donnaient pas la chair de poule.

— Mais les dommages ne sont pas permanents, expliqua Zane. Nous commençons à retrouver notre lucidité. Ce qui, soit dit au passage, ne doit pas être répété à tout le monde, O.K.?

Les deux acquiescèrent sans rien dire, et Tally se demanda s'ils ne prenaient pas un gros risque avec cette allusion au remède. Bien sûr, enrôler Sussy et Dex constituait peut-être un moyen rapide de faire parvenir un message à La Nouvelle-Fumée.

— Avez-vous des nouvelles des ruines? s'enquit-elle.

— C'est pour ça qu'on est là, chuchota Sussy. Pour ce qu'on en sait, les Nouveaux-Fumants avaient complètement disparu. Jusqu'à la nuit dernière.

— Que s'est-il passé la nuit dernière? voulut savoir Tally.

— Eh bien, après leur disparition, nous sommes retournés aux ruines toutes les deux ou trois nuits, expliqua Dex. Pour regarder dans leurs anciens repaires, allumer des feux de Bengale. Sans résultat pendant un mois.

Zane et Tally échangèrent un regard. Un mois, cela correspondait plus ou moins à la nuit où Croy était venu déposer les pilules pour Tally. Il ne s'agissait probablement pas d'une coïncidence.

— Sauf que la nuit dernière, nous avons trouvé quelque chose dans une de leurs planques, dit Sussy. Des bâtonnets lumineux, et quelques vieux magazines.

— Des vieux magazines? répéta Tally.

— Ouais, dit Sussy. Datant de l'ère rouillée. Ceux qui montraient à quel point tout le monde était moche.

— Je ne crois pas que les Nouveaux-Fumants les

174

auraient laissés derrière eux, dit Tally. Ces magazines sont précieux. Je connais quelqu'un qui est mort pour les sauvegarder. Donc, nos amis sont de retour.

— Mais ils se cachent, dit Dex. Ils ne veulent pas prendre de risques.

— Pourquoi ? demanda Zane d'une voix douce. Et pour combien de temps ?

— Comment on le saurait ? fit Dex. C'est ce qui explique qu'on est là aujourd'hui. On voulait profiter de la pluie afin de se faufiler et parvenir jusqu'à toi, Tally. On pensait que vous auriez peut-être une idée.

— Après vous avoir vus sur toutes les chaînes, l'autre jour, nous avons pensé qu'il se préparait quelque chose, ajouta Sussy. Le coup du stade, c'était bien vous, non ?

— Heureuse que vous l'ayez remarqué, dit Tally. C'était supposé attirer l'attention des Nouveaux-Fumants aussi. Apparemment, c'est le cas.

— On pensait bien que vous étiez derrière tout ça, dit Sussy. Surtout après avoir aperçu quelques-uns de vos amis Pretties à Uglyville.

Tally fronça les sourcils.

— Des Pretties ? Par chez vous ?

— Ouais, au parc Cléopâtre. J'en ai reconnu un ou deux grâce aux infos. C'étaient des Crims. Ils sont bien de votre bande, non ?

— Exact, mais…

Sussy fronça les sourcils.

— Vous n'étiez pas au courant ?

Au cours des deux derniers jours, Tally avait reçu quelques appels de Crims – principalement pour se plaindre de la pluie. Mais personne n'avait parlé de se rendre à Uglyville.

— Que faisaient-ils? demanda Zane.

Dex et Sussy échangèrent un regard gêné.

— Ils ne voulaient pas nous parler, avoua Sussy. Ils nous ont simplement dit de partir.

Les Pretties étaient admis de ce côté-ci du fleuve – ils pouvaient se rendre où ils le voulaient dans la ville – mais ils ne venaient jamais à Uglyville. Ce qui voulait dire que le parc Cléopâtre constituerait un endroit idéal pour des Pretties en quête d'intimité, en particulier sous cette pluie battante. Mais une intimité pour quoi faire?

— Tally, tu n'avais pas dit à tout le monde de garder un profil bas pour l'instant? la questionna Zane.

— Si, en effet.

Elle se demandait quels Crims étaient derrière tout ça. Et ce que « ça » recouvrait.

— Conduisez-nous là-bas, dit-elle.

Sussy et Dex les guidèrent jusqu'au parc, d'un vol lent sous la pluie régulière. Supposant que les déplacements de leurs bracelets étaient surveillés, Tally leur avait demandé d'emprunter une route indirecte. Ils survolèrent le paysage familier de son enfance: dortoirs, écoles, parcs détrempés et terrains de football désertés.

Malgré le déluge, ils aperçurent quelques Uglies à l'extérieur. Une petite bande s'amusait à glisser le long d'une colline boueuse. Quelques-uns, tout crottés, jouaient à chat dans la cour d'un dortoir, prenant plaisir à déraper dans la gadoue. Tous s'amusaient trop pour prêter attention aux quatre planchistes qui les survolaient en silence.

Tally se remémora l'époque où elle était Ugly : se divertissait-elle autant ? Elle ne parvenait à se rappeler que son impatience à devenir belle, à franchir le fleuve. Flottant au-dessus du sol, ses traits parfaits dissimulés dans son capuchon, elle eut l'impression d'être une sorte de spectre qui observait les vivants d'un œil jaloux à la recherche de souvenirs.

Le parc Cléopâtre, qui dominait la ceinture de verdure à l'extérieur d'Uglyville, était désert. Les sentiers s'étaient transformés en petits ruisseaux, charriant la pluie vers les eaux gonflées du fleuve. Les animaux se cachaient, hormis quelques oiseaux à l'air misérable, accrochés aux branches des grands pins courbés sous le poids de l'eau.

Sussy et Dex les amenèrent jusqu'à une clairière plantée de poteaux de slalom, que Tally reconnut aussitôt.

— C'était l'un des endroits préférés de Shay. C'est là qu'elle m'a appris à faire de la planche.

— Shay ? s'étonna Zane. Elle nous en aurait parlé si elle préparait un truc, non ?

— Hum, peut-être pas, répondit Tally. (Elle n'avait pas reçu le moindre appel de Shay depuis leur dispute.) Je voulais t'en parler, d'ailleurs : elle est plus ou moins fâchée contre moi en ce moment.

— Waouh ! fit Sussy. Je croyais que les Pretties s'aimaient les uns les autres.

— Généralement, c'est vrai. (Tally soupira.) Mais le monde change.

Zane plissa les paupières, interloqué.

— Je crois que Tally et moi avons besoin de parler.

Il jeta un regard appuyé aux deux Uglies, qui mirent un moment à comprendre ce qu'il voulait dire :

— Oh, sûr, bafouilla Sussy. On vous laisse. Mais si… ?

— Si les Nouveaux-Fumants donnent à nouveau signe de vie, adressez-moi un message, répondit Tally.

— La ville ne risque pas de lire ton courrier ?

— Il est probable que, si. Dites simplement que vous nous avez vus aux infos et que vous souhaitez rejoindre les Crims quand vous aurez seize ans. Puis cachez le vrai message sous ce recycleur. J'enverrai quelqu'un le récupérer. Pigé ?

— Pigé, fit Sussy en découvrant ses dents écartées.

Tally comprit que les deux Uglies retourneraient aux ruines tous les soirs désormais, qu'il pleuve ou non, heureux d'avoir une mission.

Elle leur adressa un joli sourire.

— Merci pour tout.

Après le départ des Uglies, Zane et Tally restèrent assis en silence une minute, surveillant la clairière depuis un bosquet. Les fanions de slalom en plastique pendaient tristement sous la pluie, soulevés à grand-peine par le vent. L'eau de pluie formait des flaques où se mirait le ciel gris comme dans un miroir ridé. Tally se souvint d'avoir volé entre ces fanions alors qu'elle était Ugly, quand elle apprenait à virer sur sa planche. À l'époque où Shay et elle étaient amies…

Impossible de deviner ce que Shay irait faire par ici. Peut-être ne s'agissait-il que de quelques Crims venus s'entraîner à la planche, un bon moyen pour eux de rester intenses. Rien de grave.

Tally réalisa qu'elle n'avait plus d'excuses pour ne pas tout raconter à Zane. Il était temps d'admettre ce qu'elle avait fait à La Fumée ainsi que la manière dont elle avait avoué l'existence du remède à Shay, et plus que temps de mettre sur le tapis les révélations du docteur Cable au sujet de Zane. Mais l'idée d'avoir cette conversation ne la réjouissait guère, et se trouver glacée et trempée jusqu'aux os ne l'aidait pas. Le chauffage de son manteau était pourtant réglé au maximum. L'intensité du vol en planche s'estompait, faisait place à sa colère contre elle-même d'avoir attendu si longtemps. La présence indiscrète des bracelets d'interface rendait trop facile d'éviter les sujets délicats.

— Alors, que s'est-il passé entre Shay et toi? demanda Zane.

Sa voix demeurait douce, mais laissait percer une pointe de frustration.

— Elle commence à retrouver la mémoire. (Tally s'abîma dans la contemplation d'une flaque de boue devant elle, regardant les gouttelettes qui ruisselaient le long des pins créer des rides à la surface.) La nuit de la percée, elle s'est vraiment énervée contre moi. Elle me rend responsable de la découverte de La Fumée par les Specials. Elle n'a pas tort, d'ailleurs. Je les ai trahis.

Il hocha la tête.

— Je m'en doutais. Ces histoires que vous racontiez toutes les deux – avant de prendre le remède –, selon lesquelles tu l'avais délivrée de La Fumée, ça sonnait comme un aveu de trahison.

Tally leva les yeux vers lui.

— Alors, tu savais ?

— Que tu avais joué les taupes pour le compte des Special Circumstances ? Disons que je l'avais deviné.

Tally ne savait pas si elle devait se sentir soulagée ou honteuse. Zane lui-même avait coopéré avec le docteur Cable, alors il comprenait peut-être.

— Je ne voulais pas le faire, Zane. D'accord, au début j'étais partie pour ramener Shay afin qu'ils me rendent Pretty, mais ensuite, j'avais changé d'avis. Je voulais rester vivre à La Fumée. J'ai essayé de détruire le mouchard qu'ils m'avaient donné, mais je n'ai réussi qu'à le déclencher. Même en tâchant de faire ce qu'il fallait, j'ai trahi tout le monde.

Zane la regarda bien en face, les yeux brillants.

— Tally, nous sommes manipulés par les personnes qui dirigent cette ville. Shay devrait le savoir.

— Malheureusement, ce n'est pas tout, avoua Tally. Je lui ai aussi volé David. Du temps où nous étions à La Fumée.

— Encore lui. (Zane secoua la tête.) O.K., j'imagine qu'elle doit t'en vouloir à mort pour l'instant. Au moins, ça l'aide à rester intense.

— Ouais, sacrément intense. (Tally respira à fond.) Il y a encore une chose qui l'a énervée.

Il attendit en silence, derrière la pluie qui gouttait de son capuchon.

— Je lui ai parlé du remède.

— *Tu as quoi ?*

Le chuchotement de Zane fendit la pluie comme un sifflement de vapeur.

— Je n'ai pas eu le choix. (Tally ouvrit les mains en un geste de supplication.) Elle avait déjà compris à moitié, Zane. Elle croyait pouvoir se guérir toute seule. Elle a escaladé la tour Valentino, en s'imaginant que c'était ça qui nous avait transformés. Mais bien sûr, ça n'a pas fonctionné, pas sans les pilules. Elle insistait pour savoir ce qui nous était arrivé. Elle disait que je lui devais bien ça, après tout ce que je lui avais fait.

Zane étouffa un juron.

— Alors, tu lui as parlé des pilules ? Génial. Une chose de plus qui risque de mal tourner.

— Mais elle est totalement intense, Zane. Je ne crois pas qu'elle vendra la mèche. (Tally haussa les épaules.) En fait, je pense qu'apprendre l'existence des pilules l'a mise en colère au point de rester intense toute sa vie.

— En colère ? Parce que tu es guérie et pas elle ?

— Non. (Tally soupira.) Parce que *tu* es guéri.

— Pardon ?

— Je *lui* devais bien ça, et c'est *toi* qui as reçu l'autre pilule.

— Mais nous n'avions pas le temps de…

— Je le sais, Zane. Mais pas elle. À ses yeux, c'est comme si…

Elle secoua la tête, des larmes brûlantes dans les yeux. Le reste de son corps était gelé, au point qu'elle ne sentait pratiquement plus ses doigts. Elle se mit à grelotter.

— C'est O.K., Tally.

Zane allongea le bras et lui prit la main, qu'il pressa fort à travers le gant.

— Tu aurais dû l'entendre, Zane. Elle me hait vraiment.

— Écoute, je suis désolé pour cette histoire. Mais je suis bien content que ce soit moi qui en ai profité.

Elle leva la tête vers lui, les yeux embués de larmes.

— Ouais. Profité des migraines, plutôt.

— Ça vaut mieux que d'avoir la tête vide. Mais ce n'est pas ce que je voulais dire. Il n'y a pas eu que la découverte des pilules, ce jour-là. Je suis heureux pour... toi et moi.

En relevant les yeux vers lui, elle vit qu'il souriait. Ses doigts, entrelacés à ceux de Tally, tremblaient également. Tally parvint à lui retourner son sourire.

— Moi aussi.

— Je ne veux pas que tu te sentes mal vis-à-vis de nous à cause de Shay.

— Bien sûr que non.

Elle secoua la tête, réalisant à quel point elle était sincère. Quoi que puisse en penser Shay, elle avait bien fait de partager le remède avec Zane. C'était lui qui l'avait aidée à rester intense, encouragée à se plier aux épreuves des Fumants, qui avait insisté pour qu'elle ose prendre les pilules non testées. Tally avait découvert plus qu'un remède à la belle mentalité, ce jour-là – elle avait trouvé quelqu'un avec qui avancer, avec qui surmonter les mauvais souvenirs de l'été dernier.

Elle n'était qu'une gamine quand Peris lui avait promis de rester son meilleur ami pour la vie – mais le jour où il avait eu seize ans, Peris l'avait abandonnée à Uglyville. Ensuite, Tally avait perdu l'amitié de Shay en la livrant aux Special Circumstances et en lui volant David. Et maintenant, David à son tour avait disparu, évaporé dans la nature et à moitié effacé de sa mémoire. Il ne s'était même pas donné la peine de lui apporter les pilules en personne – il avait laissé ce soin à Croy. La conclusion s'imposait d'elle-même.

Zane, en revanche…

Tally admira la perfection de ses yeux d'or. Il était là, avec elle, en chair et en os, et elle s'était montrée assez bête pour laisser leur histoire s'emberlificoter dans les méandres de son passé.

— J'aurais dû t'en parler plus tôt, pour Shay. Mais tu comprends, les murs…

— Ce n'est rien. Sache seulement que tu peux te confier à moi. Toujours.

Elle pressa sa main entre les siennes.

— Je sais.

Il leva l'autre main pour lui caresser le visage.

— Nous ne nous connaissions pas très bien, ce jour-là, hein ?

— Nous avons pris un risque, je suppose. Marrant, la manière dont c'est arrivé.

Il rit.

— Je crois que ça se produit comme ça en général. Le plus souvent, sans pilules mystérieuses ni Special Circumstances qui tambourinent à la porte. Mais c'est toujours une prise de risque, quand on… embrasse quelqu'un pour la première fois.

Tally acquiesça puis se pencha en avant. Leurs lèvres se rencontrèrent ; ce fut un long baiser, brûlant sous la pluie glaciale. Elle sentait Zane grelotter, le sol boueux sous leurs pieds était gelé, mais leurs capuchons se touchèrent pour occulter le monde extérieur, créant un espace tiède où se mêlaient leurs souffles.

Tally murmura :

— Je suis si heureuse que tu te sois trouvé là-haut avec moi.

— Moi aussi.

— Je... Aaah !

Elle s'écarta vivement en s'essuyant la figure. Un filet d'eau avait coulé dans son capuchon et roulait le long de sa joue, pareil à une larme malveillante.

Il rit, puis se leva et la hissa sur ses pieds.

— Amène-toi, on ne va pas rester là toute la journée. Retournons à Pulcher avaler quelque chose et enfiler des vêtements secs.

— J'étais bien, ici.

Il sourit, mais indiqua son poignet et baissa la voix.

— Si nous restons assis trop longtemps au même endroit, quelqu'un risque de se demander ce qui se passe de si intéressant à Uglyville.

— Je me pose la même question, murmura-t-elle.

Zane avait raison. Ils devaient rentrer. Ils n'avaient rien mangé de la journée à l'exception d'un peu de café et de quelques anticalories. Leurs manteaux d'hiver étaient chauffés, mais entre les efforts physiques accomplis sur la planche et le choc du plongeon dans le fleuve glacé, Tally commençait à ressentir jusque dans ses os mêmes la fatigue et le froid. La faim, le froid et le baiser lui donnaient le tournis.

Zane claqua des doigts, et sa planche s'éleva dans les airs.

— Attends une minute, dit-elle d'une voix douce. Il reste une chose dont je veux te parler concernant la nuit de la percée.

— Je t'écoute.

— Après t'avoir raccompagné à la résidence...

L'évocation du visage féroce du docteur Cable la fit frissonner, mais Tally inspira profondément pour se calmer. Elle avait été stupide de ne pas entraîner Zane dehors plus tôt, de ne pas l'éloigner des murs intelligents de la résidence Pulcher pour lui parler de sa rencontre avec le docteur. Elle ne voulait plus aucun secret entre eux.

— Qu'y a-t-il, Tally ?

— Elle m'attendait dehors... dit-elle. Le docteur Cable.

À ce nom, Zane garda un moment une expression neutre, puis acquiesça.

— Je me souviens d'elle.

— Vraiment ?

— Ce n'est pas le genre de personne qu'on oublie facilement, dit Zane.

Il s'arrêta, le regard braqué sur la clairière. Tally se demanda s'il allait en dire plus.

En fin de compte, elle se ravisa :

— Elle m'a fait une drôle de proposition. Elle voulait savoir si je...

— Chut ! siffla-t-il.

— Que... commença-t-elle.

Mais Zane la fit taire de sa main gantée qu'il plaqua sur sa bouche. Il se tourna et s'accroupit dans la boue, la forçant à se baisser à côté de lui. À travers les arbres, un petit groupe de personnes débouchait dans la clairière. Elles avançaient lentement, portant des vêtements d'hiver quasi identiques, le poignet gauche emmailloté dans une écharpe noire. Tally reconnut aussitôt l'une d'entre elles, avec ses yeux cuivrés et son tatouage qui tourbillonnait dans l'air glacé.

C'était Shay.

RITUEL

Tally compta dix personnes en tout, qui pataugeaient avec une froide détermination dans la boue. Elles parvinrent au milieu de la clairière et se répartirent en un large cercle autour de l'un des poteaux de slalom. Shay se plaça au centre, pivota lentement, fixant les autres sous son capuchon. Ils se disposèrent à distance régulière les uns des autres, face à Shay, en silence.

Après un long moment d'immobilité, elle laissa tomber son manteau d'hiver sur le sol, arracha ses gants et écarta les bras. Elle ne portait que son pantalon, un T-shirt blanc sans manches, ainsi que le faux bracelet d'interface en métal au poignet gauche. Elle rejeta la tête en arrière, et laissa la pluie lui cingler le visage.

Tally frissonna et resserra les pans de son propre manteau autour d'elle. Shay désirait-elle mourir de froid ?

Les autres ne firent rien pendant un moment. Puis, en échangeant des regards gênés, ils suivirent l'exemple de Shay et se débarrassèrent de leurs manteaux, de leurs gants et de leurs sweat-shirts. Quand ils abaissèrent leurs capuchons, Tally reconnut deux autres Crims : Ho, l'un des anciens amis de Shay qui s'était enfui à La Fumée et avait fini par en partir de lui-même, ainsi que Tachs, qui avait rejoint la bande quelques semaines avant Tally.

Mais les sept autres Pretties n'étaient même pas des Crims. Ils posèrent leurs vêtements avec précaution, en se frictionnant pour se réchauffer. Quand Ho et Tachs écartèrent les bras, les autres les imitèrent, mais à contrecœur. La pluie ruisselait sur leurs visages et plaquait leurs maillots blancs contre leur peau.

— Que font-ils ? chuchota Zane.

Tally secoua la tête en guise de réponse. Elle remarqua que Shay s'était offert une nouvelle opération, une sorte de tatouage en relief dessinant des barres en travers de son bras. Le tatouage s'étendait du coude jusqu'au poignet. Ho et Tachs semblaient avoir copié l'idée.

Shay se mit à parler, le visage tourné vers le ciel, s'adressant au fanion au-dessus d'elle. On aurait dit une folle qui soliloquait. Sa voix ne portait pas jusqu'à la lisière de la clairière, mis à part quelques mots ici et là. Tally ne put en démêler grand-chose : les phrases prononcées évoquaient une sorte de chant, presque une prière, comme les Rouillés et pré-Rouillés en adressaient à leurs superhéros.

Après quelques minutes, Shay se tut, et le groupe resta debout sans prononcer un mot. Tous grelottaient, à l'exception de Shay. Tally réalisa que les non-Crims portaient des tatouages faciaux d'aspect récent qui luisaient sous la pluie. Elle comprenait qu'après la catastrophe au stade, les tatouages tournoyants soient devenus à la mode, mais c'était une sacrée coïncidence d'en retrouver sur ces inconnus.

— Tu te souviens de tous ces appels d'admirateurs, murmura-t-elle à Zane. Shay les a recrutés, elle.

— Mais pourquoi? siffla-t-il. Nous étions convenus que ce n'était pas le moment d'accueillir des nouveaux.

— Elle a peut-être besoin d'eux.

— Pourquoi donc?

Un frisson parcourut Tally.

— Pour ça.

Zane jura.

— Nous mettrons notre veto à leur adhésion.

Tally secoua la tête.

— Je ne crois pas qu'elle se préoccupe de notre avis. Je ne suis même pas certaine qu'elle se considère encore comme une…

La voix de Shay s'éleva de nouveau sous la pluie. Elle mit la main à sa poche arrière et en sortit un objet qui scintillait dans la lumière grise. Quand elle le déplia, Tally reconnut un long couteau.

Aucun des autres Pretties dans le cercle ne parut surpris; leur expression révélait un mélange d'appréhension et d'excitation.

Brandissant le couteau bien haut, Shay récita d'autres mots sur le même rythme lent. Tally parvint à en isoler un qui revint plusieurs fois.

Cela ressemblait à «Scarificateurs».

— Fichons le camp d'ici, dit-elle tout bas à Zane.

Elle désirait fuir cet endroit, mais s'aperçut qu'elle était incapable de bouger, de détourner le regard ou même de fermer les yeux.

Shay prit le couteau dans sa main gauche et appliqua la lame sur son avant-bras droit. Le métal mouillé étincelait. Elle leva les deux bras et tourna lentement sur elle-même, fixant chacun des autres de son regard brûlant. Puis elle offrit de nouveau son visage à la pluie.

Le geste fut si rapide que Tally le saisit à peine. Elle comprit ce qui s'était passé d'après la réaction des autres. Ils tremblaient de tout leur corps. Fascinés, ils ne pouvaient détourner le regard de la scène.

Puis elle vit le sang commencer à goutter de la blessure. Il coula en filet mince sous la pluie, le long du bras levé de Shay et jusqu'à l'épaule, atteignant le T-shirt où il répandit une teinte qui tenait davantage du rose que du rouge.

Shay pivota sur elle-même afin de permettre à chacun de bien voir. Ses mouvements méthodiques étaient aussi troublants que le sang qui coulait. Les autres grelottaient de frayeur et s'échangeaient des regards furtifs.

Pour finir, Shay baissa le bras, vacilla un peu sur ses jambes, puis tendit le couteau. Ho s'avança pour le prendre, tandis que Shay le remplaçait dans le cercle.

— Qu'est-ce que c'est que ce cirque ? murmura Zane.

Tally secoua la tête et ferma les yeux. La pluie lui parut soudain assourdissante, et elle s'entendit répondre :

— C'est le nouveau remède de Shay.

Les autres se succédèrent un par un.

Tally s'attendait à les voir s'enfuir, mais quelque chose – le cadre lugubre, la pluie, ou peut-être l'expression démentielle sur le visage de Shay – les retint sur place. Tous observèrent puis, l'un après l'autre, ils se tailladèrent le bras. Et chaque fois, l'expression de leur visage rejoignait celle de Shay, démentielle et extatique.

Tally sentait au fond d'elle-même qu'il n'y avait pas que de la folie dans ce rituel. Elle se souvint de la nuit de la fête costumée. La peur et la panique l'avaient rendue assez intense pour se lancer après Croy, mais n'avaient pas effacé sa belle mentalité. C'est seulement après avoir reçu le genou de Peris en pleine face – choc qui lui avait ouvert l'arcade – qu'elle avait commencé à avoir les idées claires.

Shay avait admiré cette cicatrice ; c'est cela qui lui avait suggéré de se faire tatouer. Apparemment, elle avait également compris en quoi cette blessure avait transformé Tally, la menant jusqu'à Zane, puis au sommet de la tour de transmission, et enfin au remède.

Et maintenant, Shay partageait sa découverte.

— C'est notre faute, murmura Tally.

— Quoi donc ?

Tally ouvrit ses mains gantées vers la scène qui se déroulait sous leurs yeux. Zane et elle avaient offert à Shay ce qu'il lui fallait pour diffuser son remède : la célébrité, des centaines de Pretties mourant d'envie de rejoindre les Crims – prêts à se mutiler pour devenir des Crims.

Des « Scarificateurs », avait dit Shay.

— Elle n'est plus des nôtres.

— Pourquoi restons-nous assis là ? siffla Zane.

Les poings serrés, il était rouge de colère dans l'ombre de son capuchon.

— Calme-toi, Zane.

Tally lui prit la main.

— On va lui faire…

Il s'étrangla en toussant.

— Zane ? murmura-t-elle.

Il luttait pour reprendre son souffle.

— Zane ! s'écria Tally à haute voix.

Elle lui saisit l'autre main, fixant ses yeux exorbités. Il ne respirait plus.

Tally jeta un coup d'œil dans la clairière, cherchant désespérément de l'aide, de n'importe qui – même des Scarificateurs. Certains d'entre eux l'avaient entendue, mais se contentaient de lui jeter un regard fixe, le bras en sang et le tatouage tournoyant, trop flippés pour lui être du moindre secours.

Elle arracha son écharpe pour envoyer un signal de détresse au moyen de son bracelet. Mais Zane lui attrapa le poignet et secoua la tête en grimaçant.

— Non.

— Zane, tu as besoin d'aide !

— Non, ça va aller...

Les mots lui déchiraient la gorge.

Elle s'arrêta un instant, l'imaginant en train de mourir ici, entre ses bras. Si elle appelait les gardiens, ils risquaient de se retrouver tous les deux sous le scalpel du chirurgien, prettyfiés pour de bon – avec le remède de Shay pour toute alternative.

— Très bien, capitula-t-elle. Mais je t'emmène à l'hôpital.

— Non !

— Pas à l'intérieur ; seulement à proximité. On attendra de voir comment ça évolue.

Tally fit rouler Zane sur sa planche magnétique et claqua des doigts, pour qu'elle s'élève dans les airs. Elle se coucha sur lui, sentant la planche s'enfoncer un peu sous leurs poids combinés ; mais les suspenseurs tinrent bon, et elle poussa de l'avant avec prudence.

Alors que la planche s'ébranlait, Tally jeta un coup d'œil en arrière vers la clairière. Les dix les contemplaient sans expression, Zane et elle ; Shay marchait dans leur direction, le regard aussi glacial que la pluie.

Soudain, Tally fut submergée par la crainte, cette même crainte qu'elle ressentait à la vue des Specials. Elle poussa vigoureusement sur ses pieds, se pencha en avant et prit de la hauteur entre les arbres, laissant cet endroit loin derrière elle.

Le trajet jusqu'au fleuve fut terrifiant. Les membres de Zane pendaient de part et d'autre ; sa masse inerte menaçait de les faire verser à chaque virage. Tally l'enserra de ses bras, les ongles plantés dans la face inférieure de la planche. Elle dirigeait la planche en balançant les jambes, zigzaguant largement comme un homme ivre. La pluie froide la cinglait au visage, et Tally se souvint qu'elle avait des lunettes de protection dans la poche de son manteau, mais elle ne voyait pas comment les attraper sans s'arrêter.

Et ils n'avaient pas le temps de s'arrêter.

Ils filèrent entre les arbres, prenant de la vitesse à mesure qu'ils descendaient vers le fleuve. Des branches de pins, lourdes et luisantes d'eau, émergeaient de la pluie pour gifler Tally en pleine face. Lorsqu'ils dépassèrent enfin le parc Cléopâtre, Tally fila à toute allure, vers la pointe la plus éloignée de l'île centrale.

À cette distance, l'hôpital était masqué par la pluie, mais Tally repéra les feux de position d'un aérocar qui se rendait dans sa direction. Il volait vite et haut, probablement une ambulance qui amenait un patient. Plissant les yeux contre la pluie battante, elle réussit à le garder en ligne de mire et le suivit. Quand l'aérocar disparut à sa vue, ils avaient atteint le fleuve et la planche surchargée se mit à perdre de la portance au-dessus de l'eau.

Tally réalisa trop tard ce qui se passait : la grille métallique enterrée contre laquelle s'appuyaient les suspenseurs était plus basse, par ici – dans le lit du fleuve, sous dix mètres d'eau. Alors qu'ils approchaient du milieu du fleuve, la planche descendait de plus en plus bas sur les eaux froides et furieuses.

À mi-chemin, la planche toucha l'eau brutalement, mais ils rebondirent quelque peu dans les airs, et tandis que la rive opposée se rapprochait, les suspenseurs retrouvèrent de la portance et leur firent reprendre de l'altitude.

— Tally... geignit une voix sous elle.

— Tout va bien, Zane. Je te tiens.

— Ouais. Tu m'as l'air de drôlement contrôler la situation.

Tally risqua un coup d'œil sur lui. Il avait les yeux ouverts, et son visage n'était plus rouge. Elle prit conscience que sa poitrine s'élevait et s'abaissait sous elle, qu'il respirait normalement.

— Détends-toi, Zane. Je m'arrêterai quand nous serons à côté de l'hôpital.

— Ne m'emmène pas là-bas.

— Je veux juste nous rapprocher. Au cas où.

— Au cas où quoi ? fit-il d'une voix hachée.

— Au cas où tu recommencerais à ne plus pouvoir respirer. Maintenant, *tais-toi*!

Il se tut et ferma les paupières.

Tandis que les eaux du fleuve défilaient sous eux, ridées par la pluie, les lumières de l'hôpital apparurent au-devant. La masse sombre des bâtiments était toute proche. Tally repéra les feux jaunes clignotants de l'entrée des urgences, mais quitta le fleuve avant de l'atteindre et grimpa lentement sur la berge. Elle immobilisa sa planche sous le toit d'un râtelier d'ambulances : les aérocars y étaient empilés par trois dans leur gigantesque cadre en métal, attendant semblait-il quelque catastrophe terrible.

Quand la planche s'arrêta, Zane se laissa rouler sur le sol mouillé avec un gémissement.

Elle s'agenouilla près de lui.

— Parle-moi.

— Je vais bien, dit-il. À part mon dos.

— Ton dos ? Qu'est-ce que…

— Je crois que c'est pour avoir volé allongé là-dessus… (Il renifla.)… et allongé sous toi.

Elle lui prit le visage entre les mains, examinant ses pupilles. Il semblait épuisé, dépenaillé, mais il sourit et lui adressa un clin d'œil las.

— Zane… (Elle sentit qu'elle allait se remettre à pleurer.) Qu'est-ce qui t'arrive ?

— Je te l'ai dit : je crois qu'on a besoin d'avaler un morceau.

Tally fut secouée par des sanglots.

— Mais…

— Je sais. (Il lui posa les deux mains sur les épaules.) Nous devons foutre le camp d'ici.

— Sauf que les Nouveaux-Fum…

Sa main jaillit pour lui couvrir la bouche, étouffant la fin de sa phrase. Elle se dégagea, surprise. Zane se redressa sur un coude et jeta un regard appuyé au bracelet d'interface à son poignet. Elle avait ôté son gant pour passer un appel au début de sa crise.

— Oh… désolée.

Il secoua la tête, l'attira vers lui et chuchota :

— Ça va.

Tally ferma les yeux, tâchant de se souvenir de quoi ils avaient parlé durant leur folle chevauchée.

— Nous nous sommes disputés à propos de t'emmener ou non à l'hôpital, murmura-t-elle.

Il acquiesça, puis dit à voix haute :

— Bon, puisqu'on est là…

Il se détourna et cogna de toutes ses forces contre le métal du râtelier d'ambulances. Son poing rebondit avec un choc sourd.

— Zane !

Plié en deux par la douleur, il secoua la tête, agitant sa main blessée dans les airs. Puis il examina ses phalanges en sang.

— Comme je le disais, puisqu'on est là, autant faire examiner ça. Mais la prochaine fois, *demande-moi*, O.K. ?

Elle le dévisagea, comprenant enfin. Pendant un instant, elle avait cru que la folie de Shay était contagieuse. Mais une main blessée constituait une explication plausible à leur ruée vers l'hôpital, et justifierait plus ou moins tout ce que le bracelet avait pu entendre. Tally pourrait aussi raconter aux gardiens qu'ils n'avaient rien mangé depuis deux jours. Peut-être qu'une transfusion de vitamines et de glucose dans le bras de Zane atténuerait son mal de crâne.

Il n'était guère fringant, couvert de boue et trempé jusqu'aux os, mais il marchait d'un pas sûr. En fait, Zane semblait plutôt intense après s'être cassé la main. Peut-être que Shay n'était pas aussi folle qu'elle en avait l'air – en tout cas, elle savait ce qui fonctionnait.

— Amène-toi, dit-il.

— Tu veux voler ? demanda Tally.

Elle indiquait la deuxième planche qui s'approchait, ayant suivi le signal des bracelets anticrash de Zane.

— Je crois que je vais marcher, répondit-il en s'éloignant à grands pas vers les feux clignotants de l'entrée des urgences.

Tally remarqua alors ses mains tremblantes, sa pâleur extrême. Et elle se promit qu'à sa prochaine crise, elle appellerait les gardiens.

Même le remède ne valait pas qu'on meure pour lui.

HÔPITAL

Il s'avéra que Zane s'était brisé trois os de la main, qui mettraient une demi-heure à se ressouder.

Tally partagea la salle d'attente avec deux nouveaux Pretties, venus accompagner un ami à la jambe cassée – une histoire de glissade dans les escaliers à l'extérieur de la résidence Lillian-Russell. Elle ignora les détails, occupée à s'empiffrer de cookies et de café avec une tonne de lait et de sucre, tout en savourant la chaleur de l'hôpital et l'absence de pluie. La sensation rare des calories en train de pénétrer dans son organisme l'engourdissait. Le souvenir de Shay et de sa petite bande au parc Cléopâtre demeurait encore trop net.

— Et *toi*, pourquoi es-tu là? demanda enfin le garçon.

L'accent particulier qu'il avait mis sur « toi » désignait à la fois les vêtements boueux et trempés de Tally, son expression épuisée, et son aspect général plutôt pitoyable.

Tally se fourra un cookie aux pépites de chocolat dans la bouche et haussa les épaules.

— Accident de planche.

L'autre Pretty donna un coup de coude à son compagnon, les yeux écarquillés, en indiquant Tally d'un coup de pouce nerveux.

— Quoi ? dit l'autre.

— Chut !

— *Quoi ?* insista le premier.

La Pretty soupira.

— Désolée, dit-elle à Tally. Mon ami est nouveau. Et il retarde totalement. (Elle se pencha à l'oreille de son compagnon.) *C'est Tally Youngblood.*

Le garçon ouvrit grand la bouche, puis la referma.

Tally sourit et engloutit encore un cookie. Évidemment qu'on allait croiser Tally Youngblood aux urgences, devaient-ils penser. Ils se demandaient sans doute quel monument s'était écroulé sous elle cette fois-ci.

Bien que sa célébrité ait réduit les deux Pretties au silence, leurs regards furtifs avaient quelque chose de troublant. Ils n'étaient pas du genre à devenir des Scarificateurs, Tally en était à peu près certaine ; mais elle ne pouvait pas refuser de voir que sa notoriété criminelle alimentait le projet de Shay, donnant aux Pretties l'envie d'explorer une certaine forme d'intensité. Malgré tout le café, le lait et les cookies qu'elle avait dans l'estomac, Tally sentit un goût acide lui remonter dans la gorge à l'idée que les passages aux urgences puissent devenir la grande mode cet hiver.

— Tally ?

Un infirmier se tenait à la porte de la salle d'attente, lui faisant signe de venir. Enfin ! Elle allait pouvoir quitter ces lieux.

— Prenez garde à vous, les petits, dit-elle aux deux Pretties avant de suivre l'infirmier dans le couloir.

Quand la porte se referma derrière elle, Tally réalisa qu'elle ne se trouvait pas au service des consultations externes. L'infirmier l'avait conduite dans une petite pièce dominée par un énorme bureau en désordre. Un écran mural affichait une prairie verdoyante par une belle journée ensoleillée – le genre d'images qu'on montrait aux gamins à l'école juste avant la sieste.

— Vous étiez sortis sous la pluie ? lança gaiement l'infirmier, en se débarrassant de sa tunique en papier bleu clair.

Il portait un costume par-dessous – *semi*-habillé, lui souffla son cerveau – et Tally comprit qu'il ne s'agissait aucunement d'un infirmier. Il avait le sourire rayonnant des politiciens, des maîtres d'école et des psychiatres.

Elle s'assit dans le fauteuil en face de lui, dans un gargouillis de vêtements détrempés.

— Vous avez totalement deviné.

Il sourit.

— Bah ! un accident, ça arrive. Tu as bien fait de nous amener ton ami. Une chance pour moi que je me sois trouvé là. En fait, voilà quelques jours que j'essaie de te joindre, Tally.

— Vraiment ?

— Mais oui.

Il sourit de nouveau. Il existait une catégorie de grands Pretties qui souriaient en toutes occasions : sourire joyeux, sourire déçu, sourire tu-vas-avoir-de-gros-ennuis. Son sourire à lui était chaleureux, enthousiaste, calme et confiant, et portait sur les nerfs de Tally. C'était le genre de grand Pretty qu'elle serait devenue selon le docteur Cable : suffisant et sûr de lui, séduisant, avec juste ce qu'il fallait de rides causées par la gaieté, l'âge et la sagesse.

— Tu n'as pas consulté tes messages ces derniers jours, n'est-ce pas ? dit-il.

Elle secoua la tête.

— Trop d'appels foireux. Suite à mon passage aux infos, vous savez ? Un truc à vous rendre célèbre.

Ces paroles valurent à Tally un sourire de fierté.

— Je suppose que tout cela a dû être très excitant pour tes amis et toi.

Elle haussa les épaules, optant pour la fausse modestie.

— C'était intense au début, mais là, ça commence à devenir foireux. Qui êtes-vous, déjà ?

— Docteur Remmy Anders. Je suis conseiller en traumatologie ici, à l'hôpital.

— Traumatologie ? C'est à propos de ce truc au stade ? Parce que je suis totalement...

— Je suis certain que tu te portes à merveille, Tally. C'est de l'une de tes amies que je voulais te parler. Pour être sincères, nous sommes un peu inquiets.

— Qui ça ?

— Shay.

Derrière son beau sourire, Tally fut aussitôt en alerte. Elle s'efforça de garder une voix impassible.

— Pourquoi Shay ?

Lentement, comme s'il était contrôlé à distance, le sourire soucieux du docteur Anders céda la place à un froncement de sourcils.

— Il y a eu un incident l'autre soir, lors de votre petite soirée autour du feu. Une dispute entre Shay et toi. Assez troublante.

Tally cligna des paupières, se rappelant Shay en train de lui hurler dessus au coin du feu. Le bracelet avait dû percevoir la détresse de Shay – qui allait bien au-delà des petites querelles habituelles entre jeunes Pretties. Tally tenta de se rappeler exactement ce que Shay avait crié, en vain. Elle haussa les épaules.

— Elle avait un peu trop bu. Moi aussi.

— Ça n'avait pas l'air bien réjouissant.

— Docteur Remmy, est-ce que vous nous espionnez, par hasard ? C'est nul.

Le conseiller secoua la tête et retrouva son sourire soucieux.

— Nous nous intéressons juste à tous ceux qui ont été victimes de ce malheureux accident. Il est parfois difficile de se remettre de la peur et d'un événement inattendu. Voilà pourquoi on m'a désigné en tant que conseiller en stress posttraumatique.

Tally fit semblant de ne pas s'apercevoir qu'il avait complètement éludé sa question – elle connaissait déjà la réponse, de toute manière. Les Special Circumstances se moquaient peut-être que les Crims démolissent New Pretty Town, mais les gardiens faisaient leur travail. Étant donné que la ville était conçue afin de préserver la belle mentalité de ses habitants, il était logique qu'on assigne un conseiller à quiconque avait vécu une expérience intense. Le docteur Anders était chargé de veiller à ce que la percée ne suscite pas de nouvelles idées encore plus excitantes au sein des Crims.

Elle afficha un joli sourire.

— Au cas où on deviendrait tous cinglés?

Le docteur Anders s'esclaffa.

— Oh, je ne crois pas que vous risquiez de perdre la raison. Je veux juste m'assurer qu'il n'y a pas d'effet à long terme. Le stress peut parfois affecter l'amitié de manière très négative, tu sais.

Décidant de jeter un os à ronger à Remmy, elle ouvrit grand les yeux.

— Alors, c'est pour *ça* que Shay s'est mise dans un tel état cette nuit-là?

Son visage s'illumina.

— Oui, tout se résume à une question de stress, Tally. Tu dois savoir qu'elle ne pensait probablement pas ce qu'elle disait.

— Hé! je ne me suis pas énervée sur elle, moi.

Sourire rassurant.

— Chaque personne réagit différemment face à un traumatisme, Tally. Tout le monde n'est pas aussi coriace que toi. Au lieu d'être en colère, pourquoi ne pas considérer cela comme une occasion de témoigner ton soutien à Shay? Elle et toi êtes de vieilles amies, pas vrai?

— Ouais. Depuis nos années moches. On a le même anniversaire.

— C'est merveilleux. Les vieux amis sont irremplaçables dans des moments pareils. Quel était le sujet de votre dispute?

Tally haussa les épaules.

— Je ne sais plus. Rien d'important.

— Tu ne te le rappelles vraiment pas?

Tally se demanda si la pièce était reliée à un polygraphe et, si oui, quelle dose de mensonge elle pouvait se permettre. Elle ferma les yeux et se concentra sur le flux des calories à travers son corps affamé, laissant la belle mentalité lui embrumer les idées.

— Tally? insista-t-il.

Elle choisit de livrer à Anders quelques bribes de vérité.

— Ce n'était rien… De vieilles histoires.

Il hocha la tête, se croisant les mains avec satisfaction. Tally se demanda si elle n'en avait pas trop dit.

— Remontant à l'époque où vous étiez Uglies? s'enquit-il.

Elle secoua la tête, ne se fiant pas à sa voix.

— Comment vous entendez-vous, Shay et toi, depuis ce soir-là?

— Très bien.

Il sourit, mais Tally le surprit à jeter un coup d'œil dans le vague – probablement sur un écran oculaire invisible pour elle. Consultait-il l'interface de la ville? Elle lui apprendrait que Shay et elle ne s'étaient plus appelées depuis cette fameuse nuit, et que trois jours sans s'échanger le moindre message, c'était plutôt inhabituel de leur part. Ou bien le docteur Anders vérifiait-il si la voix de Tally avait tremblé?

Il adressa un petit hochement de tête à ses données invisibles.

— A-t-elle semblé de meilleure humeur depuis?

— Elle va bien, je crois. (*À part un peu d'automutilation, des mélopées sans queue ni tête et la création de sa propre bande de cinglés.*) Je ne l'ai pas revue depuis que cette pluie foireuse s'est mise à tomber, en fait. Mais elle et moi sommes amies pour la vie.

Ces derniers mots, prononcés d'une voix enrouée,

sonnaient faux. Tally toussota, ce qui ne fit que creuser le sourire soucieux du docteur Anders.

— J'en suis heureux, Tally. Et comment te sens-tu de ton côté?

— Intense, dit-elle. Un peu affamée quand même.

— Oui, oui. Zane et toi devriez faire un effort pour manger davantage. Tu m'as l'air un peu maigre, et il paraît que son taux de sucre dans le sang était affreusement bas lors de son admission.

— Je lui ferai avaler quelques-uns de ces cookies aux pépites de chocolat dans la salle d'attente. Ils sont du tonnerre.

— Merveilleuse idée. Tu es une excellente amie, Tally. (Il se leva, tendit la main.) Eh bien, je vois que Zane est de nouveau sur pied, alors je ne te retiens pas plus longtemps. Merci pour cet entretien, et si toi ou l'un de tes amis ressentez un jour le besoin de parler, fais-le-moi savoir, surtout.

— Oh, comptez sur moi, dit-elle en décochant au docteur son plus joli sourire. C'était vraiment super.

Tally retrouva la pluie comme on retrouve une vieille amie un peu collante ; elle l'accueillit presque avec soulagement, après les sourires radieux du docteur Anders. Elle raconta son entretien avec lui à Zane sur le chemin du retour. Bien qu'elle ait de nouveau recouvert son bracelet, elle parlait assez doucement pour que le vent emporte ses paroles alors qu'ils grimpaient dans le ciel gris.

Il soupira quand elle eut achevé son récit.

— On dirait qu'ils s'inquiètent autant que nous à son sujet.

— Ouais. Ils ont dû entendre notre dispute de l'autre soir. La façon dont elle me hurlait dessus n'était pas jolie, jolie.

— Super.

Il grimaçait dans le froid. Apparemment, les antidouleurs qu'on lui avait administrés pour sa main n'agissaient guère contre la migraine. Ses pieds glissèrent sur sa planche, cherchant avec peine leur équilibre.

— Je ne lui ai pas dit grand-chose. Juste qu'elle était saoule et qu'elle en rajoutait.

Tally se permit un mince sourire d'autocongratulation. Cette fois-ci, au moins, elle n'avait pas vendu Shay. Espérait-elle.

— Tu as fait ce qu'il fallait, Tally. Shay a peut-être besoin d'aide, mais pas d'un psy. Ce qu'il faut, c'est l'emmener hors de la ville et lui donner le vrai remède. Aussi vite que possible.

— Ouais. Les pilules, c'est quand même mieux que de se taillader le bras. (*Quand elles ne vous bousillent pas le cerveau*, se dit-elle.) Et tes médecins à toi ?

— Comme d'habitude. Ils ont passé la première heure à me sermonner pour que je mange davantage. Je n'avais perdu connaissance que depuis dix minutes quand ils se sont enfin décidés à me recoller les os. Sinon, en dehors de mon poids, ils n'ont paru rien trouver d'anormal chez moi.

— Bon.

— Naturellement, ça ne veut pas dire que je vais bien. Ils ne m'ont pas examiné la tête, après tout, juste la main.

Tally prit une grande inspiration.

— Tes maux de tête s'aggravent, hein ?

— Je crois que c'est surtout la faim et le froid plus qu'autre chose.

Elle secoua la tête.

— Je n'avais rien avalé de la journée non plus, Zane, et tu ne m'as pas vue...

— Laisse tomber ma tête, Tally ! Je ne vais ni mieux ni plus mal. C'est le bras de Shay qui m'inquiète. (Il rapprocha sa planche et baissa la voix.) Ils vont garder un œil sur elle aussi, maintenant. Si ton docteur Remmy découvre ce qu'elle s'inflige, ça va faire un sacré bazar.

— C'est sûr.

Tally se remémora l'alignement de cicatrices le long du bras de Shay. De loin, elle les avait prises pour des tatouages, mais de près, tout le monde les reconnaîtrait immédiatement pour ce qu'elles étaient. Si le docteur Anders les voyait, Tally doutait qu'il trouve un sourire approprié à la situation. On tirerait des sonnettes d'alarme à travers toute la ville, et l'intérêt des gardiens pour quiconque avait été impliqué dans le désastre du stade grimperait en flèche.

Tally allongea le bras et les fit s'arrêter un moment. Sa voix se réduisit à un murmure.

— Nous n'avons pas beaucoup de temps, tu sais. Il peut décider d'un jour à l'autre de discuter avec Shay.

— Tu vas devoir parler à Shay la première. Dis-lui de freiner un peu sur les entailles.

— Génial. Et si elle refuse ?

— Explique-lui qu'on est sur le point de partir. Qu'elle recevra le vrai remède.

— Partir ?

— Ce soir, si c'est possible. Je m'occupe de réunir nos affaires. Toi, tu prépares les Crims.

— Et ces trucs-là ?

Elle était trop fatiguée pour lever son poignet emmailloté, mais il comprit de quoi elle parlait.

— On s'en débarrasse. Ce soir. Je crois que j'ai une idée.

— Quelle idée, Zane ?

— Je ne peux pas t'en parler pour l'instant. Mais ça marchera, en tout cas, c'est juste un peu risqué.

Tally fronça les sourcils. Zane et elle n'étaient jamais parvenus à infliger la moindre rayure aux bracelets.

— En quoi ça consiste ?

— Je te montrerai ce soir, promit-il, mâchoires serrées.

Tally prit peur.

— J'ai l'impression que c'est plus qu'un peu risqué.

Zane la dévisagea, pâle et décharné, ses yeux éteints à travers les lunettes protectrices.

— Aide ta copine, dit-il avec un petit rire, le Ciel m'aidera.

Tally dut détourner le regard de son sourire.

BROYEUR

Le hangar de fabrication se dressait non loin de l'hôpital, à la pointe de New Pretty Town, là où les deux bras du fleuve opéraient leur jonction. À cette heure de la nuit, les tours, tables d'imagerie et moules à injection étaient inutilisés. L'endroit se trouvait quasiment désert. La seule lumière provenait de l'autre bout du hangar, où une grande Pretty soufflait de la pâte de verre.

— On se gèle, par ici, dit Tally.

Elle pouvait voir les mots se dérouler hors de sa bouche dans l'éclairage rougeoyant des veilleuses. La pluie avait enfin cessé pendant qu'ils préparaient les Crims au départ, mais le fond de l'air demeurait froid et humide. Même à l'intérieur, Tally, Fausto et Zane restaient pelotonnés les uns contre les autres dans leurs manteaux d'hiver.

— D'habitude, les hauts fourneaux fonctionnent, expliqua Zane. Et certaines de ces machines dégagent une sacrée chaleur. (Il montra les deux côtés du hangar, ouverts sur la nuit.) Par contre, qui dit « ventilation » dit « pas de murs intelligents », tu vois ?

— Je vois.

Tally resserra les pans de son manteau, enfonçant la main dans l'une des poches pour monter le chauffage.

Fausto indiqua une machine qui faisait penser à une énorme presse.

— Hé! on avait joué avec une machine pareille à l'école, en cours de design industriel, dit-il. On s'était fabriqué des plateaux-repas avec des patins, afin de glisser sur la neige.

— C'est pour ça que je vous ai fait venir, dit Zane en guidant Tally et Fausto à travers le sol de béton.

La partie inférieure de la machine se composait d'une plaque métallique, apparemment gravée d'un million de points minuscules. Un deuxième bloc de métal identique était suspendu au-dessus du premier.

— Quoi? Tu veux utiliser un broyeur? dit Fausto avec un haussement de sourcils.

Zane ne leur avait toujours pas expliqué son plan, mais Tally n'appréciait guère l'aspect massif de la machine.

Pas plus que son nom, d'ailleurs.

Zane posa le seau à champagne qu'il avait apporté, renversant un peu de glace sur le sol. Il sortit une carte mémoire de sa poche et l'enfonça dans le lecteur du broyeur. La machine s'alluma; des lumières clignotèrent sur toute sa circonférence, et le sol vibra sous les pieds de Tally.

Un frisson parut parcourir la plaque, telle une ride à sa surface, comme si le métal était soudain devenu liquide, vivant.

Quand le mouvement s'apaisa, Tally examina de plus près la surface du broyeur. Les minuscules points gravés dessus étaient en réalité les extrémités de tiges très minces qui se levaient ou s'abaissaient pour esquisser des formes en creux. Elle passa les doigts sur la plaque, mais les tiges étaient si fines et si parfaitement alignées qu'elles semblaient faites de métal lisse.

— À quoi ça sert ?

— À imprimer des trucs, répondit Zane.

Il pressa un bouton et la plaque s'anima de nouveau : une série de petites collines symétriques se dressa en son milieu. Tally remarqua que des cavités équivalentes s'étaient creusées sur la face supérieure du broyeur.

— Tiens ! voilà mon plateau-repas, dit Fausto.

— Tu croyais que j'avais oublié ? Ces machins-là étaient super pour faire de la luge, dit gaiement Zane.

Il tira une feuille de métal de sous la machine et l'ajusta avec soin sur les coins du plateau.

— Je me suis toujours demandé pourquoi ils ne les produisaient pas en série, dit Fausto.

— C'était trop intense, dit Zane. Mais je te parie que les Uglies réinventent ça tous les deux ou trois ans. Attention aux doigts. J'actionne le système.

Les autres se reculèrent par prudence.

Zane saisit deux poignées de part et d'autre du plateau, qu'il pressa simultanément. La machine gronda pendant une fraction de seconde, puis s'ébranla, la plaque supérieure s'abattant sur la plaque inférieure avec un clang assourdissant. Le son roula à travers le hangar ; les oreilles de Tally en résonnaient encore quand les mâchoires du broyeur s'écartèrent lentement pour dévoiler la feuille de métal.

— Mignon, hein ? fit Zane.

Il ramassa la feuille, dont les contours avaient été redessinés par l'impact. Elle ressemblait à un plateau-repas désormais, avec de petits compartiments pour mettre la salade, le plat de résistance et le dessert. La retournant entre ses mains, Zane passa le doigt sur les cannelures qui striaient le dos du plateau.

— Sur de la bonne poudreuse, ces trucs filent à cent à l'heure.

Fausto pâlit d'un coup.

— Ça ne marchera pas, Zane.

— Pourquoi pas ?

— Trop de dispositifs de sécurité. Même si tu arrivais à convaincre l'un de nous de…

— C'est une blague, Zane ? s'écria Tally. Pas question que tu ailles fourrer ta main là-dedans. Elle serait aplatie comme une crêpe !

Zane se contenta de sourire.

— Mais non. Tu as entendu Fausto : c'est trop sécurisé.

Il ôta la carte mémoire de la fente du lecteur et en glissa une autre à la place. La plaque ondula de nouveau, laissant une série de crêtes sur son bord, pareilles à une rangée de dents. Il avança son poignet gauche entre les mâchoires de métal.

— On ne distingue pas très bien, à cause du gant, continua-t-il, mais vous voyez où le bracelet va se briser ?

— Et si ça rate, Zane ? dit Tally.

Elle devait lutter pour ne pas crier. Leurs bracelets étaient emmaillotés comme d'habitude, mais elle ne tenait pas à ce que la grande Pretty à l'autre bout du hangar les entende.

— Ça ne ratera pas. Tu pourrais imprimer des pièces de montre avec cette machine.

— Aucune chance que ça fonctionne, proclama Fausto. (Il avança sa propre main sous le broyeur.) Actionne-la.

— Je sais, je sais, dit Zane en attrapant les poignées et en les pressant.

— Quoi? s'écria Tally avec horreur.

Mais la machine ne bougea pas d'un pouce. Une rangée de voyants jaunes clignotèrent sur le pourtour, et une petite voix industrielle demanda :

— Reculez, s'il vous plaît.

— Elle détecte les humains, expliqua Fausto. À la chaleur corporelle.

Tally avait la gorge serrée, son cœur battait contre sa poitrine, tandis que Fausto retirait sa main.

— Ne fais pas ça!

— Même si tu arrivais à tromper la machine, à quoi bon? poursuivit Fausto. Ça ne pourrait qu'aplatir un peu le bracelet, donc t'écraser le poignet.

— Pas à cinquante mètres par seconde. Regarde. (Zane se pencha sur la plaque, passant le doigt le long de la formation de dents qu'il avait programmée.) Cette crête va le trancher net, ou au moins l'écraser assez fort pour briser ses systèmes internes. Nos bracelets ne seront plus que des bouts de métal inerte en ressortant de là.

Fausto se pencha pour mieux voir, et Tally se détourna devant la vision de leurs deux têtes dans la gueule du broyeur. *Du métal inerte.* Elle regarda la souffleuse de verre à l'autre bout du hangar. Totalement étrangère à leur conversation démentielle, la femme fondait un bloc de verre dans un fourneau rougeoyant, en le faisant pivoter au bout d'une tige.

Tally s'avança de quelques pas dans sa direction, jusqu'à ce qu'elle soit hors de portée d'oreille de Zane et de Fausto, puis découvrit son bracelet.

— Appelle Shay, dit-elle.

La réponse ne se fit pas attendre.

— Indisponible. Un message ?

Tally fronça les sourcils.

— Oui. Écoute, Shay, je sais que c'est mon dix-huitième message de la journée, mais il faut vraiment que tu me répondes. Je suis désolée si on t'a espionnée, mais… (Elle ne sut pas quoi ajouter, sachant que les gardiens – voire les Specials – risquaient d'être à l'écoute. Elle pouvait difficilement expliquer qu'ils allaient s'échapper ce soir.)… Mais nous nous faisions du souci pour toi. Rappelle-moi dès que tu peux. Il faut qu'on se parle… face à face.

Tally se déconnecta et enroula de nouveau l'écharpe autour de son bracelet. Shay, Ho et Tachs – les Scarificateurs – avaient disparu de la circulation, refusant de répondre au moindre appel. Shay devait probablement bouder après la découverte de sa petite cérémonie secrète. Mais avec un peu de chance, l'un des Crims finirait par les trouver et les informer de l'évasion de ce soir.

Zane et Tally avaient passé l'après-midi à préparer tout le monde. Les Crims avaient bouclé leurs sacs et pris position autour de l'île, prêts à décoller aussitôt que le signal annonçant que Zane et Tally étaient libres leur parviendrait du hangar.

La femme avait fini de chauffer son verre. Elle le retira de la fournaise et se mit à souffler dedans au moyen d'un long tube ; la pâte fondue se tordit en formes sinueuses. Tally s'arracha à contrecœur à ce spectacle et retourna auprès du broyeur.

— Et pour les dispositifs de sécurité? rétorquait Fausto.

— Je n'aurai qu'à faire tomber ma chaleur corporelle.

— Comment?

Zane donna un petit coup de pied dans le seau à champagne.

— Trente secondes dans l'eau glacée, et ma main sera aussi froide qu'un morceau de métal.

— Sauf que ta main *n'est pas* un morceau de métal! s'écria Tally. Et la mienne non plus. C'est le problème.

— Écoute, Tally, je ne te demande pas de passer la première.

Elle secoua la tête.

— Je ne veux pas y passer *du tout*, Zane. Et pour toi non plus, je ne veux pas.

Fausto fixait les dents en acier qui saillaient de la plaque.

— Elle a raison. Cette machine est géniale, mais c'est de la folie de fourrer ta main là-dedans. Si tu t'es trompé d'un centimètre dans tes calculs, le broyeur touchera l'os. Rappelle-toi ce qu'on nous a enseigné à l'école. L'onde de choc va remonter jusqu'en haut du bras, en brisant tout sur son passage.

— Bah, si ça rate, j'en serai quitte pour une nouvelle visite à l'hôpital. Mais ça ne ratera pas. J'ai même prévu un modèle différent pour ta main, Tally, dit Zane en agitant une autre carte mémoire. Puisque ton bracelet est plus petit.

— En cas d'échec, on ne pourra pas te soigner, dit-elle d'une voix douce. Même l'hôpital ne pourra rien faire pour une main aplatie.

— Pas aplatie, corrigea Fausto. Tu auras les os *liquéfiés*, Zane. Autrement dit, le choc les fera *fondre*.

— Écoute, Tally, dit Zane en se penchant pour attraper la bouteille de champagne dans le seau. Je n'y tiens pas plus que ça, moi non plus. Mais j'ai eu une attaque ce matin, tu te souviens ?

Il fit sauter le bouchon.

— Tu as eu quoi ? dit Fausto.

Tally secoua la tête.

— On va trouver un autre moyen.

— Nous n'avons plus le temps, dit Zane qui buvait une gorgée au goulot. Alors, Fausto, tu vas m'aider, oui ou non ?

— T'aider ? demanda Tally.

Fausto acquiesça lentement.

— Il faut les deux mains pour actionner le broyeur – encore une mesure de sécurité, afin d'éviter tout risque d'avoir les doigts pris dessous. L'un de nous deux va devoir presser les poignées.

Fausto croisa les bras.

— Oublie ça.

— Pas question pour moi non plus ! dit Tally.

— Tally... (Zane soupira.) Si nous ne quittons pas la ville ce soir, je peux aussi bien me glisser la tête là-dessous. J'ai des migraines tous les trois jours, maintenant, et ça s'aggrave. Il faut foutre le camp d'ici.

Fausto fronça les sourcils.

— De quoi parles-tu ?

Zane se tourna vers lui.

— Quelque chose ne tourne pas rond chez moi,

Fausto. Voilà pourquoi nous devons partir ce soir. On pense que les Nouveaux-Fumants pourront m'aider.

— Pourquoi as-tu besoin d'eux? Qu'est-ce qui cloche?

— Ce qui cloche, c'est que je suis guéri.

— Répète-moi ça?

Zane prit une grande inspiration.

— Il existe une pilule, tu vois…

Tally se détourna en geignant: une nouvelle ligne jaune était franchie. D'abord Shay, ensuite Fausto; Tally se demanda combien de temps il faudrait avant que la totalité des Crims ne soient mis au courant. Ce qui rendait leur évasion plus urgente encore, quels qu'en soient les risques.

Tally observa la souffleuse de verre avec un chagrin profond. Elle sentait l'incrédulité de Fausto s'estomper à mesure que Zane lui expliquait ce qui leur était arrivé au cours de ce dernier mois: les pilules, l'intensité croissante du remède, et les migraines épouvantables de Zane.

— Shay avait raison à propos de vous deux! s'exclama Fausto. Voilà pourquoi vous êtes devenus si différents…

Shay avait été la seule à jouer cartes sur table avec Tally, mais tous les Crims avaient dû constater les changements et s'interroger à leur sujet. Tous avaient été jaloux de cette étrange intensité dont Zane et Tally témoignaient. Maintenant que Fausto savait qu'il existait un remède, qu'il suffisait d'avaler une pilule, sans doute risquer deux mains dans un broyeur ne lui semblait-il plus aussi cinglé.

Tally soupira. Peut-être n'était-ce pas cinglé du tout.

Ce matin même, elle avait tardé à conduire Zane à l'hôpital. Elle avait attendu à l'extérieur sous la pluie pendant de précieuses minutes – mettant en danger sa vie, pas uniquement sa main.

Elle avala sa salive. Quel mot avait employé Fausto ? *Liquéfiés ?*

L'objet en verre enflait entre les mains de la femme, succession de sphères superposées d'une délicatesse extrême, impossible à réparer si elle venait à se briser. La femme la tenait avec prudence ; certaines choses ne se réparent pas une fois qu'elles sont cassées.

Tally songea au père de David, Az. Quand le docteur Cable avait tenté d'effacer sa mémoire, le processus l'avait tué. L'esprit était encore plus fragile qu'une main humaine – et aucun d'eux n'avait la moindre idée de ce qui était à l'œuvre sous le crâne de Zane.

Elle baissa les yeux vers son gant gauche, plia les doigts en prenant son temps. Était-elle assez courageuse pour l'enfoncer entre les mâchoires du broyeur ? Peut-être.

— Es-tu certain d'arriver à retrouver les Nouveaux-Fumants là-bas ? demandait Fausto à Zane. Je croyais que plus personne ne les avait vus depuis un bout de temps.

— Les Uglies que nous avons rencontrés ce matin prétendent avoir trouvé des signes de leur retour.

— Et ils sauront te guérir ?

Fausto était en train de se justifier à voix haute, lentement mais sûrement. Au bout du compte, il accepterait d'actionner le broyeur. C'était logique, en un sens. Il existait quelque part dans la nature un traitement pour le problème de Zane, et si on ne réussissait pas à le lui procurer à temps, il était condamné.

Que valait la perte éventuelle d'une main dans ces conditions ?

Tally se retourna en disant :

— Je vais le faire. J'actionnerai les poignées.

Ils la dévisagèrent tous deux en silence pendant un moment, puis Zane sourit.

— Bien ! Je préfère que ce soit toi.

— Pourquoi ?

— Parce que j'ai confiance en toi. Ça m'évitera de trembler.

Tally prit une profonde inspiration, luttant pour refouler ses larmes.

— Merci.

Il y eut un silence gêné.

— Tu es sûre de toi, Tally ? dit enfin Fausto. Je peux m'en charger, tu sais.

— Non. C'est à moi de le faire.

— Bon, pas la peine de continuer à perdre du temps.

— Prépare-toi, Tally.

Zane laissa tomber son manteau sur le sol. Il déroula l'écharpe qui lui enveloppait le bras et ôta le gant recouvrant son bracelet. Sa main gauche paraissait minuscule, toute fragile à côté de la masse sombre du broyeur. Zane serra le poing et l'enfonça dans le seau, faisant la grimace tandis que l'eau glacée commençait à faire chuter sa température corporelle.

Elle jeta un coup d'œil à leurs sacs à dos sur le sol, vérifia du bout des doigts la présence de son capteur ventral, regarda une dernière fois les planches magnétiques au bord du hangar ; les câbles qui pendaient dessous étaient débranchés, déconnectés de la grille de la ville. Ils étaient prêts à partir.

Tally contempla son bracelet. Lorsque celui de Zane serait brisé, son signal de localisation serait coupé. Ils devraient s'occuper du sien tout de suite après et décoller. Ils avaient encore un long trajet devant eux avant d'atteindre la lisière de la ville.

Deux douzaines de Crims attendaient dans toute l'île, prêts à s'éparpiller dans la nature pour attirer la poursuite dans toutes les directions. Chacun d'eux emportait une pièce d'artifice avec un mélange de couleurs spécial – violet et vert – afin de diffuser le signal dès que Zane et Tally seraient libres.

Libres.

Tally baissa les yeux sur les commandes du broyeur et avala sa salive. Les deux poignées, moulées en plastique jaune vif, ressemblaient à deux manettes de jeu avec leur gros bouton. Quand elle les empoigna, la puissance de la machine assoupie vibra dans ses mains, comme le grondement d'un avion suborbital passant au-dessus de sa tête.

Elle s'efforça de s'imaginer en train de presser les boutons, et n'y parvint pas. Elle était à bout d'arguments, cependant, et l'heure n'était plus à la discussion.

Après trente longues secondes, Zane ressortit sa main de la glace.

— Fermez les yeux au cas où le métal se briserait. Le froid va le rendre cassant, dit Zane d'une voix normale.

Peu importait que le bracelet entende quoi que ce

soit désormais, songea Tally. Le temps que quiconque réalise ce dont ils parlaient, ils seraient en train de voler à toute allure en direction des Ruines rouillées.

Zane appuya son poignet contre le bord de la table, et grimaça.

— O.K. Vas-y.

Tally inspira profondément, les mains tremblantes sur les commandes. Elle ferma les yeux : *C'est bon, fais-le, maintenant...*

Mais ses doigts refusèrent de lui obéir.

Prise de vertige, elle songea à tout ce qui pouvait mal tourner. Elle s'imagina en train d'emmener Zane à l'hôpital, le bras gauche réduit à l'état de pulpe. Elle se représenta les Specials en train de faire irruption dans le hangar et mettre fin à cette folie. Elle se demanda si Zane ne s'était pas trompé dans ses calculs, et s'il avait bien pris en compte que le bracelet aurait légèrement rétréci à cause du froid.

Tally s'arrêta sur cette idée, en se disant qu'elle ferait peut-être bien de lui poser la question. Elle ouvrit les yeux. Le bracelet mouillé scintillait comme de l'or à la lueur jaune des voyants du broyeur.

— Tally... vas-y !

Le froid faisait se contracter le métal, mais la chaleur... Tally jeta un coup d'œil en direction de la souffleuse de verre, à l'autre bout du hangar, totalement étrangère à la chose violente, horrible, sur le point de se produire.

— Tally ! dit doucement Fausto.

La chaleur ferait se dilater le bracelet...

La femme tenait entre ses mains le verre chauffé au rouge, en le retournant pour l'examiner sous toutes les coutures. *Comment parvenait-elle à manipuler du verre fondu ?*

— Tally, insista Fausto. Si tu préfères, je peux…

— Une minute, dit-elle en ôtant les mains des commandes du broyeur.

— Quoi ? s'écria Zane.

— Restez là.

Elle arracha la carte mémoire de la fente du broyeur, ignorant les cris de protestation derrière elle, et courut le long des tours et des fourneaux jusqu'au fond du hangar. À son approche, la femme leva vers elle un regard placide, avec le sourire paisible des grands Pretties.

— Salut, ma chérie.

— Salut. C'est magnifique, dit Tally.

Le sourire se fit plus chaleureux.

— Merci.

Tally voyait les mains de la femme, maintenant, qui jetaient des reflets argentés à la lueur rougeoyante.

— Vous portez des gants, c'est ça.

La femme s'esclaffa.

— Bien sûr ! Il fait plutôt chaud à l'intérieur de ce fourneau, tu sais.

— Mais vous ne le sentez pas ?

— Pas à travers ces gants. Le matériau dont ils sont faits a été inventé pour le retour des navettes spatiales dans l'atmosphère. Il peut supporter quelques milliers de degrés.

Tally hocha la tête.

— Ils ont l'air superminces, dites donc. De là-bas, je ne voyais même pas que vous en portiez.

— C'est vrai, admit gaiement la femme. Ils permettent de sentir chaque détail de la texture du verre.

— Waouh! (Tally afficha un joli sourire. Les gants pourraient donc être glissés *sous* les bracelets.) Où puis-je m'en procurer une paire?

La femme indiqua une armoire d'un coup de menton. Tally l'ouvrit et découvrit des dizaines de gants à l'intérieur. Leur matériau réfléchissant scintillait comme de la neige fraîche. Elle en sortit deux.

— Ils sont tous de la même taille?

— Ouais. Ils s'étirent pour remonter au-dessus du coude, expliqua la femme. Par contre, jette-les après usage. Ils ne marchent pas aussi bien la deuxième fois.

— Pas de problème.

Tally se détourna en serrant les gants, gagnée par un soulagement profond à l'idée qu'elle n'aurait pas à presser les poignées, à regarder le broyeur se refermer sur la main de Zane. Un nouveau plan, bien meilleur, se mettait en place dans son esprit – elle savait exactement où trouver une flamme assez puissante, qu'ils pourraient emporter jusqu'à la lisière de la ville.

— Attends une seconde, Tally, dit la femme d'un ton soucieux.

Tally se figea, réalisant que l'autre l'avait reconnue. Bien sûr, quiconque regardait les infos connaissait le visage de Tally Youngblood à présent.

— Heu... oui?

— Tu as pris deux gants gauches. (La femme s'esclaffa.) Je ne sais pas quelle blague tu nous manigances, mais ça ne te servirait pas à grand-chose.

Tally laissa un petit rire s'échapper de ses lèvres. *C'est ce que tu crois.* Mais elle retourna piocher deux gants droits dans l'armoire. Cela ne pouvait pas faire de mal de se protéger les deux mains.

— Merci pour votre aide, dit-elle.

— Pas de problème. (La femme lui adressa un beau sourire, puis se détourna, examinant les courbes du verre.) Sois quand même prudente.

— Bien sûr, toujours! Ne vous en faites pas, dit Tally.

DÉTOURNEMENT

— Tu rigoles? Comment veux-tu en réquisitionner un au beau milieu de la nuit? demanda Fausto.

— On ne pourra pas. Il va falloir le détourner. (Tally jeta son sac à dos par-dessus son épaule et claqua des doigts à l'intention de sa planche.) En fait, nous devrions en prendre plusieurs. Plus nous serons nombreux à nous enfuir comme ça, mieux ce sera.

— Les détourner? dit Zane, vérifiant l'écharpe enroulée de nouveau à son bras. Les voler, tu veux dire?

— Non, nous demanderons gentiment. (Elle sourit.) N'oublie pas, Zane, nous sommes les Crims. Des célébrités! Suis-moi.

En dehors du hangar, elle sauta sur sa planche et prit la direction du milieu de l'île, où les pointes des tours de fête étaient déjà entourées de parapentes, de ballons à air chaud et de feux d'artifice. Les deux autres se hâtèrent derrière elle.

— Passe le mot au reste des Crims, cria-t-elle à Fausto. Explique-leur qu'il y a un changement de plan.

Il quêta du regard l'approbation de Zane, puis

acquiesça, soulagé que l'idée du broyeur soit remplacée par quelque chose de moins brutal.

— Avec combien d'entre nous veux-tu monter?

— Neuf ou dix, répondit-elle. Tous ceux qui n'ont pas le vertige – les autres n'ont qu'à partir en planche, comme prévu. Nous serons prêts dans vingt minutes. Retrouve-nous au centre de la ville.

— J'y serai, dit Fausto avant de virer et de s'éloigner dans le ciel nocturne.

Tally se tourna vers Zane.

— Ça va?

Il hocha la tête, faisant jouer les doigts de sa main gantée.

— Ça ira. Il me faut juste un peu de temps pour changer de braquet.

Elle rapprocha sa planche de celle de Zane et lui prit la main.

— C'était courageux, ton plan.

Il secoua la tête.

— Surtout débile, tu veux dire.

— Ouais, peut-être, mais si nous n'étions pas passés au hangar, je n'aurais jamais eu cette idée.

Il sourit.

— Je suis bien content que tu l'aies fait, pour te dire la vérité. (Il agita de nouveau sa main, puis tendit le doigt devant eux.) En voilà deux.

Elle suivit son regard: une paire de ballons à air chaud flottait comme deux grosses têtes chauves au-dessus d'une tour de fête. Les amarres qui les retenaient en place reflétaient la lueur vacillante des fusées d'artifice.

— Parfait, dit-elle.

— Un seul problème, dit Zane. Comment allons-nous monter aussi haut sur nos planches?

Elle réfléchit un moment.

— En faisant très attention.

Ils grimpèrent plus haut qu'elle ne l'avait jamais osé, s'élevant lentement le long de la tour de fête. La charpente métallique du bâtiment offrait à peine assez de poussée aux suspenseurs de leurs planches, et Tally sentit la sienne trembler un peu sous ses pieds, comme à l'extrémité du grand plongeoir quand elle était gamine. Au bout d'une minute interminable, ils parvinrent à l'endroit où l'un des ballons était amarré. Tally toucha le câble glissant de pluie avec sa main nue.

— Aucun problème. C'est du métal.

— Ouais, mais est-ce que ça représente *suffisamment* de métal? s'inquiéta Zane.

Tally haussa les épaules.

Il roula des yeux.

— Et tu trouvais mon idée trop risquée! O.K., je prends celui qui a l'air stupide.

Il contourna la tour jusqu'à l'endroit où le deuxième ballon se balançait dans la brise. Dans son enveloppe de nylon rose, il avait la forme d'une gigantesque tête de cochon, avec des oreilles protubérantes et deux grands yeux.

Au moins, son propre ballon avait une couleur normale: argenté, d'un matériau réfléchissant, avec une bande bleue au niveau de son équateur. De la nacelle lui parvinrent le bruit d'un bouchon de champagne qui sautait, puis des rires. Il n'était pas loin, mais l'atteindre serait délicat.

Son regard suivit le câble, qui descendait avant de remonter jusqu'à son attache, sous la nacelle. Il bougeait sans cesse ; le ballon descendait lentement à mesure que l'air se refroidissait dans son enveloppe, mais Tally savait qu'il bondirait et tendrait le câble si le brûleur s'allumait. Pire, les Air-chaud pouvaient se lasser de rester à la même place et vouloir s'offrir une petite virée nocturne ; ils détacheraient alors l'amarre, ne laissant que le vide entre Tally et le sol.

Zane avait raison : ce n'était pas la façon la plus commode d'obtenir un ballon. Hélas, ils n'avaient pas le temps d'en réquisitionner un dans les règles, ou d'attendre que les Air-chaud dans la nacelle s'ennuient et décident d'atterrir. S'ils voulaient atteindre les Ruines rouillées avant l'aube, l'évasion ne devait pas tarder. Quelqu'un trouverait peut-être Shay pendant que ce nouveau plan se déroulait.

Tally s'éleva encore le long de la tour, jusqu'à ce que le câble d'amarrage soit juste sous le milieu de sa planche. Une légère poussée contre la tour la propulsa en plein ciel, en équilibre au-dessus du câble comme une funambule sur une planche de bois.

Elle progressa lentement, poussant au maximum la capacité de ses suspenseurs dont les doigts magnétiques invisibles tremblaient sur le câble. Une ou deux fois, la planche frotta contre les mailles de ces derniers, au grand effroi de Tally ; elle vit le ballon s'enfoncer un peu tandis que son poids compromettait le fragile équilibre entre l'air chaud et la gravité.

Tally descendit jusqu'au point le plus bas, puis entreprit de remonter en direction du ballon. Sa planche se mit à trembler de plus en plus à mesure qu'elle s'éloignait de la tour, jusqu'à ce qu'elle soit certaine que les suspenseurs ne lâchent pas, pour la précipiter dans le vide depuis une hauteur de cinquante mètres. De si haut, le blocage de la chute serait autrement plus brutal avec des bracelets anticrash qu'avec un gilet de sustentation – elle risquait au moins de se disloquer une épaule.

Bien sûr, c'était peu de chose en comparaison de ce que le broyeur aurait pu lui infliger.

Pourtant, les suspenseurs tinrent bon; la planche continua son ascension en direction de la nacelle. Quelques cris fusèrent du balcon de la tour derrière elle, et Tally comprit que Zane et elle étaient repérés. À quel nouveau jeu intense les Pretties étaient-ils en train de se livrer?

Un visage apparut à la rambarde de la nacelle, affichant un air surpris.

— Hé, regardez! Nous avons de la visite!

— Quoi? Comment ça?

Les trois autres Pretties dans le ballon se pressèrent à la rambarde pour la voir monter. Ce mouvement fit trembler le câble, arrachant un juron à Tally qui sentit la planche osciller dangereusement sous ses pieds.

— Restez tranquilles, là-haut! cria-t-elle. Et ne touchez pas au cordon du brûleur!

Ses ordres secs furent accueillis par un silence, mais au moins, les Air-chaud cessèrent de s'agiter.

Une minute plus tard, la planche vacillante de Tally l'avait pratiquement amenée à portée de main de la nacelle. Elle plia les genoux, bondit et connut un bref instant de chute libre avant d'agripper la rambarde. Des mains jaillirent pour la hisser, et bientôt, Tally se retrouvait à bord, face à quatre Air-chaud aux yeux écarquillés. Soulagée de son poids, sa planche s'éleva facilement jusqu'à elle et elle n'eut plus qu'à la récupérer.

— Waouh! Comment as-tu fait ça?

— Je ne savais pas qu'une planche magnétique pouvait voler aussi haut!

— Hé, tu es Tally Youngblood!

— En personne. (Elle sourit et se pencha par-dessus bord. Le ballon, entraîné par son poids et celui de sa planche, se rapprochait du sol.) Dites, j'espère que ça ne vous ennuie pas de poser ce truc. Mes amis et moi avons l'intention de faire une petite virée.

Le temps que le ballon regagne la pelouse face à la résidence Garbo, un groupe de Crims sur leurs planches magnétiques était arrivé, Fausto à sa tête. Tally vit le ballon-cochon de Zane se poser à proximité et s'immobiliser après un léger rebond.

— Ne descendez pas tout de suite! dit-elle aux Air-chaud du ballon détourné. Je ne tiens pas à voir ce ballon s'envoler à vide.

Ils attendirent que Peris et Fausto les rejoignent et grimpent dans la nacelle.

— À combien peut-on embarquer, Tally? demanda Fausto.

La nacelle était faite en osier. Tally passa la main sur les tiges entrelacées, qui restaient le matériau idéal quand on voulait quelque chose de résistant, souple et léger.

— Disons quatre personnes par ballon.

— Qu'est-ce que vous allez faire ? osa s'enquérir l'un des Air-chaud.

— Vous verrez bien, répondit Tally. Et quand on viendra vous interviewer pour les infos, racontez tout dans les moindres détails.

Les quatre la dévisagèrent en écarquillant les yeux, conscients qu'ils allaient devenir célèbres.

— Par contre, ne dites rien à personne avant au moins une heure. Sinon, la blague risque de tomber à l'eau et ça ne fera pas une aussi bonne histoire.

Ils acquiescèrent docilement.

— Comment relâche-t-on le câble ? demanda Tally, prenant soudain conscience qu'elle n'était encore jamais montée dans un ballon.

— En tirant sur ce cordon, expliqua l'un des Air-chaud. Et quand vous voudrez qu'un aérocar vienne vous récupérer, il suffira d'appuyer sur ce bouton.

Tally sourit. Voilà un dispositif dont ils n'auraient pas besoin.

En voyant son expression, l'un des Air-chaud déclara :

— J'ai l'impression que vous embarquez pour un sacré voyage, pas vrai ?

Tally marqua une pause, sachant que sa réponse passerait aux infos, puis se transmettrait à travers des générations d'Uglies et de jeunes Pretties. Elle devait courir le risque de dire la vérité, comprit-elle. Ces quatre-là n'iraient pas compromettre leur quart d'heure de gloire en alertant les autorités avant qu'il ne soit trop tard.

— Nous partons pour La Nouvelle-Fumée, dit-elle d'une voix claire.

Ils la contemplèrent avec incrédulité.

Un os à ronger pour vous, docteur Cable! songea-t-elle gaiement.

La nacelle trembla, et en se retournant, Tally vit que Zane avait sauté à bord.

— Ça t'ennuie si je monte avec vous? Ils sont déjà quatre dans mon ballon, dit-il. Un autre groupe est parti en détourner un troisième.

— Le reste est prêt à décoller à notre signal, annonça Fausto.

Tally hocha la tête. Tant que Zane et elle s'enfuyaient en ballon, peu importait la manière dont les autres suivaient. Elle regarda le brûleur accroché au-dessus de leurs têtes, ronflant comme un réacteur au ralenti, prêt à chauffer de nouveau l'air enfermé dans l'enveloppe. Tally espérait simplement qu'il serait assez puissant pour dilater leurs bracelets d'interface, ou au moins détruire les transmetteurs qu'ils contenaient.

Elle sortit de sa poche les gants ignifugés et en tendit une paire à Zane.

— Un bien meilleur plan, Tally, la complimenta-t-il en regardant le brûleur. Un fourneau volant. Le temps de nous libérer, et nous aurons atteint la limite de la ville.

Elle lui sourit, puis dit aux Air-chaud :

— O.K., les amis. Vous pouvez descendre maintenant. Merci pour votre aide, et rappelez-vous de ne parler de tout ça à personne avant au moins une heure.

Ils firent oui de la tête, sautèrent un à un de la nacelle et se reculèrent sur quelques mètres tandis que

231

le ballon, allégé, se balançait impatiemment dans la brise.

— Prêts ? cria Tally à l'adresse du ballon-cochon.

Les Crims dans la nacelle lui répondirent en levant le pouce. Un troisième ballon descendait non loin ; il repartirait bientôt. Plus il y aurait de ballons détournés, mieux ce serait. S'ils abandonnaient tous leurs bagues d'interface dans les nacelles au moment de sauter, les gardiens allaient avoir une nuit chargée.

— Tout est paré, fit Zane d'une voix douce. Allons-y.

Le regard de Tally balaya l'horizon – embrassant la résidence Garbo, les tours de fête, les lumières de New Pretty Town – l'univers auquel elle avait aspiré toute sa vie d'Ugly. Elle se demanda si elle reverrait jamais la ville.

Bien sûr, Tally devrait revenir au cas où Shay n'avait pas pu être prévenue d'ici là. Ses scarifications n'étaient rien d'autre qu'un moyen de lutter pour se guérir. Tally ne la laisserait pas tomber, et peu importait de savoir si Shay la haïssait.

— O.K., en route, dit-elle avant de murmurer : Désolée, Shay. Je reviendrai te chercher.

Elle leva le bras et tira le cordon d'ascension. Le brûleur se mit à rugir à pleine puissance, une chaleur cuisante descendit sur eux et l'enveloppe enfla au-dessus de leurs têtes. Le ballon s'arracha au sol.

— Wahou ! s'écria Peris. C'est parti !

Fausto poussa un hululement et libéra l'amarre, qui se détacha dans un balancement de nacelle.

Tally croisa le regard de Zane. Ils s'élevaient rapidement désormais, dépassant le sommet de la tour de fête, salués d'une voix pâteuse par une douzaine de Pretties au balcon.

— Je pars pour de bon, dit Zane. Enfin.

Elle sourit. Zane ne se déroberait pas, cette fois-ci. Elle ne le laisserait pas faire.

Le ballon s'éloigna à bonne allure de la tour de fête en contrebas, grimpant plus haut que le plus grand immeuble de New Pretty Town. Tally distinguait le ruban argenté du fleuve autour d'eux, les ténèbres d'Uglyville ainsi que les lumières ternes de la banlieue dans toutes les directions. Bientôt, ils seraient assez haut pour apercevoir la mer.

Elle relâcha le cordon d'ascension, réduisant le brûleur au silence. Ils ne tenaient pas à prendre trop d'altitude. Les ballons n'étaient pas suffisamment rapides pour échapper aux aérocars des gardiens ; ils allaient avoir besoin de leurs planches pour cela. Bientôt, ils devraient sauter en chute libre jusqu'à ce que leurs planches accrochent la grille magnétique de la ville et les rattrapent.

Plus aléatoire qu'un saut en gilet de sustentation, mais pas trop dangereux tout de même, espérait Tally. Jetant un regard vers le bas, elle secoua la tête avec un soupir. Elle avait parfois l'impression que sa vie se résumait à une succession de chutes de plus en plus vertigineuses.

Tally vit que le vent les emportait rapidement maintenant, poussant le ballon loin de la mer, même si l'air paraissait curieusement immobile autour d'eux. *Bien sûr*, réalisa-t-elle. Le ballon se déplaçait avec les courants aériens, comme si le monde défilait sous ses pieds sans qu'elle bouge.

Ils partaient dans la direction opposée aux Ruines

rouillées, mais il y avait de nombreuses rivières autour de la ville, dont le lit riche en dépôts minéraux pouvait soutenir une planche magnétique. Les Crims avaient prévu de se disperser au hasard – tout le monde savait comment regagner les ruines, quel que soit l'endroit où le vent les entraînerait.

Tally laissa tomber son gros manteau, ses bracelets anticrash et ses gants au fond de la nacelle. Le brûleur rougeoyant continuait à dégager de la chaleur, de sorte qu'elle n'avait pas trop froid. Elle sortit ses gants ignifugés, enfila le gauche sous son bracelet d'interface et le remonta au-dessus du coude, presque jusqu'à l'aisselle. Face à elle, Zane se préparait lui aussi.

Ne leur restait plus qu'à mettre les bracelets à portée de la flamme.

Elle leva la tête. Le brûleur était fixé à la nacelle sur un cadre à huit bras, déployé au-dessus d'eux telle une araignée de métal géante. Posant un pied sur la rambarde, elle s'accrocha au cadre et se hissa debout. Du haut de son perchoir précaire, Tally jeta un coup d'œil à la ville en contrebas, espérant que le ballon n'aille pas se balancer brusquement sous l'effet d'une rafale.

Elle prit une grande inspiration.

— Fausto, le signal.

Il hocha la tête et alluma sa pièce d'artifice, qui se mit à siffler puis à cracher des boules de feu vertes et violettes. Le signal fut repris par les Crims des autres ballons, puis se propagea à travers l'île en une série de panaches colorés. Ils ne pouvaient plus reculer désormais.

— O.K., Zane, dit-elle. Débarrassons-nous de ces trucs.

BRÛLEUR

Les quatre tuyères du brûleur encore rouges se trouvaient juste à un mètre du visage de Tally, dégageant de la chaleur dans la nuit froide. Elle allongea le bras et en toucha une avec prudence. La femme dans le hangar lui avait dit la vérité : Tally sentit parfaitement le bord de la tuyère à travers le matériau ignifugé du gant, elle perçut même une petite bosse au niveau de la soudure. Mais elle n'avait pas la moindre impression de température ; le brûleur n'était ni chaud ni froid... rien. C'était une sensation étrange, comme si elle avait plongé la main dans une eau à température du corps.

Elle regarda Zane, qui s'était hissé de l'autre côté du brûleur.

— Ça marche vraiment, Zane. Je ne sens rien du tout.

Il examina sa propre main gantée, dubitatif.

— Deux mille degrés, tu dis ?

— C'est ça. (À condition d'ajouter foi aux statistiques lâchées par une souffleuse de verre au beau milieu de la nuit.) Je vais commencer la première, proposa-t-elle.

— Pas question. On le fait ensemble.

— Ne sois pas à ce point théâtral. (Elle baissa les yeux vers Fausto, lequel était aussi pâle que lorsque Zane avait mis sa main dans le broyeur.) À mon signal, donne une petite traction au cordon du brûleur, la plus brève possible.

— Attendez! s'exclama Peris. Qu'est-ce que vous êtes en train de fabriquer?

Tally réalisa que personne n'avait pris le temps de lui expliquer leur plan. Il la regardait avec un air de confusion totale. Toutefois, l'heure n'était plus aux explications.

— Ne t'en fais pas, on porte des gants, dit-elle en plaçant sa main gauche au-dessus du brûleur.

— Des *gants*? répéta Peris.

— Ouais… Des gants spéciaux. Vas-y, Fausto! cria Tally.

Une onde de chaleur la frappa soudain dans la clarté aveuglante de la flamme du brûleur. Tally ferma les yeux, soufflée au visage comme par le vent du désert. Un cri horrifié s'échappa des lèvres de Peris.

Une demi-seconde plus tard, le brûleur s'arrêtait.

Tally rouvrit les yeux, la vision envahie de papillons jaunes. Mais elle vit ses doigts s'agiter devant elle, toujours entiers.

— Je n'ai rien senti du tout! cria-t-elle.

Clignant des paupières pour chasser les images résiduelles de la flamme, elle vit que son bracelet en métal luisait un peu. Il ne paraissait pas plus grand, cependant.

— Qu'est-ce que vous fichez? cria Peris.

Fausto lui intima de se taire.

— Très bien, dit Zane en plaçant à son tour la main

sur le brûleur. Faisons vite. Ils doivent se douter de quelque chose, maintenant.

Tally acquiesça – le bracelet avait dû détecter la chaleur de la flamme. Comme le pendentif que le docteur Cable lui avait remis avant son départ pour La Fumée, il était probablement conçu pour émettre une sorte de signal en cas de dommages. Elle prit une profonde goulée d'air, mit sa main à côté de celle de Zane et baissa la tête.

— O.K., Fausto. Rallume jusqu'à ce que je te dise d'arrêter !

Une autre vague de chaleur ardente se déversa au-dessus de Tally. Peris la regardait d'en bas : son expression terrifiée prenait une allure démoniaque à la lueur du brasier, au point qu'elle dut se détourner de lui. L'enveloppe se tendit encore, et le ballon fut tiré vers le haut par sa cargaison d'air surchauffé. La nacelle se balança, obligeant Tally à resserrer sa prise sur le cadre.

Son épaule gauche, recouverte de son seul T-shirt, encaissait le gros de la chaleur. Au-delà de la protection du gant, la peau lui cuisait comme sous un méchant coup de soleil. Un filet de sueur lui coula dans le dos.

Curieusement, les parties de son corps les moins sensibles à la chaleur étaient ses mains gantées, y compris la gauche, pourtant au cœur de la fournaise. Elle se représenta le bracelet caché dans la flamme en train de virer au rouge, puis au blanc... se dilatant peu à peu.

Après ce qui lui parut une longue minute, elle cria :

— Ça va, arrête !

Le brûleur s'interrompit, et l'air se rafraîchit aussitôt autour d'elle, dans la nuit soudain noire. Tally se redressa, toujours debout sur le rebord de la nacelle, et cligna des paupières, impressionnée par le calme et le silence environnants lorsque la flamme était coupée.

Elle retira la main du brûleur : le bracelet chauffé au blanc était parcouru de reflets bleus hypnotiques, et une odeur de métal fondu parvint à ses narines.

— Vite, Tally ! s'écria Zane en sautant au fond de la nacelle. (Il entreprit de tirer sur son bracelet.) Ne les laissons pas refroidir !

Elle bondit de son perchoir et se mit à tirer – heureuse d'avoir pris deux gants pour chacun d'eux. Le bracelet glissa le long de son bras, et buta à l'endroit habituel. Elle examina le ruban brillant avec un plissement des yeux, et voulut voir s'il s'était dilaté. Il paraissait plus grand, mais le gant ignifugé était peut-être plus épais qu'elle ne l'avait cru, au point d'absorber la différence.

Tally pressa les doigts de sa main gauche les uns contre les autres et tira de nouveau ; le bracelet gagna un centimètre de plus. Il continuait à dégager de la chaleur, mais sa couleur virait petit à petit au rouge terne, perdant en luminosité… Allait-il se refroidir autour de sa main, et lui broyer le poignet ?

Elle serra les dents et tira une dernière fois, de toutes ses forces… et le bracelet glissa, tombant au fond de la nacelle comme un charbon ardent.

— Oui !!!

Enfin, elle était libre !

Tally leva la tête vers les autres. Zane continuait ses efforts ; Fausto et Peris sautillaient pour éviter le bracelet rougeoyant qui roulait, sifflant et fumant, sur le plancher de la nacelle.

— J'ai réussi, dit-elle doucement. Je l'ai retiré.

— Pas moi, grommela Zane. (Il poussa un juron et grimpa de nouveau sur le rebord de la nacelle.) Rallume.

Fausto acquiesça et déclencha encore une longue giclée de flamme.

Tally se détourna de la chaleur, regardant la ville en contrebas, et s'efforça de chasser les taches lumineuses qui dansaient devant ses yeux. Ils avaient franchi la ceinture de verdure et survolaient maintenant la banlieue. Elle voyait approcher la ceinture industrielle, éclairée par ses veilleuses de travail orange et, au-delà, la noirceur absolue qui marquait la lisière de la ville.

Ils allaient devoir sauter bientôt. D'ici quelques minutes, ils auraient dépassé la grille métallique enterrée sous la ville. Sans cette grille, les planches ne pourraient pas voler ni même rattraper leur chute, et ils seraient contraints d'atterrir en catastrophe au lieu de s'éjecter.

Elle contempla l'enveloppe boursouflée : combien de temps faudrait-il au ballon, qui continuait à grimper, pour regagner le sol ? Peut-être qu'en déchirant l'enveloppe pour redescendre plus rapidement… mais à quelle vitesse risquaient-ils de s'écraser à bord d'un ballon déchiré ? Et avec des planches magnétiques inertes, les quatre fugitifs devraient marcher jusqu'à ce qu'ils atteignent une rivière, laissant tout le temps aux gardiens de retrouver leur ballon et de remonter leur piste.

— Allez, Zane ! dit Tally. On n'a plus le temps !

— Je me dépêche ! O.K. ?

— D'où vient cette odeur ? demanda Fausto.

— Hein ?

Tally reporta son attention sur la nacelle, humant l'air encore chaud.

Quelque chose était en train de brûler.

LA LISIÈRE DE LA VILLE

— C'est nous! cria Fausto.

Il fit un bond en arrière, lâchant le cordon du brûleur pour fixer le fond de la nacelle.

Tally le sentit à son tour: de l'osier qui brûlait, comme une odeur de branchage jeté sur un feu de camp. Le bracelet chauffé au rouge avait enflammé le plancher de la nacelle!

Elle regarda Zane toujours perché sur la rambarde – ignorant les cris de panique des autres, il tirait furieusement sur son propre bracelet. Peris et Fausto sautillaient partout, dans l'espoir de localiser la source de l'odeur.

— Calmez-vous! dit-elle. On peut toujours sauter!

— Pas moi! Pas encore, cria Zane toujours en plein effort.

Peris, pour sa part, semblait sur le point de s'éjecter du ballon sans se donner la peine de prendre sa planche.

Tally regarda à ses pieds, et vit une bouteille, laissée par les Air-chaud. Elle la ramassa avec ses mains gantées, et s'aperçut qu'elle était pleine.

— Pas de panique, les gars, dit-elle. (Avec l'aisance

d'une longue pratique, elle arracha le papier d'aluminium, plaça les deux pouces sous le bouchon et le fit sauter. Il s'envola dans la nuit.) Je maîtrise la situation.

Une mousse sortit de la bouteille, et Tally boucha le goulot avec le pouce. Secouant la bouteille, elle arrosa de champagne le fond de la nacelle. Un grésillement rageur monta de l'osier en combustion lente.

— Je l'ai ! s'écria Zane au même instant.

Son bracelet tomba et vint rouler aux pieds de Tally, qui vida calmement le reste de sa bouteille dessus. À l'odeur de métal fondu se mêlait désormais la saveur douceâtre du champagne bouilli.

Ébahi, Zane fixait sa main gauche libérée. Il ôta ses gants ignifugés et les jeta par-dessus bord.

— Ça a marché ! dit-il en serrant Tally dans ses bras.

Elle rit, laissa tomber la bouteille sur le plancher et arracha ses propres gants.

— Nous aurons le temps pour ça plus tard. Fichons le camp d'ici.

— O.K. (Il posa sa planche en équilibre sur le bord de la nacelle et regarda en bas.) Mince, on est haut.

Fausto tira sur un cordon qui pendait de l'enveloppe.

— Je vais lâcher un peu d'air chaud – ça devrait nous faire descendre.

— Pas le temps ! cria Tally. Nous sommes presque au bout de la ville. Si nous sommes séparés, retrouvons-nous dans le plus grand immeuble des ruines. Et surtout, ne lâchez pas votre planche en sautant !

Tous se précipitèrent pour enfiler leur sac à dos, en

se bousculant dans l'espace réduit; Zane et Tally se hâtèrent de remettre leur manteau ainsi que leur bracelet anticrash. Fausto enleva sa bague d'interface, qu'il lança au fond de la nacelle, puis empoigna sa planche et sauta avec un grand cri. Débarrassé de son poids, le ballon fit un bond en hauteur.

Quand Zane fut prêt, il se tourna pour embrasser Tally.

— On a réussi, Tally. Nous sommes libres !

Elle le regarda dans les yeux, prise de vertige à l'idée qu'ils étaient enfin là, au bord de la ville, au commencement de la liberté.

— Ouais. On a réussi.

— À tout à l'heure en bas. (Il jeta un coup d'œil par-dessus son épaule en direction de la terre lointaine, puis se retourna vers elle.) Je t'aime.

— À tout à l'... répondit-elle, mais les mots s'étranglèrent dans sa gorge. (Il lui fallut un moment pour se repasser dans la tête ce que Zane venait de dire. Elle parvint finalement à répondre.) Oh ! Moi aussi.

Il s'esclaffa, puis bascula par-dessus bord en poussant un cri inarticulé. La nacelle oscilla de nouveau sous le poids des deux passagers restants.

Tally cligna des yeux, un instant éblouie par les paroles inattendues de Zane. Mais ce n'était pas le moment de retomber dans la belle mentalité ; elle devait sauter maintenant.

Elle resserra les sangles de son sac à dos, puis hissa sa planche par-dessus la rambarde.

— Dépêche-toi ! cria-t-elle à Peris.

Il restait là immobile, à contempler la nuit.

— Qu'est-ce que tu attends ? cria-t-elle.

Il secoua la tête.

— Je ne peux pas.

— Bien sûr que si! La planche freinera ta chute, il suffit de s'accrocher! cria-t-elle. Saute! La gravité fera le reste.

— Ce n'est pas la chute, Tally, dit Peris. (Il se tourna face à elle.) Je n'ai pas envie de m'enfuir.

— Quoi?

— Je n'ai pas l'intention de quitter la ville.

— Mais c'est l'occasion qu'on attendait!

— Pas moi. (Il haussa les épaules.) Ça me plaît d'être un Crim, de me sentir intense. Je n'aurais jamais cru que les choses iraient aussi loin...

— Peris...

— Je sais que vous avez déjà vécu dans la nature, Shay et toi. Et Zane et Fausto ont toujours parlé de s'enfuir. Moi, je ne suis pas comme vous.

— Mais toi et moi, nous étions...

La voix de Tally s'étrangla. Elle était sur le point de dire «amis pour la vie», cependant la vieille expression ne lui venait plus aussi naturellement. Peris n'avait pas connu La Fumée, ni eu affaire aux Special Circumstances; il n'avait même jamais affronté le moindre souci. Tout s'était toujours déroulé sans accroc pour lui. Leurs vies étaient si différentes, et depuis si longtemps.

— Tu es sûr de vouloir rester?

Il acquiesça.

— Certain. Mais je peux quand même t'aider. Je vais les balader un peu. Rester en l'air aussi longtemps que je pourrai, puis je presserai le bouton de secours. Il faudra bien qu'ils viennent me récupérer.

Tally voulut encore tenter de le convaincre, mais elle se rappela la nuit où elle avait franchi le fleuve après l'opération de Peris, afin de lui rendre visite à la résidence Garbo. Il s'était adapté très vite ; il avait tout de suite été chez lui à New Pretty Town.

Pourtant, elle ne pouvait se décider à l'abandonner.

— Peris, réfléchis un peu. Sans nous, tu vas bientôt cesser d'être intense. Tu vas redevenir un Pretty dans la tête.

Il lui sourit d'un air triste.

— Je m'en fiche, Tally. Je n'ai pas besoin de me sentir intense.

— Ah bon ? Tu ne trouves pas que c'est tellement... mieux ?

Il haussa les épaules.

— C'est excitant. Mais on ne peut pas lutter éternellement contre le cours des choses. À un moment ou un autre, il faut bien...

— Renoncer ?

Peris acquiesça sans se départir de son sourire attristé, comme si pour lui renoncer n'était pas si grave, comme si se battre n'avait représenté jusqu'ici qu'un divertissement.

— O.K. Reste, si c'est ce que tu veux. (Elle se détourna, craignant d'ajouter quoi que ce soit. Mais en se penchant par-dessus la nacelle, elle ne vit que du noir.) Mince ! lâcha-t-elle.

La ville avait disparu. Il était trop tard pour sauter.

Côte à côte, ils fixèrent un moment les ténèbres, tandis que le vent les emportait de plus en plus loin.

Peris finit par rompre le silence.

— On va bien finir par redescendre, non?

— Pas assez vite. (Elle soupira.) Les gardiens doivent déjà savoir que nos bracelets ont grillé. Ils ne vont pas tarder à venir voir de quoi il retourne. On est faits comme des rats.

— Désolé, je ne voulais pas tout gâcher.

— Tu n'y es pour rien. C'est moi qui ai trop attendu.

Tally sentit sa gorge se nouer. Zane saurait-il un jour ce qui s'était passé? Croirait-il qu'elle avait fait une chute mortelle? Ou qu'elle avait renoncé à s'enfuir?

Quoi qu'il puisse penser, Tally vit leur avenir commun s'estomper, disparaître comme les lumières de la ville dans le lointain. Quel traitement les Special Circumstances réserveraient-ils à son cerveau une fois qu'ils lui auraient remis la main dessus?

Elle regarda Peris.

— Je croyais sincèrement que tu voulais venir.

— Non, j'ai juste suivi le mouvement. Je trouvais excitant d'être un Crim, et puis vous étiez mes amis, ma bande. Qu'aurais-je dû faire? Me disputer avec vous? Les disputes, c'est foireux.

Elle secoua la tête.

— Et moi qui te croyais intense…

— Je le suis, Tally. Il se trouve que je n'ai pas envie de me sentir plus intense que ce soir, c'est tout. J'aime bien enfreindre les règles, mais vivre *au-Dehors*?

Il fit un geste en direction des étendues sauvages en contrebas, noyées dans un océan de ténèbres froides et inamicales.

— Pourquoi ne pas m'en avoir parlé avant?

— Je ne sais pas. Avant de me retrouver ici, je n'avais pas réalisé que vous étiez vraiment décidés à… ne jamais revenir.

Tally ferma les yeux, se remémorant ce qu'on ressentait quand on avait l'esprit pretty – lorsque tout semblait vague et flou, que le monde n'était qu'une source de loisirs et l'avenir un brouillard. Quelques bons tours ne suffisaient pas à rendre chacun intense, semblait-il ; il fallait *vouloir* changer de mentalité. Peut-être que certaines personnes avaient toujours été Pretties dans leur tête, avant même que l'on invente l'Opération.

Peut-être que certaines personnes étaient plus heureuses ainsi.

— Tu n'as qu'à rester avec moi, dit-il en l'entourant de son bras. Tout sera comme on l'avait rêvé. Toi et moi, Pretties, amis pour la vie.

Tally secoua la tête, gagnée par un sentiment de nausée.

— Ne compte pas sur moi, Peris. Même s'ils me ramènent, je trouverai un moyen de m'échapper.

— Pourquoi es-tu si malheureuse ici ?

Elle soupira, face à l'obscurité. Zane et Fausto devaient déjà se diriger vers les ruines, en s'imaginant qu'elle les suivait. Comment avait-elle pu laisser échapper cette occasion ? La ville réussissait une fois de plus à la récupérer. Était-elle semblable à Peris, au fond d'elle-même ?

— Pourquoi suis-je malheureuse ? répéta Tally. Parce que la ville fait de toi ce qu'*elle* veut que tu sois, Peris. Et je veux être moi-même. Voilà pourquoi.

Il lui pressa l'épaule et lui adressa un regard triste.

— Mais nous sommes meilleurs aujourd'hui qu'autrefois. Ils ont peut-être de bonnes raisons de nous transformer, Tally.

— Leurs raisons n'ont aucune valeur si je n'ai pas le choix, Peris. Et ils ne laissent aucun choix à personne.

Elle fit glisser la main de Peris de son épaule, regardant la ville au loin. Des feux clignotants s'élevaient dans les airs – une flottille d'aérocars en train de se rassembler. Elle se souvint que les aérocars des Specials volaient grâce à des pales tournoyantes, pareilles à celles des vieux hélicoptères des Rouillés, de sorte qu'ils pouvaient sortir des limites de la grille. Ils se dirigeaient par ici, c'était probable, en se guidant sur le dernier signal des bracelets.

Elle devait s'éloigner de ce ballon sans perdre une seconde.

Avant de sauter, Fausto avait attaché le cordon de descente, et de l'air chaud s'échappait depuis l'enveloppe à chaque instant. Mais le ballon, gonflé à bloc, perdait de l'altitude avec une telle lenteur que le sol se rapprochait à peine.

Puis Tally aperçut la rivière.

Elle s'étirait sous eux en reflétant la clarté lunaire, serpent argenté qui descendait des montagnes riches en minerais pour se frayer un chemin jusqu'à la mer. Son lit contenait à coup sûr des siècles de dépôts métalliques, largement de quoi soutenir sa planche. Voire de rattraper sa chute.

Peut-être avait-elle encore une chance de sauver son avenir.

Elle souleva de nouveau sa planche sur le rebord.

— Je saute.

— Mais, Tally. Tu ne peux pas…

— La rivière.

Peris regarda en bas, les yeux écarquillés.

— Elle a l'air si petite. Et si tu la rates ?

— Je ne la raterai pas. (Elle serra les dents.) Tu as déjà vu ces gens qui font du saut en formation, n'est-ce pas ? Ils n'ont que leurs bras et leurs jambes pour se guider. Moi, j'ai ma planche en plus. Ce sera comme si j'avais des ailes !

— Tu es dingue !

— Je pars.

Elle embrassa très vite Peris, puis passa une jambe par-dessus la rambarde.

— Tally ! (Il lui agrippa la main.) Tu risques d'y rester ! Je ne veux pas te perdre…

Elle se dégagea violemment, et Peris recula, pris de peur. Les Pretties n'aimaient pas les conflits. Les Pretties ne couraient pas de risques. Les Pretties ne disaient jamais non.

Tally avait cessé d'être Pretty.

— Tu m'as déjà perdue, dit-elle.

Et, empoignant sa planche, elle se jeta dans le vide.

Troisième partie

AU-DEHORS

*La beauté du monde… a deux arêtes, l'une de rire,
l'autre d'angoisse, coupant le cœur en deux.*

Virginia WOOLF, *Une chambre à soi*

DESCENTE

Tally s'enfonçait dans le silence, tournoyant follement sur elle-même.

Après le calme à bord du ballon, le souffle de l'air la secouait avec une violence inattendue, au point de presque lui arracher sa planche des mains. Elle la serra étroitement contre sa poitrine, mais les doigts du vent continuaient à chercher une prise, avides de lui enlever son dernier espoir de survie. Elle croisa les mains sous le ventre de la planche, battant des jambes, dans l'effort de maîtriser sa vrille. Progressivement, l'horizon se stabilisa.

Mais Tally se retrouvait sur le dos, face aux étoiles, accrochée sous sa planche. Elle distinguait l'orbe sombre du ballon au-dessus d'elle. Puis la flamme du brûleur s'alluma, parant l'enveloppe d'un éclat argenté contre les ténèbres, comme une énorme lune terne. Elle comprit que Peris reprenait de la hauteur pour égarer ses poursuivants. Au moins essayait-il de l'aider.

Qu'il ait changé d'avis lui faisait mal, mais Tally n'avait pas le temps de se soucier de lui, pas alors que le sol se ruait vers elle.

Elle tenta de se retourner, mais la planche était plus

large qu'elle – elle prenait l'air comme une voile, menaçant de s'échapper de ses mains. C'était comme s'accrocher à un cerf-volant par grand vent, sauf que si elle lâchait, elle s'écraserait au sol d'ici une soixantaine de secondes.

Tally tenta de se détendre. Quelque chose tirait sur ses poignets. À cette altitude, les suspenseurs de sa planche ne lui servaient peut-être à rien, mais ils continuaient à interagir avec ses bracelets anticrash.

Elle modifia le réglage de son bracelet gauche pour maximiser la connexion. Une fois sa prise sur la planche mieux assurée, elle osa tendre le bras droit sur le côté. Ce fut comme dans la voiture de ses parents quand, gamine, elle sortait la main par la fenêtre. Aplatir sa paume augmenta la résistance et Tally commença à pivoter lentement sur elle-même.

Quelques secondes plus tard, elle se retrouva au-dessus de la planche.

La terre s'étalait sous elle, immense, noire et vorace. Le vent furieux semblait traverser son manteau.

Elle avait beau tomber depuis une éternité, le sol n'avait pas l'air de se rapprocher. Pour apprécier les distances, elle ne disposait que de la rivière, toujours étroite tel un bout de ruban. Tally sortit avec prudence sa paume et vit la courbe des eaux éclairées par la lune tourner sous elle dans le sens des aiguilles d'une montre. Elle ramena son bras, et la rivière se stabilisa.

Tally sourit. Au moins avait-elle un certain contrôle sur sa folle descente.

À mesure qu'elle tombait, le ruban argenté de la rivière grossit, d'abord lentement, puis plus vite, tandis que l'horizon obscur s'agrandissait comme un gigantesque prédateur qui avançait vers elle, effaçant le ciel semé d'étoiles. Accrochée des deux mains à sa planche, Tally découvrit qu'elle pouvait guider sa descente en laissant dépasser ses jambes, de manière à garder la rivière sous elle.

Et puis, dans les dernières secondes, elle réalisa à quel point la rivière était large et impétueuse. Elle vit des formes bouger dessus.

La surface se rapprocha, encore et encore...

Quand les suspenseurs de la planche entrèrent en action, ce fut comme si Tally se prenait une porte en plein visage ; nez aplati, lèvre inférieure fendue, elle sentit un goût de sang dans sa bouche. Ses poignets se tordirent cruellement sous l'action des bracelets anti-crash ; écrasée contre la planche par son élan, l'air de ses poumons expulsé, elle lutta pour reprendre son souffle.

La planche magnétique freinait de façon efficace, mais la rivière continuait de se rapprocher, partant dans toutes les directions comme un immense miroir sous la clarté des étoiles, et puis...

...Splach !

La planche frappa l'eau telle une main géante, infligeant à Tally une autre secousse brutale. Une explosion de lumière et de son lui emplit le crâne. Puis elle se retrouva sous l'eau, un grondement sourd dans les oreilles. Elle lâcha la planche et se débattit pour remonter à la surface, les poumons vidés par l'impact. Se forçant à ouvrir les yeux dans les eaux bourbeuses, Tally ne vit qu'un mince filet de lumière. Elle agita faiblement les bras, et la lueur se fit plus proche. Elle finit par crever la surface et aspira l'air en toussant.

Le flot grondait autour d'elle. Un courant rapide soulevait des moutons d'écume en tous sens. Elle pataugea sur place, entraînée vers le fond par le poids de son sac. Ses poumons s'emplirent d'air et elle toussa violemment, un goût de sang sur la langue.

Tally réalisa qu'elle avait trop bien visé – elle se retrouvait au beau milieu de la rivière, à cinquante mètres de chaque rive. Elle poussa un juron et continua à nager, dans l'attente d'une légère traction de ses bracelets anticrash.

Où donc était sa planche ? Elle aurait déjà dû la retrouver.

Les suspenseurs avaient mis trop longtemps à s'enclencher – Tally s'était préparée à freiner dès la mi-course, pas à toucher la rivière en pleine vitesse. Elle comprit ce qui avait dû se passer. La rivière était plus profonde que prévu ; les dépôts minéraux qui jonchaient son lit se trouvaient donc loin sous ses pieds. Elle se rappela la manière dont les planches vibraient parfois en ville, au milieu du fleuve – trop loin du fond pour que les suspenseurs puissent donner leur pleine puissance.

C'était une chance que la planche ait ralenti sa chute.

Tally fit un tour d'horizon. Trop dense pour flotter, sa planche avait probablement coulé avant d'être emportée loin d'elle par la violence du courant. Elle augmenta la distance d'appel de ses bracelets, puis attendit que le nez de la planche pointe à la surface.

Des formes dansaient sur l'eau tout autour d'elle, noueuses et irrégulières, comme un groupe d'alligators. De quoi s'agissait-il ?

Quelque chose lui chatouilla le flanc...

Elle tournoya sur elle-même : ce n'était qu'un vieux tronc – pas un alligator, et encore moins sa planche. Tally s'y cramponna avec reconnaissance toutefois, car la nage l'épuisait déjà. Tout autour passaient d'autres arbres, ainsi que des branches, des bouquets de roseaux, des amas de feuilles en décomposition. La rivière charriait d'innombrables détritus.

C'est à cause de la pluie, songea Tally. Trois jours de pluie diluvienne avaient probablement noyé les collines et emporté toutes sortes de déchets dans la rivière, gonflant ses eaux et accélérant son cours. Le tronc auquel elle s'accrochait était vieux et pourri, mais quelques branches encore vertes sortaient d'un nœud. Avait-il été déraciné par la pluie ?

En palpant l'endroit où il s'était brisé, Tally put voir qu'il avait été frappé par quelque chose de rectiligne.

Comme le bord d'une planche magnétique.

À quelques mètres de là, un autre morceau de bois flottait, coupé de la même façon. L'atterrissage forcé de Tally avait brisé en deux le vieux tronc pourri. Son visage ensanglanté en était témoin. Quels dommages l'impact avait-il infligés à sa planche ?

Tally régla la commande d'appel de ses bracelets au maximum, quitte à vider les batteries. À chaque seconde, le courant l'entraînait un peu plus loin de l'endroit où elle avait touché l'eau.

Aucune planche ne remonta à la surface, aucune traction ne s'exerça sur ses poignets. Au fil des minutes, Tally dut se résigner à l'idée que sa planche était morte, réduite à l'état de débris. Un de plus au fond de la rivière.

Elle éteignit ses bracelets et, sans lâcher le tronc, commença à nager vers la rive.

La berge était glissante de boue, le sol saturé par la pluie et les eaux de la rivière en crue. Tally sortit de l'eau au niveau d'une petite crique, pataugeant parmi un fouillis de branches et de roseaux. On aurait dit que les eaux avaient ramassé tout ce qui flottait afin de s'en débarrasser à cet endroit même.

Y compris Tally Youngblood.

Elle essaya d'escalader la berge, impatiente de se mettre au sec, et redescendit aussitôt en glissant, couverte de boue, éreintée. En fin de compte, elle renonça et se pelotonna sur le sol détrempé, grelottante de froid. Elle ne se souvenait pas d'avoir jamais ressenti une fatigue pareille depuis qu'elle était Pretty ; comme si la rivière avait aspiré toute la vitalité de son corps.

Elle sortit son briquet de son sac à dos et, d'une main tremblante, rassembla quelques branchages. Mais le bois était si humide que la minuscule flamme du briquet ne parvint à lui arracher qu'un faible sifflement.

Au moins, son manteau marchait toujours. Elle monta le chauffage à fond et se roula en boule.

Tally attendit le sommeil mais son corps ne cessait de grelotter, comme lorsque, Ugly, elle avait la fièvre. Pourtant, les jeunes Pretties ne tombaient pratiquement jamais malades. Sans doute avait-elle épuisé les défenses de son organisme au cours du mois écoulé – à force de ne rien manger, de rester dehors dans le froid, de fonctionner à l'adrénaline et au café. Sans oublier que depuis les dernières vingt-quatre heures, pas une heure ne s'était écoulée sans qu'elle soit trempée jusqu'aux os.

À moins qu'elle ne développe tardivement le même type de réaction au remède que Zane ? La pilule était-elle en train de lui attaquer le cerveau, maintenant qu'elle pouvait dire adieu à tout espoir de soins médicaux ?

Le sang lui battait aux tempes, et des pensées fiévreuses se pressaient sous son crâne. Tally n'avait plus de planche, plus aucun moyen de regagner les Ruines rouillées sauf à pied. Personne ne savait où elle était. Le monde se résumait désormais aux terres sauvages, au froid glacial et à Tally Youngblood. Même l'absence du bracelet d'interface à son poignet lui causait une étrange sensation, comme le trou laissé par une dent de lait.

Le pire était l'absence de Zane à ses côtés. Depuis un mois, elle dormait contre lui chaque nuit, et ils passaient le plus clair de leur temps ensemble. Même en dépit de leur silence forcé, elle s'était habituée à sa présence permanente, à son contact, à leurs conversations muettes. Soudain il n'était plus là, et Tally avait l'impression d'avoir perdu une part d'elle-même.

Mille fois elle avait imaginé cet instant où elle se retrouverait enfin dans la nature, libérée de l'emprise de la ville. Mais jamais elle n'avait pensé le vivre sans Zane.

Pourtant elle était là, complètement seule.

Tally demeura éveillée un long moment, se remémorant ses dernières minutes de folie à bord du ballon. Si seulement elle avait sauté plus tôt, ou songé à regarder en bas avant que la grille de la ville ne soit trop loin...

Après ce que Zane lui avait dit, elle n'aurait pas dû hésiter, sachant que cette évasion représentait leur unique chance d'être libres ensemble.

Une fois encore, les choses avaient mal tourné, et par sa faute.

La fatigue finit par avoir raison de ses soucis, et Tally sombra dans un sommeil agité.

SEULE

Il y avait donc cette magnifique princesse.

Elle était enfermée au sommet d'une haute tour, dont les murs intelligents comportaient d'astucieuses fentes pouvant lui procurer n'importe quoi : de quoi manger, une bande d'amis fantastiques, de merveilleux habits. Et, mieux encore, il y avait ce miroir au mur, si bien que la princesse pouvait admirer sa beauté à longueur de journée.

Le seul problème avec la tour, c'est qu'elle ne comportait pas de sortie. Ses bâtisseurs avaient oublié de la doter d'un ascenseur, ou même d'un escalier. La princesse était coincée là-haut.

Un beau jour, elle réalisa qu'elle s'ennuyait. La vue qu'elle avait du haut de la tour – les collines basses, les champs de fleurs blanches ainsi qu'une vaste et sombre forêt – la fascinait. Elle se mit à passer plus de temps à regarder par la fenêtre qu'à contempler son propre reflet, comme souvent chez les petites filles turbulentes.

Et il était clair qu'aucun prince ne se montrerait, ou qu'en tout cas, il était sacrément en retard.

Il ne lui restait donc plus qu'à sauter.

La fente dans le mur fournit à la princesse un adorable parasol pour la rattraper dans sa chute, ainsi qu'une robe magnifique, à porter dans les champs et la forêt, sans oublier une clef de bronze pour lui permettre de regagner la tour en cas de nécessité. Mais la princesse, riant avec orgueil, jeta la clef au feu, convaincue qu'elle n'aurait jamais besoin de revenir. Sans accorder un coup d'œil au miroir, elle sortit sur le balcon et s'avança dans le vide.

Ce fut une longue, longue chute, beaucoup plus longue que la princesse ne s'y attendait, et le parasol se révéla totalement inutile. En tombant, la princesse réalisa qu'elle aurait dû demander un gilet de sustentation ou même un parachute. En tout cas quelque chose de mieux qu'un parasol, voyez-vous ?

Elle atterrit lourdement sur le sol et resta étendue là, confuse et endolorie, à s'interroger : comment les choses avaient-elles pu si mal tourner ? Il n'y avait pas de prince à proximité pour l'aider à se relever, sa robe neuve était fichue et, à cause de sa fierté, elle n'avait aucun moyen de retourner dans la tour.

Pire encore, là dehors, en pleine nature, ne se trouvait nul miroir, de sorte que la princesse se demanda si elle était toujours belle... ou si la chute avait totalement modifié le cours de l'histoire.

Quand Tally s'éveilla de ce rêve foireux, le soleil était déjà à mi-hauteur dans le ciel.

Elle s'arracha à l'étreinte collante de la boue, non sans mal. La batterie de son manteau avait dû se vider pendant la nuit, ce n'était plus qu'une chose froide plaquée contre sa peau, trempée et qui dégageait une drôle d'odeur. Tally l'ôta et l'étala sur un rocher dans l'espoir que le soleil parvienne à le sécher.

Pour la première fois depuis plusieurs jours, le ciel était sans nuages. Toutefois, le temps s'était singulièrement rafraîchi – la température plus clémente apportée par la pluie était repartie avec elle. Les arbres luisaient de givre, et la boue recouverte d'une fine couche de verglas craquait sous les pieds.

Sa fièvre passée, Tally se sentit prise de vertiges à rester debout. Elle s'agenouilla donc devant son sac à dos afin d'en passer le contenu en revue – la somme de tout ce qu'elle possédait. Fausto s'était débrouillé pour réunir les éléments de base de l'équipement de survie habituel des Fumants : un couteau, un purificateur d'eau, une boussole, un briquet et quelques fusées de détresse, ainsi que des dizaines de sachets de savon. Se souvenant à quel point la nourriture déshydratée s'était révélée précieuse à La Fumée, Tally en avait emporté de quoi tenir trois mois, fort heureusement enveloppée dans un plastique imperméable. En revanche ses deux rouleaux de papier toilette étaient détrempés et réduits à l'état de deux masses spongieuses. Elle les mit sur le rocher à côté de son manteau, mais doutait que cela vaille la peine de les sécher. Elle soupira : même à l'époque de La Fumée, elle ne s'était jamais habituée aux feuilles d'arbre.

Tally retrouva son pitoyable tas de brindilles et se souvint d'avoir tenté de l'allumer la nuit précédente, trop fiévreuse pour réaliser à quel point cela aurait été stupide. Les aérocars des Special Circumstances lancés sur les traces du ballon auraient facilement repéré son feu parmi les ténèbres.

Ce matin, il n'y avait aucun signe de poursuite dans le ciel. Tally préféra mettre un peu de distance entre la rivière et elle. Faute d'un chauffage en état de marche dans son manteau, elle aurait besoin d'allumer un feu cette nuit.

Chaque chose en son temps. D'abord, la nourriture.

Elle descendit au bord de la rivière pour remplir le purificateur. Une boue séchée s'écaillait de sa peau et de ses habits à chacun de ses pas. Tally n'avait jamais été si sale de toute sa vie, Pourtant elle n'était pas prête à se laver dans une eau glacée, pas sans un bon feu pour se sécher ensuite. Bien que sa fièvre de la nuit dernière soit tombée, grâce à l'intervention de son système immunitaire de jeune Pretty, elle ne tenait pas à courir de risque en pleine nature.

Ce n'était pas pour elle qu'elle aurait dû s'inquiéter. Zane aussi se trouvait quelque part dans la nature, peut-être tout aussi seul qu'elle. Fausto et lui avaient sauté presque au même moment, mais ils avaient pu atterrir à plusieurs kilomètres l'un de l'autre. Si Zane avait une nouvelle attaque sur le chemin des ruines, sans personne pour l'aider...

Tally chassa cette pensée. Elle ne pouvait rien faire pour Zane ni pour quiconque hormis se rendre elle-même aux ruines. Et cela voulait dire qu'il lui fallait se préparer à manger, sans s'inquiéter au sujet de ce qu'elle ne contrôlait pas.

Il fallut remplir le purificateur à deux reprises avant qu'il ait filtré suffisamment d'eau claire pour cuisiner un repas. Elle se choisit un sachet de PatThai et mit le purificateur à chauffer; une odeur de nouilles et d'épices en train de se reconstituer monta bientôt de l'eau bouillonnante.

Le temps qu'une sonnerie lui signale que c'était prêt, Tally aurait dévoré un bœuf.

En terminant ses PatThai, elle réalisa qu'elle n'avait plus aucune raison de se rationner et se prépara immédiatement un sachet de NouCurry. Le jeûne était bon pour se débarrasser du bracelet d'interface et rester intense, mais Tally était libre de toute entrave désormais, et elle jouissait de l'immensité des terres sauvages, froides et périlleuses, afin de garder son intensité. Par ici, elle ne risquait pas de retomber dans la belle mentalité.

Après le petit déjeuner, la boussole lui apprit une mauvaise nouvelle: la brise de mer avait chassé le ballon très loin à l'est, dans la direction opposée aux Ruines rouillées, après quoi la rivière l'avait entraînée longuement vers le sud. Elle se trouvait à plus d'une semaine de marche des ruines, en ligne droite. Mais la ligne droite n'était pas au programme: pour échapper à la surveillance aérienne, elle devrait effectuer un large détour autour de la ville, et sans jamais quitter la forêt.

Combien de temps les Special Circumstances se donneraient-ils la peine de la rechercher? Fort heureusement, ils ne pouvaient pas savoir que sa planche gisait au fond de la rivière; ils s'imagineraient donc qu'elle volait, au lieu de se traîner à pied, contrainte de suivre la rivière ou une autre veine naturelle de dépôts minéraux.

Aussi, plus vite Tally s'éloignerait-elle de la berge, mieux cela vaudrait.

Elle leva le camp, d'humeur maussade. Son sac à dos renfermait largement assez de nourriture pour le voyage, et les collines seraient gorgées d'eau après toute cette pluie, mais elle se sentait vaincue d'avance. D'après ce que Sussy et Dex avaient dit, les Nouveaux-Fumants n'avaient pas installé de campement permanent dans les ruines. Ils pouvaient s'en aller d'un jour à l'autre, et elle se trouvait à une semaine de distance de là.

Son seul espoir était que Zane et Fausto restent en arrière, dans l'attente qu'elle finisse par se montrer. Impossible s'ils pensaient qu'elle avait été capturée, ou s'était tuée dans sa chute. Ou tout simplement dégonflée.

« Non, se reprit-elle. Zane ne croirait jamais ça. » Il se ferait peut-être du souci, mais Tally savait qu'il l'attendrait, aussi longtemps qu'il le faudrait.

Elle soupira en nouant son manteau encore trempé autour de sa taille et en hissant son sac à dos sur ses épaules. Il ne servait à rien de se demander où étaient les autres ; son seul souci devait être de marcher jusqu'aux ruines en priant pour que quelqu'un l'attende à l'arrivée.

Tally n'avait pas d'autre endroit où aller.

La progression à travers la forêt se révéla ardue, chaque pas fut une bataille. À La Fumée, Tally se déplaçait principalement sur sa planche ; quand elle se voyait contrainte de cheminer à pied, elle empruntait le plus souvent des sentiers taillés entre les arbres. Ici, elle était confrontée à la nature à l'état brut, hostile et implacable. Les sous-bois la faisaient trébucher, érigeaient devant elle une muraille dense de racines, de buissons aux épines impénétrables.

Sous les frondaisons, la pluie continuait à couler. Les aiguilles de pin brillaient d'un givre que la chaleur du jour changeait lentement en gouttelettes, élevant un rideau continu de brume froide. Tally avançait dans un somptueux palais de glace où le soleil dardait quelques rayons, visibles dans cette brume comme des lasers dans la fumée. Mais chaque fois qu'elle déplaçait une branche, elle recevait une douche glaciale sur la tête.

Elle se rappela l'ancienne forêt qu'elle avait traversée sur le chemin de La Fumée, dévastée par les plantes génétiquement modifiées des Rouillés. Au moins, marcher dans cette désolation avait été plus facile qu'à travers ces sous-bois. Parfois, on comprenait presque pourquoi les Rouillés s'étaient donné tant de mal pour détruire la nature.

Cette nature faisait drôlement suer, par moments.

À mesure que Tally progressait, la lutte entre elle et la forêt prit une allure de plus en plus personnelle. Les fourrés, comme doués d'une volonté propre, semblaient pousser Tally dans une direction de leur choix, quoi que puisse indiquer sa boussole; ils s'ouvraient par endroits, offrant des voies faciles qui la faisaient dévier de sa route. Avancer en ligne droite était parfaitement impossible.

Dans le courant de l'après-midi, Tally acquit la conviction qu'elle suivait un véritable sentier, comme les sauvages pré-Rouillés en traçaient un millénaire auparavant.

Elle se souvint de ce que lui avait expliqué David à La Fumée : à l'origine, que la plupart des sentiers pré-Rouillés avaient été ouverts par des animaux. Même les daims, les loups et les chiens sauvages ne tenaient pas à progresser laborieusement à travers une jungle vierge de toute trace. À l'instar des hommes, les animaux empruntaient un chemin semblable de génération en génération, dessinant des passages à travers bois.

Tally avait toujours pensé que seul David était capable de repérer ce genre de marques. Ayant grandi dans la nature, il était pratiquement un pré-Rouillé lui-même. Mais tandis que les ombres s'allongeaient autour d'elle, Tally s'aperçut qu'elle avançait de plus en plus facilement, comme si elle avait découvert par hasard une sorte de faille étrange dans la forêt.

Une sensation de malaise lui noua l'estomac. Le bruit des gouttelettes se mit à nourrir son imagination, et Tally devint nerveuse, convaincue que des yeux invisibles la surveillaient.

Ce n'était probablement que sa vision parfaite de jeune Pretty qui lui permettait de distinguer les marques subtiles du passage d'animaux. Elle avait dû apprendre plus de choses qu'elle ne l'avait cru lors de son séjour à La Fumée. Il s'agissait d'une piste d'animaux. *Des gens* ne pouvaient pas habiter par ici. Pas aussi près de la ville : les Specials les auraient détectés depuis des années. Même à La Fumée, personne n'avait jamais entendu parler d'autres communautés vivant en dehors des villes. L'humanité avait décidé depuis deux siècles de laisser la nature à elle-même.

Il n'y avait personne d'autre dans les parages, ne cessait de se répéter Tally. Bizarrement, elle ne savait pas si le fait d'être seule en pleine forêt rendait la chose moins inquiétante ou plus…

En fin de compte, alors que le ciel virait au rose, Tally décida de s'arrêter. Elle trouva une clairière dégagée où le soleil avait tapé toute la journée, séchant peut-être assez de bois pour allumer un feu. Sa marche vigoureuse l'avait mise en sueur – son T-shirt lui collait à la peau, et pas une fois elle n'avait enfilé son manteau. Dès que le soleil serait couché, elle savait que l'air redeviendrait glacial.

Trouver du petit bois ne fut pas difficile. Tally soupesa plusieurs branches dans sa main pour déterminer lesquelles étaient les plus légères – et donc, contiendraient le moins d'eau. Tout le savoir des Fumants lui revenait en mémoire, sans la moindre bribe de belle mentalité depuis son évasion ; maintenant qu'elle se trouvait hors de la ville, le remède avait libéré son esprit pour de bon.

Tally hésita pourtant avant d'approcher le briquet du tas de bois. La paranoïa retenait sa main. La forêt bruissait de mille sons – ruissellement d'eau, cris d'oiseaux, trottinements d'animaux parmi les feuilles mortes – et il lui était facile d'imaginer qu'on l'observait depuis la pénombre des arbres.

Tally soupira. Peut-être était-elle toujours Pretty dans sa tête, à s'inventer des histoires irrationnelles au sujet de la forêt. Elle comprenait de mieux en mieux comment les Rouillés et leurs prédécesseurs avaient pu croire à des entités invisibles, priant pour apaiser les esprits tout en pillant les ressources naturelles.

Eh bien, Tally ne croyait pas aux esprits. Son seul souci concernait les Specials, et c'est le long de la rivière qu'ils la chercheraient, à plusieurs kilomètres en arrière. La nuit était tombée pendant qu'elle préparait le feu, et la température avait déjà beaucoup chuté. Elle ne pouvait pas courir le risque de contracter une autre fièvre ici, perdue en pleine nature.

La flamme du briquet jaillit dans sa main, et Tally l'approcha des brindilles. Le feu prit tout de suite ; elle l'alimenta précautionneusement, rajoutant du petit bois jusqu'à ce qu'il soit assez fort pour embraser la plus légère de ses branches. Elle inclina le reste des branches par-dessus afin d'achever de les sécher.

Bientôt, le feu fut bien vigoureux et Tally sentit la chaleur s'insinuer dans ses os.

Elle sourit en contemplant les flammes. La nature était dure, parfois dangereuse, mais contrairement au docteur Cable, à Shay, à Peris – à la plupart des gens –, elle demeurait logique. Les problèmes qu'elle soulevait pouvaient se résoudre de manière rationnelle. *Tu as froid, fais du feu. Tu veux aller quelque part, marche.* Tally se savait capable d'atteindre les ruines, avec ou sans planche magnétique. Une fois là, elle finirait par retrouver Zane et La Nouvelle-Fumée. Ainsi, tout irait pour le mieux.

Ce soir, réalisa Tally avec plaisir, elle allait bien dormir. Même sans Zane à ses côtés, elle avait survécu à sa première journée de liberté dans la nature... intense et en un seul morceau.

Elle s'allongea en observant les braises rougeoyer,

aussi chaleureuses que de vieilles amies. Après un moment, ses paupières se mirent à papillonner, puis se fermèrent.

Tally était plongée dans des rêves agréables lorsque les hurlements la réveillèrent.

LA CHASSE

Elle crut d'abord que la forêt était en feu.

Des flammes passaient entre les arbres, jetant des ombres tressautantes à travers la clairière, filant dans les airs tels des insectes fous en train de brûler. Des hurlements montaient de tous côtés, des appels inhumains chargés de mots incompréhensibles.

Tally se releva avec peine et trébucha dans les vestiges de son feu. Des débris s'éparpillèrent dans toutes les directions. Des aiguilles ardentes la piquèrent à travers les semelles de ses bottes et elle faillit tomber à genoux au milieu des braises. Un autre hurlement retentit tout près – un cri de colère suraigu. Une silhouette humaine accourut vers elle, torche en main. Celle-ci sifflait et crépitait à chaque foulée de l'homme, comme si la flamme était une chose vivante qui entraînait son porteur.

L'individu agitait quelque chose devant lui – un long bâton poli, où se reflétait la lueur du feu. L'arme siffla dans le vide, et Tally bondit en arrière juste à temps. Elle effectua une roulade sur le dos, sentant la morsure de braises éparses sur son dos. D'un seul bond sur ses pieds, elle fit volte-face et détala parmi les arbres. Une autre silhouette lui barra le chemin, qui brandissait elle aussi un gourdin.

L'homme avait le visage mangé par la barbe. Même à la lueur vacillante des torches, Tally vit que c'était un Ugly – gros, le nez bouffi, avec sur la peau blafarde de son front les stigmates de la maladie. Ses réflexes ne valaient guère mieux : son coup de gourdin fut aussi lent que prévisible. Tally roula par-dessous l'arme et allongea le pied pour faucher l'homme au niveau des genoux.

Quand elle entendit le choc sourd du corps jeté au sol, Tally s'était déjà relevée et courait de nouveau, fendant les buissons, droit vers la partie la plus sombre de la forêt.

Un autre concert de hurlements retentit dans son dos. Les torches de ses poursuivants jetaient des ombres tremblotantes sur les arbres devant elle. Tally se fraya un chemin en aveugle à travers les sous-bois, au risque de trébucher plusieurs fois, entre les branches humides qui la cinglaient au visage. Se prenant le pied dans une racine, elle perdit l'équilibre et s'écroula mains en avant. Une douleur vive lui déchira le poignet.

Elle jeta un coup d'œil vers ses poursuivants. Sans pouvoir égaler sa rapidité, ils se faufilaient adroitement à travers la forêt, trouvant leur chemin entre les arbres malgré l'obscurité environnante. Les lumières dansantes de leurs torches se répandirent autour de sa cachette, et leurs cris flûtés l'entourèrent une fois de plus.

Mais qui étaient-ils ? C'étaient des gens de petite taille, qui s'appelaient entre eux dans une langue qu'elle ne reconnut pas. Tels des spectres de Rouillés revenus d'entre les morts…

Ce n'était pas le moment de s'interroger sur leurs origines. Tally repartit au pas de course, visant un espace entre deux torches.

Les deux chasseurs opérèrent leur jonction : des hommes barbus, aux visages moches bardés de cicatrices et d'écorchures. Tally fonça entre eux, assez près pour sentir la chaleur de leurs torches. Un coup de gourdin mal ajusté l'atteignit à l'épaule, mais elle parvint à rester debout et s'engouffra dans les ténèbres le long d'une pente.

Les deux la suivirent en criant ; d'autres hurlements leur répondirent devant. Combien pouvaient-ils être ? Ils semblaient littéralement surgir du sol.

Soudain, Tally enfonça le pied dans l'eau froide et s'étala dans le lit d'un ruisseau peu profond. Derrière elle, ses agresseurs les plus proches dévalaient la pente. Leurs torches crachaient des étincelles en se cognant dans les troncs et les branches. C'était un miracle qu'ils n'aient pas mis le feu à la forêt.

Tally se remit sur pied et suivit le ruisseau. Elle avait beau déraper sur le fond glissant et rocailleux, elle eut tôt fait de dépasser les yeux flamboyants qui filaient le long des berges. Si elle pouvait atteindre un terrain dégagé, elle réussirait à semer ses poursuivants, plus petits et plus lents.

Un bruit d'éclaboussures lui parvint, puis un grognement et un chapelet de jurons dans leur langue inconnue. L'un d'eux était tombé. Peut-être allait-elle s'en sortir.

Bien sûr, ses provisions et son purificateur d'eau

étaient restés dans le sac à dos là-bas au milieu de la clairière, parmi les Uglies hurlant. Perdus.

Elle chassa cette pensée et poursuivit sa fuite. Son poignet continuait à lui faire mal. Elle se demanda s'il était cassé.

Un grondement s'éleva juste devant Tally, le ruisseau se mit à bouillonner autour de ses mollets, le sol à trembler et, subitement, la terre se déroba sous ses pieds...

Courant dans le vide, Tally réalisa trop tard qu'elle s'était jetée du haut d'une cascade. Son vol plané ne dura qu'un instant ; elle s'enfonça vite dans un bassin d'eaux noires qui l'enveloppèrent de leur froideur, réduisant le bruit de sa chute à un bourdonnement sourd. Elle se sentit entraînée plus bas, vers les ténèbres et le silence, roulant lentement sur elle-même.

Quand l'une de ses épaules frôla le fond, Tally se propulsa vers le haut. Elle finit par émerger, cherchant son souffle, griffant l'eau jusqu'à ce que ses doigts trouvent une arête rocheuse. Une fois retenue à elle des deux mains, elle se hissa sur la berge où elle rampa à quatre pattes, toussant et grelottant.

Coincée.

Des torches l'environnaient de toutes parts, reflétées dans les eaux bouillonnantes tel un essaim de lucioles. Tally leva les yeux et découvrit une douzaine d'hommes au moins qui la fixaient du haut des berges, leurs traits moches et blafards encore plus hideux à la lueur des torches.

L'un d'eux se tenait dans le ruisseau face à elle – celui qu'elle avait fauché dans la clairière. L'un de ses genoux saignait encore. Il poussa un cri féroce en brandissant son arme rudimentaire.

Tally le contempla avec incrédulité. Allait-il la frapper ? Ces gens avaient-ils pour coutume d'assassiner les étrangers sans la moindre raison ?

Mais le coup ne vint pas. À force de l'observer, l'homme fut progressivement envahi par la frayeur. Il avança sa torche et Tally se recula, les mains devant son visage. L'autre s'agenouilla devant elle pour l'examiner de plus près. Alors elle laissa retomber ses mains.

Les yeux laiteux de l'individu se plissèrent à la lueur de la torche, marquant la confusion.

L'avait-il *reconnue* ?

Des émotions se succédaient sur ses traits grotesques : la peur, un doute croissant, puis la conscience qu'une chose terrible venait de se produire...

La torche lui échappa des mains et tomba dans le ruisseau, où elle s'éteignit avec un sifflement étranglé et un petit nuage de fumée. L'homme poussa un autre cri, de douleur cette fois-ci, répétant le même mot encore et encore. Il s'inclina en avant, le visage au ras de l'eau.

Les autres l'imitèrent, tombant à quatre pattes, lâchant leurs torches sur le sol détrempé. Tous reprirent le même cri de lamention, au point d'étouffer presque le grondement de la cascade.

Tally se redressa sur les genoux, interrogative.

Tous les chasseurs étaient des hommes. Leurs habits étaient grossiers, beaucoup plus frustes que les vêtements artisanaux des Fumants. Chacun portait des marques malsaines sur le visage et sur les bras, ainsi qu'une longue barbe sale et emmêlée. Ils donnaient l'impression de ne s'être jamais peignés de leur vie. Ils étaient pâles selon les critères des Pretties, avec le genre de peau rosâtre, semée de taches de son, qu'on rencontrait parfois chez les gamins sensibles au soleil.

Aucun d'eux n'osait la regarder en face. Ils maintenaient le visage enfoui entre leurs mains ou pressé contre le sol.

Enfin, l'un d'eux s'avança en rampant. Maigre et affreusement ridé, il avait les cheveux et la barbe tout blancs et Tally se souvint, d'après son expérience à La Fumée, que c'était à cela que ressemblaient les *vieux* Uglies. Faute de bénéficier de l'Opération, leur corps se dégradait, comme les ruines d'autrefois abandonnées des bâtisseurs. Il tremblait, sous l'effet de la peur ou de la maladie, et fixa Tally pendant ce qui lui parut une éternité.

Quand il parla enfin, ce fut d'une voix chevrotante, à peine audible.

— Je sais petit peu la langue des dieux.

Tally cligna des yeux.

— Pardon ?

— Nous vu feu et pensé étranger. Pas dieu.

Les autres restaient silencieux, craintifs, ignorant leurs torches qui flambaient sur le sol. Tally vit un buisson s'embraser, mais l'homme agenouillé à côté semblait trop apeuré pour intervenir.

Ainsi, elle les terrorisait tout d'un coup ? Avaient-ils perdu la raison ?

— Jamais les dieux utilisé feu avant. Toi comprendre.

Son regard implorait son pardon.

Tally se leva sur des jambes flageolantes.

277

— Hmm, O.K. Pas de problème.

Le vieil Ugly se releva si soudainement que Tally recula d'un pas, manquant de trébucher dans le bassin. Il cria un mot, que les chasseurs reprirent. Le cri parut les libérer de leur transe ; ils se levèrent, et piétinèrent les foyers qu'avaient allumés leurs torches.

Tally se sentit de nouveau dépassée par le nombre.

— Mais, heu... ajouta-t-elle, laissez tomber le... les gourdins, d'accord ?

Le vieillard l'écouta, s'inclina, puis aboya d'autres mots dans leur langue inconnue. Les chasseurs réagirent aussitôt : certains appuyèrent leurs gourdins contre un arbre et les brisèrent d'un coup de talon, d'autres les jetèrent dans les ténèbres.

Le vieillard se retourna vers Tally, mains écartées, guettant clairement son approbation. Son propre gourdin gisait à ses pieds en deux morceaux. Les autres montrèrent leurs mains, vides et ouvertes.

— C'est beaucoup mieux, dit-elle.

Le vieillard sourit.

C'est alors qu'elle vit l'éclat familier dans les vieilles prunelles laiteuses. La même expression qu'avaient eue Sussy et Dex en découvrant pour la première fois son visage de Pretty. La même stupeur, la même volonté de lui plaire, la même fascination instinctive – résultat d'un siècle d'interventions esthétiques et d'un million d'années d'évolution.

Tally regarda les autres et les vit tous se recroqueviller sous son regard. Ils osaient à peine contempler ses grands yeux pailletés, se détournaient presque devant sa beauté.

Dieu, avait-il dit. L'ancien mot par lequel les Rouillés désignaient leurs superhéros invisibles dans le ciel.

C'était leur monde qu'elle voyait là – cette sauvagerie grossière, cruelle, avec ses maladies et sa violence, et sa lutte animale pour la survie. Tout comme ces gens, ce monde-là était moche. Être belle, c'était venir de l'au-delà.

Ici-bas, Tally était un dieu.

JEUNE SANG

Ils mirent une heure à regagner le campement des chasseurs. Torches éteintes, le groupe suivit de sombres sentiers et pataugea le long de ruisseaux glacials, sans prononcer le moindre mot.

Les guides de Tally affichaient une étrange combinaison de rusticité et de compétence. Petits, lents, certains étaient infirmes. Ils empestaient et portaient de si piètres chaussures que leurs pieds étaient couturés de cicatrices. Mais ils connaissaient la forêt sur le bout des doigts et se déplaçaient avec une certaine grâce dans les sous-bois enchevêtrés. Une boussole leur aurait été inutile, et ils ne s'arrêtaient même pas pour consulter les étoiles.

Les soupçons qu'avait nourris Tally la veille se révélèrent fondés. Ces collines étaient parcourues de voies tracées par les humains. Des pistes à peine entraperçues à la lumière du jour s'ouvraient désormais dans le noir comme par magie. Le groupe avançait en file indienne, sans faire plus de bruit qu'un serpent sinuant parmi les feuilles.

Les chasseurs avaient des ennemis, semblait-il. Après leur attaque contre elle, Tally ne les aurait pas imaginés capables de discrétion ou de ruse. Pourtant, ils se transmettaient des signaux le long de la colonne par claquements de langue et cris d'oiseaux, en guise de paroles. Ils paraissaient perplexes chaque fois que Tally se prenait les pieds dans une racine, et nerveux quand sa maladresse lui faisait proférer un chapelet de jurons. Cela ne leur plaisait guère de se trouver sans armes, réalisa-t-elle. Peut-être regrettaient-ils d'avoir brisé leurs massues.

Tant pis pour eux, se dit Tally. Aussi amicaux soient-ils devenus, elle se réjouissait qu'ils n'aient plus leurs gourdins… au cas où ils changeraient d'avis. Après tout, sans son plongeon involontaire dans l'eau, qui avait lavé la crasse et la boue de ses jolis traits, Tally doutait d'être encore en vie à cette heure.

Quels que soient les ennemis des chasseurs, ce n'était pas une chose qu'on pouvait oublier facilement.

Tally sentit le village des chasseurs avant de l'atteindre, et fronça le nez de dégoût.

Ce n'étaient pas juste les senteurs de feu de bois, ou l'odeur moins bienvenue du gibier fraîchement abattu, qu'elle connaissait pour avoir vu tuer des lapins et des poulets à La Fumée. La puanteur à l'approche du campement lui rappelait les latrines à ciel ouvert dont se servaient les Fumants. C'était un aspect du camping auquel elle ne s'était jamais habituée. Fort heureusement, l'odeur s'estompa lorsque le village apparut.

Le campement n'était pas grand – une douzaine de huttes faites de roseaux et de boue séchée, quelques chèvres endormies ici et là, de modestes carrés de légumes. Un entrepôt se dressait en son milieu, seul bâtiment d'une certaine importance.

Les abords du village étaient balisés par des feux de bivouac et des sentinelles en armes. De retour chez eux, les chasseurs se sentirent assez en sécurité pour parler à voix haute et clamer l'événement : l'arrivée d'une visiteuse.

Les gens commencèrent à se déverser hors des huttes, dans un brouhaha croissant, à mesure que le village se réveillait. Tally se retrouva au centre d'une foule de visages curieux. Un cercle se forma autour d'elle, mais les adultes n'osèrent pas la presser de trop près, comme tenus à distance par le champ de force de sa beauté. Ils gardaient les yeux baissés.

Les gamins, en revanche, montrèrent plus de témérité. Certains s'enhardirent même à la toucher, risquant une main jusqu'à son blouson argenté avant de battre en retraite précipitamment. C'était étrange de voir des enfants ici, en pleine nature. Au contraire de leurs aînés, ils paraissaient presque normaux aux yeux de Tally. Ils étaient trop jeunes pour que leur peau révèle les premiers ravages de la mauvaise alimentation et de la maladie, et bien sûr, même en ville, personne ne se faisait opérer avant ses seize ans.

Tally s'agenouilla et tendit la main, laissant les plus courageux lui caresser la paume avec timidité. Elle vit aussi des femmes, pour la première fois. Puisque presque tous les hommes portaient la barbe, il était facile de distinguer les deux sexes. Les femmes restaient en arrière, pour s'occuper des plus jeunes, osant

282

à peine jeter un coup d'œil sur Tally. Certaines faisaient du feu dans un trou noirci au centre du village. Aucun homme ne se donnait la peine de les aider, remarqua Tally.

Elle se rappelait vaguement avoir appris à l'école cette coutume pré-rouillée d'assigner des tâches différentes aux hommes et aux femmes. C'était le plus souvent à ces dernières que l'on confiait les travaux les plus ingrats, se souvint-elle. Certains Rouillés s'étaient d'ailleurs cramponnés avec obstination à cette répartition douteuse. Tally ressentit un léger malaise à cette idée. Elle espérait qu'aucune règle similaire ne s'appliquait aux dieux.

Et d'où leur était venue cette notion de dieu? Son briquet et le reste de son matériel se trouvaient à l'intérieur du sac à dos qu'elle avait récupéré avant de partir pour le village. Mais aucun des chasseurs n'avait encore assisté aux miracles engendrés par ces outils. Il leur avait suffi d'un seul regard pour se forger une certitude. D'après ce qu'elle savait de la mythologie, la divinité ne tenait pas uniquement à un beau visage.

Bien sûr, elle n'était pas la première Pretty qu'ils voyaient. Certains d'entre eux connaissaient sa langue et avaient peut-être déjà eu un aperçu de la haute technologie.

Quelqu'un cria et les villageois s'écartèrent, faisant silence autour de Tally. Un homme s'avança dans le cercle, le torse curieusement dénudé malgré le froid. D'un pas preste et assuré, il s'arrêta juste devant Tally, sans prêter attention à son champ de force divin. Il était presque aussi grand qu'elle – un géant parmi les siens.

Il paraissait fort, également, avec des muscles noueux, même si Tally devina que ses réflexes ne sauraient rivaliser avec ceux d'une Pretty. À la lueur du feu, ses yeux pétillaient de curiosité plus que de peur.

Elle n'avait pas la moindre idée de son âge. Son visage montrait les mêmes rides que celui d'un grand Pretty, mais sa peau paraissait plus saine que celle de la plupart des autres. Était-il plus jeune ? Ou simplement en meilleure santé ?

Tally remarqua aussi qu'il portait un couteau, le premier objet en métal qu'elle voyait au campement. Sa poignée noir mat ne pouvait être qu'en plastique. Elle haussa un sourcil : le couteau venait de la ville.

— Bienvenue, dit l'homme.

Ainsi, lui aussi parlait la langue des dieux.

— Sympa. Enfin, je veux dire… merci.

— Nous ne vous attendions pas. Pas avant plusieurs jours.

Les dieux avaient-ils pour habitude de prévenir avant de passer ?

— Désolée, marmonna-t-elle.

Sa réponse parut le laisser perplexe. Selon toute vraisemblance, les dieux n'étaient pas supposés s'excuser.

— Nous nous sommes trompés, dit-il. En repérant ton feu, nous t'avons prise pour une étrangère.

— J'avais saisi. Il n'y a pas de mal.

Il tenta de sourire, puis fronça les sourcils et secoua la tête.

— Nous ne comprenons toujours pas ta présence ici.

On est deux.

L'homme avait un drôle d'accent, comme s'il venait d'une autre ville du continent, mais pas d'une autre civilisation. Inversement, il semblait manquer de vocabulaire pour formuler ses questions, sans doute peu habitué à discuter avec les dieux. Peut-être cherchait-il à demander : *Qu'est-ce que vous fabriquez ici, bon sang ?*

Quelle que soit l'idée que ces gens se faisaient du divin, Tally ne correspondait visiblement pas à leurs critères. Et s'ils décidaient qu'elle n'était pas un vrai dieu, cela ne laisserait qu'une catégorie où la ranger : celle d'étrangère.

Et une étrangère à la tête bientôt fracassée.

— Pardonne-nous, dit-il. Nous ignorons ton nom. Je m'appelle Andrew Simpson Smith.

Drôle de nom pour une drôle de situation, se dit-elle.

— Et moi Tally Youngblood.

— Young Blood, répéta-t-il, un peu rasséréné. Jeune Sang. Tu es donc un *jeune* dieu ?

— Heu… oui, je suppose. Je n'ai que seize ans.

Andrew Simpson Smith ferma les yeux, manifestement soulagé. Tally se dit qu'il ne devait pas être très vieux, lui non plus. Ses manières arrogantes s'estompaient durant ses moments de confusion, et il n'avait guère de véritable barbe. Sans ses rides et ses quelques marques, son visage aurait pu passer pour celui d'un Ugly de l'âge de David, d'environ dix-huit ans.

— Est-ce toi le… chef, par ici ? demanda-t-elle.

— Non. C'est lui.

Il indiquait le gros chasseur au nez bouffi et au genou en sang, celui que Tally avait jeté à terre durant la poursuite. Celui qui avait failli lui briser le crâne à coups de massue. *Génial.*

— Je suis le saint homme, poursuivit Andrew. J'ai appris la langue des dieux auprès de mon père.

— Tu la parles rudement bien.

Il sourit, dévoilant des dents tout de guingois.

— Je... Merci. (Il rit, puis afficha une expression rusée.) Tu es tombée, n'est-ce pas ?

Tally massa son poignet endolori.

— Exact, pendant la poursuite.

— Et du ciel ! (Il regarda autour de lui avec une stupéfaction très théâtrale, écartant ses mains grandes ouvertes.) Tu n'as pas d'aérocar, donc tu es forcément tombée d'en haut.

Un *aérocar* ? Voilà qui était intéressant. Tally haussa les épaules.

— D'accord, tu m'as eue. Je suis bien tombée du ciel.

— Ah !

Il poussa un soupir de soulagement, comme si le monde retrouvait enfin sa cohérence. Il adressa quelques mots à la foule, qui répondit par des murmures de compréhension.

Tally commença à se détendre. Les chasseurs semblaient beaucoup plus heureux, maintenant que sa présence sur terre avait une explication rationnelle. Tomber du ciel, cela pouvait se comprendre. Et apparemment, les jeunes dieux n'étaient pas censés se comporter comme les autres.

Derrière Andrew Simpson Smith, le feu s'embrasa en crépitant. Tally sentit une odeur de nourriture et entendit le piaillement inimitable d'un poulet sur le point d'être tué. Son apparition divine constituait un prétexte suffisant pour un festin de minuit, semblait-il.

Le saint homme tendit un bras et la foule s'écarta de nouveau, dégageant le chemin jusqu'au feu.

— Veux-tu nous raconter ta chute ? Je changerai tes mots pour les nôtres.

Tally était à bout de forces, quelque peu désorientée, et son poignet lui faisait encore mal. Elle n'aspirait qu'à se rouler en boule et à dormir. Mais le feu avait l'air engageant après son plongeon sous la cascade, et il était difficile de dire non à Andrew.

Pas question qu'elle déçoive tout le village. Ils n'avaient pas d'écran mural par ici, pas d'infos ni de réseau satellite, et les matchs de foot devaient être plutôt rares. Comme à La Fumée, cela rendait les histoires d'autant plus savoureuses. Sans compter qu'ils ne devaient pas voir tous les jours une étrangère tomber du ciel.

— O.K., capitula-t-elle. Une histoire, et ensuite, au lit !

Le village entier se rassembla autour du feu.

Des odeurs de poulet rôti s'élevèrent de longues broches jetées au-dessus des flammes, et on enfonça sous la cendre des pots de terre, dans lesquels une pâte blanchâtre qui sentait la levure se mit à gonfler peu à peu. Les hommes s'assirent au premier rang, s'empiffrant bruyamment, s'essuyant les doigts dans leurs barbes qui brillaient à la lueur du feu. Les femmes surveillaient la cuisson tandis que les gamins se poursuivaient entre leurs jambes, alors que les plus grands s'occupaient de nourrir le feu avec des branches ramassées dans l'obscurité. Quand Tally fut prête à parler, tout ce petit monde se calma.

Était-ce le fait de partager leur repas avec elle ? Bon nombre de villageois osaient désormais croiser son regard, certains la dévisageant même sans retenue.

Andrew Simpson Smith s'assit à côté d'elle, fier comme un paon, prêt à traduire.

Tally se racla la gorge. Comment allait-elle leur expliquer son voyage d'une manière intelligible pour eux ? Ils connaissaient les aérocars et les Pretties, apparemment. Mais que savaient-ils des Specials ? De l'Opération ? Des Crims ? De La Fumée ?

De la différence entre *foireux* et *intense* ?

Tally doutait fort qu'ils comprennent quoi que ce soit à son récit.

Elle s'éclaircit la gorge de nouveau, baissant les yeux au sol pour fuir leurs regards impatients. Elle se sentait fatiguée, à deux doigts de céder à la belle mentalité. Le trajet de la ville à ce feu de camp lui faisait l'effet d'un rêve.

Un rêve. Elle sourit à cette idée, et progressivement, l'histoire prit forme sur ses lèvres.

— Il était une fois une jeune déesse d'une grande beauté, commença Tally.

Puis elle attendit que ses paroles soient traduites dans la langue des villageois. Les étranges syllabes qui sortirent de la bouche d'Andrew renforcèrent l'aspect irréel de cette veillée, jusqu'à ce que l'histoire coule d'elle-même, sans effort.

— Elle vivait dans une haute tour en plein ciel,

poursuivit-elle. La tour était très confortable, mais il n'y avait aucun moyen d'en descendre, ni d'en sortir pour connaître le vaste monde. Un jour, la déesse décida qu'elle avait mieux à faire que de passer son temps à se contempler dans un miroir...

VENGEANCE

Tally se réveilla entourée d'odeurs et de bruits peu familiers : sueur, mauvaise haleine, concert de ronflements et de reniflements, dans la chaleur lourde et humide d'un espace surpeuplé.

Elle remua parmi l'obscurité, entraînant une vague de mouvements autour d'elle. Sous les fourrures qui la recouvraient, une chaleur agréable et confortable endormait ses sens. Tally aurait pu se croire dans un joli rêve, sans la puanteur étouffante des corps crasseux... et le fait qu'elle avait vraiment besoin de pisser.

Le jour entrait par la cheminée, laquelle consistait en un simple trou dans le toit pour laisser s'échapper la fumée. À en juger par l'angle du soleil, on était en milieu de matinée ; tout le monde avait fait la grasse matinée. Pas étonnant – le festin s'était prolongé jusqu'à l'aube. Lorsque Tally avait achevé son récit, des chasseurs avaient pris le relais en vue d'empêcher le jeune dieu de s'endormir, rivalisant d'histoires incroyables qu'Andrew Simpson Smith traduisait consciencieusement.

Lorsqu'on l'avait laissée enfin se coucher, Tally découvrit que la notion de lit était parfaitement étrangère à ces gens, et elle dut partager la hutte d'une ving taine de personnes. Dans ce village, rester au chaud les nuits d'hiver signifiait s'entasser tous ensemble sous un monceau de fourrures. Tally avait trouvé l'idée bizarre, mais pas suffisamment pour la tenir éveillée une minute de plus.

Ce matin, donc, des corps endormis gisaient autour d'elle, plus ou moins dévêtus, les uns sur les autres, au milieu des fourrures. Mais leur contact n'avait rien de sexuel, c'était juste une manière de se tenir chaud, comme des chatons dans un même panier.

En essayant de s'asseoir, Tally s'aperçut qu'elle avait un bras enroulé autour d'elle : celui d'Andrew Simpson Smith qui ronflait paisiblement, la bouche entrouverte. Elle se dégagea avec souplesse et il se retourna sans se réveiller, passant son bras autour du vieillard endormi de l'autre côté de lui.

En se faufilant dans la pénombre, Tally se sentit prise de tournis sous cette hutte bondée. Ces gens n'avaient certes pas inventé la planche magnétique, l'écran mural ou la chasse d'eau, ni même les outils en métal, mais il ne lui était pas venu à l'esprit qu'on ignore le concept d'*intimité*.

Elle enjamba les corps inconscients, non sans heurter des bras, des jambes et qui sait quoi d'autre, pour atteindre la porte. Baissant la tête, elle sortit avec soulagement dans le soleil et l'air frais du matin.

Le froid vif lui piqua les bras et le visage. Chaque inspiration lui donnait l'impression de se remplir les poumons de glace. Elle avait laissé son manteau à l'intérieur, et serra ses bras autour de sa poitrine, préférant grelotter plutôt qu'effectuer une nouvelle traversée de cette marée de corps. Le froid réveilla sa douleur au poignet, ainsi que les courbatures liées à sa longue journée de marche ; la chaleur humaine n'avait peut-être pas que de mauvais côtés, mais chaque chose en son temps.

Pour trouver les latrines, Tally n'eut qu'à se fier à son odorat. Et c'était l'hiver. Comment les gens faisaient-ils en été ?

Tally avait déjà connu des toilettes en plein air, naturellement. Mais les Fumants traitaient leurs déchets, grâce à quelques nanos autoreproducteurs empruntés aux usines de recyclage de la ville. Ces nanos décomposaient les déjections et les envoyaient droit dans le sol, aidant ainsi à faire pousser les meilleures tomates que Tally ait jamais goûtées. Plus important, elles empêchaient les latrines d'empester. Malgré leur amour de la nature, les Fumants étaient presque tous nés dans la ville, ils restaient les produits d'une civilisation technologique, et n'aimaient pas les mauvaises odeurs.

Ce village était complètement différent, évoquant les pré-Rouillés mythiques, antérieurs à l'avènement de la technologie. De quel genre de culture descendaient ses habitants ? À l'école, on enseignait que les Rouillés avaient intégré tout le monde au sein de leur économie, par la destruction des autres modes de vie – et bien qu'il n'en soit jamais fait mention, Tally savait que les Specials agissaient plus ou moins de même. D'où venaient donc ces gens ? Étaient-ils retournés à la vie sauvage après l'effondrement de la civilisation rouillée ? Ou bien vivaient-ils déjà dans la nature à cette époque-là ? Et pourquoi les Specials toléraient-ils leur existence ?

Quelles que soient les réponses à ces questions

Tally réalisa qu'elle ne pourrait se résoudre à affronter les latrines – elle restait trop citadine pour cela. Elle s'enfonça un peu plus loin dans la forêt. Ce genre de choses était mal vu à La Fumée, mais elle espérait que les jeunes dieux avaient droit à certains égards par ici.

Quand Tally salua deux sentinelles de garde à l'orée du village, ils hochèrent la tête avec nervosité, dissimulant leurs gourdins dans leur dos. Les chasseurs continuaient à se méfier d'elle.

Au bout de quelques mètres à peine, le village disparut de sa vue, caché par les arbres, mais Tally ne craignait pas de se perdre : le vent lui apportait encore de bonnes bouffées venues des latrines.

Le soleil éclatant faisait fondre le givre de la nuit, qui tombait en brume fine. La forêt émettait de légers craquements, comme la vieille maison de Tally quand ses parents étaient sortis. L'ombre des feuilles brisait la ligne des arbres, pour brouiller les formes et créer à chaque rafale des mouvements qu'elle captait du coin de l'œil. Le sentiment d'être observée, qu'elle avait déjà connu la veille, la reprit ; elle trouva un coin dégagé et se soulagea rapidement.

Elle ne reprit pas tout de suite la direction du village. Quelques instants d'intimité devenaient un luxe, par ici. Elle se demanda comment faisaient les amoureux quand ils avaient envie de se retrouver seuls, et s'il était possible de garder un secret longtemps dans ce village.

Au cours du dernier mois, elle avait passé presque tout son temps avec Zane. Son absence se faisait d'ailleurs sentir en ce moment même ; la chaleur de son corps contre le sien lui manquait. Partager la couche de deux douzaines d'inconnus constituait un substitut aussi étrange qu'inattendu.

Soudain, Tally tressaillit. Quelque chose avait bougé, qui n'avait rien à voir avec le jeu naturel du soleil, des feuilles et du vent. Son regard inspecta les arbres.

Un rire retentit sous les bois.

C'était Andrew Simpson Smith, qui sortait des fourrés en affichant un large sourire.

— Tu m'espionnais ? fit Tally.

— T'espionner ? (Il prononça ce mot comme s'il l'entendait pour la première fois, et Tally se demanda si, avec une intimité si rare, quelqu'un par ici avait pris la peine d'inventer la notion d'espionnage.) Je me suis réveillé quand tu es sortie, Jeune Sang. Je me suis dit que j'aurais peut-être l'occasion de te voir…

Elle haussa un sourcil.

— Me voir… quoi ?

— … Voler, avoua-t-il d'un air penaud.

Tally s'esclaffa malgré elle. Elle avait eu beau multiplier les explications la nuit précédente, Andrew Simpson Smith n'avait pas réussi à comprendre le principe de la planche magnétique. Elle avait tenté de lui expliquer que les jeunes dieux n'utilisaient pas beaucoup les aérocars, mais l'idée qu'il puisse exister différents types de véhicules volants le dépassait.

L'amusement de Tally parut le vexer. Peut-être croyait-il qu'elle dissimulait ses pouvoirs spéciaux dans le seul but de l'humilier.

— Désolée, Andrew. Mais je n'ai pas arrêté de te le dire hier soir : je ne peux pas voler.

— Pourtant, dans ton histoire, tu racontais que tu allais rejoindre tes amis.

— Exact, et comme je te l'ai précisé, ma planche est fichue. Et au fond de la rivière ! J'ai bien peur d'être obligée de marcher.

Il resta un moment confus, abasourdi d'entendre que le matériel divin pouvait se briser. Puis, soudain, il sourit, dévoilant l'espace d'une dent manquante qui lui donnait un air de gamin.

— Dans ce cas, je t'aiderai. Nous marcherons ensemble.

— Heu… sérieusement ?

Il acquiesça.

— Les Smith sont des saints hommes. Je suis un serviteur des dieux, de même que mon père avant moi.

Sa voix devint triste sur ces mots.

Les villageois affichaient leurs émotions sans détour : l'intimité de leurs pensées était aussi inexistante que celle de leur couchage. Elle se demanda s'il leur arrivait de se mentir les uns aux autres.

Bien sûr, certains Pretties leur avaient déjà menti à un moment ou à un autre. *Des dieux, tu parles !*

— Quand est mort ton père, Andrew ? Il y a peu de temps, n'est-ce pas ?

Il la regarda avec émerveillement, comme si elle venait de lire dans ses pensées.

— C'était le mois dernier, juste avant la nuit la plus longue.

Même si elle se demandait ce que pouvait être la nuit la plus longue, Tally ne l'interrompit pas.

— Lui et moi cherchions des ruines. Les dieux aînés aiment que nous leur dénichions de vieux endroits rouillés, qu'ils peuvent étudier. Nous sommes tombés sur des étrangers.

— Des étrangers? Comme moi quand vous m'avez rencontrée?

— Oui. Sauf que cette fois, il ne s'agissait pas d'un jeune dieu, mais d'un groupe de guerriers prêts à tuer. Nous les avons repérés en premier, seulement leurs chiens ont flairé notre piste. Et mon père était vieux. Il avait vécu quarante ans, dit Andrew avec fierté.

Tally n'en revenait pas. Ses huit arrière-grands-parents étaient toujours en vie, et tous avaient dépassé cent ans.

— Ses os étaient faibles. (La voix d'Andrew se réduisit à un murmure.) En courant dans un ruisseau, il s'est tordu la cheville. J'ai dû l'abandonner.

Tally fut prise de vertige à l'idée qu'on puisse mourir à cause d'une foulure.

— Je suis désolée.

— Il m'a donné son couteau avant que je parte. (Andrew le sortit de sa ceinture, et Tally put l'examiner de plus près que la nuit précédente. Il s'agissait d'un simple couteau de cuisine, à la lame dentelée ébréchée par endroits.) Maintenant, c'est moi le saint homme.

La vue de ce pauvre ustensile dans sa main lui rappelait comment sa première rencontre avec ces gens avait failli tourner. Elle aurait pu connaître le même sort que le père d'Andrew.

— Mais pourquoi?

— Pourquoi, Jeune Sang? Parce que j'étais son fils.

— Non, non, dit-elle. Pourquoi les étrangers voulaient-ils tuer ton père? Ou qui que ce soit?

Andrew fronça les sourcils, visiblement décontenancé par la question.

— C'était leur tour.

— Leur *quoi* ?

Il haussa les épaules.

— Nous avions tué à l'été. C'était leur tour.

— Vous aviez tué… l'un d'entre eux ?

— Pour nous venger, ils avaient tué un homme à nous au début du printemps. (Il sourit froidement.) Je faisais partie de l'expédition.

— Si je comprends bien, ce sont des représailles ? Mais à quand remonte le début de cette querelle ?

— Le début ? (Il fixa le plat de sa lame, comme pour tenter de lire quelque chose dans les reflets du métal.) Les choses ont toujours été ainsi. Ce sont des étrangers. (Il sourit encore.) Je suis content que les chasseurs t'aient ramenée, toi, et non un ennemi tué. Ça veut dire que c'est toujours notre tour et que j'aurai peut-être la chance de venger mon père.

Tally se retrouva à court de mots. En l'espace de quelques secondes, de fils éploré Andrew Simpson Smith s'était transformé en une sorte de… *sauvage*. Ses doigts avaient blanchi, crispés si fort sur le manche de son couteau que tout le sang en était chassé.

Elle détacha les yeux de l'arme et secoua la tête. Ce n'était pas juste de penser à lui comme à un barbare. Ce qu'Andrew lui décrivait était aussi vieux que la civilisation elle-même. À l'école, on leur avait parlé de ce genre de querelles sanglantes. Et les Rouillés avaient commis bien pire, inventant la guerre à grande échelle, créant des technologies de plus en plus meurtrières, jusqu'à manquer détruire le monde.

Malgré tout, Tally pensait que ces gens étaient différents. Elle s'obligea à regarder l'expression sinistre d'Andrew, mêlée à la joie macabre que la sensation du couteau dans sa main lui procurait.

Puis elle se rappela certains mots du docteur Cable. *L'humanité est un cancer, et nous sommes le remède.* Les villes avaient été construites pour mettre un terme à la violence. Et la violence était l'une des choses que l'Opération se chargeait d'effacer dans l'esprit des Pretties. Le monde dans lequel avait grandi Tally n'était qu'un vaste coupe-feu contre ce cycle infernal. Ici elle avait l'état naturel de l'espèce sous les yeux. En s'enfuyant de la ville, *voilà* peut-être vers quoi elle se précipitait.

À moins que le docteur Cable n'ait tort, et qu'il existe une autre voie.

Andrew leva les yeux de son couteau, le rengaina et écarta ses mains vides.

— Mais aujourd'hui, je vais t'aider à retrouver tes amis.

Il s'esclaffa, retrouvant d'un coup sa gaieté.

Tally songea d'abord à rejeter son aide, mais elle n'avait personne d'autre vers qui se tourner, et la forêt qui s'étendait entre elle et les Ruines rouillées grouillait de sentiers secrets, de dangers multiples et, probablement, de gens qui la considéreraient comme une « étrangère ». Et la première entorse risquait de lui être fatale si elle se retrouvait seule par ce froid.

Elle avait besoin d'Andrew Simpson Smith, c'était aussi simple que cela. Et il se préparait depuis l'enfance à aider les gens comme elle. Les dieux.

— O.K., Andrew. Mais on part aujourd'hui. Je suis pressée.

— Bien sûr. Aujourd'hui. (Il caressa la barbe éparse

de son menton.) Ces ruines où t'attendent tes amis ; où se trouvent-elles ?

Tally jeta un coup d'œil au soleil, qui indiquait l'est. Après un rapide calcul, elle désigna le nord-ouest, la direction de la ville et, au-delà, des Ruines rouillées.

— Par là, à une semaine de marche environ.

— Une semaine ?

— Ça veut dire sept jours.

— Oui, je connais le calendrier des dieux, dit-il d'un ton vexé. Mais une semaine *entière* ?

— Oui. Ce n'est pas si loin !

Il afficha une expression de crainte superstitieuse.

— Mais c'est au-delà du bord du monde.

LA NOURRITURE
DES DIEUX

Ils se mirent en route à midi.

Le village entier était venu assister à leur départ, apportant des offrandes pour leur périple. La plupart de ces cadeaux, trop lourds, ne pouvaient être emportés, Tally et Andrew les refusèrent poliment. Ce dernier remplit toutefois son sac à dos d'horribles lanières de viande séchée. Quand Tally réalisa que l'épouvantable préparation était destinée à être mangée, elle tenta de dissimuler son dégoût – sans grand succès. Le seul présent qu'elle accepta fut une fronde en bois et en cuir que lui offrit le plus âgé des gamins de son fan-club. Tally se débrouillait plutôt bien avec une fronde du temps où elle était gamine.

Le chef bénit devant tous leur voyage, en terminant sur une note d'excuse – traduite par Andrew – pour avoir failli fracasser le crâne d'un aussi jeune et aussi joli dieu. Tally lui assura que ses aînés ne seraient pas informés de ce malentendu, et le chef parut quelque peu soulagé. Il présenta ensuite un bracelet de cuivre martelé à Andrew, gage de sa gratitude envers le saint homme qui contribuait à réparer l'erreur des chasseurs.

Andrew rougit de fierté en acceptant ce cadeau, et la foule l'acclama quand il le brandit devant tous. Tally réalisa qu'elle avait semé une belle pagaille au village, un peu comme si elle avait débarqué semi-habillée à une fête costumée. Par chance, le fait qu'Andrew lui apporte son aide permettait à tout le monde de se détendre. Apaiser les dieux constituait apparemment la fonction principale d'un saint homme, ce qui amena Tally à se demander dans quelle mesure les Pretties interféraient avec les villageois.

Lorsque Andrew et elle eurent franchi les limites du village, et que leur escorte de gamins eut été rappelée par des mamans nerveuses, Tally se décida à lui poser quelques questions.

— Alors, Andrew, combien de dieux connais-tu, heu… en personne ?

Il gratta sa barbe d'un air songeur.

— Depuis la mort de mon père, tu es le premier dieu qui se présente. Aucun autre ne me connaît en tant que saint homme.

Tally hocha la tête. Ainsi qu'elle l'avait deviné, il s'essayait toujours à marcher dans les pas de son père.

— D'accord. Mais ton accent est impeccable. Ne me dis pas que tu as appris ma langue uniquement auprès de ton père ?

Il eut un sourire malin.

— Je n'étais pas supposé m'adresser aux dieux, mais écouter quand mon père les servait. Parfois, alors que nous guidions un dieu vers des ruines ou le nid d'une nouvelle espèce d'oiseau, je parlais.

— Tant mieux. Et… de quoi discutiez-vous ?

Il demeura silencieux un moment, comme s'il choisissait ses paroles avec soin.

— Nous parlions d'animaux. À quel moment ils s'accouplent, ce qu'ils mangent…

— Logique. (N'importe quel zoologue de la ville adorerait disposer d'une armée de pré-Rouillés pour l'assister sur le terrain.) Rien d'autre ?

— Certains dieux s'intéressaient aux ruines, comme je te le disais. Je les emmenais là-bas.

Même chose pour les archéologues.

— Sûr.

— Et puis, il y a le docteur.

— Quoi ? Le *docteur* ? (Tally s'arrêta net.) Dis-moi, Andrew, ce docteur ne serait-il pas… effrayant ?

Andrew fronça les sourcils, puis s'esclaffa.

— Effrayant ? Non. Comme toi, il est d'une grande beauté, c'est presque douloureux de le regarder.

Un frisson de soulagement la parcourut. Puis elle sourit, et haussa un sourcil :

— Tu n'as pas l'air d'avoir trop de mal à me regarder.

Il baissa les yeux au sol.

— Je suis désolé, Jeune Sang.

— Arrête, Andrew, je ne voulais pas dire ça. (Elle lui serra gentiment l'épaule.) C'était simplement pour rire. Tu peux me regarder autant que tu… enfin, bref. Et appelle-moi Tally, O.K. ?

— Tally, répéta-t-il, testant la sonorité du nom. (Elle laissa retomber sa main, et Andrew regarda l'endroit où elle l'avait touché.) Tu n'es pas comme tous les autres dieux.

— J'espère bien, dit-elle. Donc, ce docteur a l'air normal ? Je veux dire, beau ? Enfin… divin ?

— Oui. Il vient plus souvent que les autres. Mais il ne s'intéresse ni aux animaux ni aux ruines. Il pose d'innombrables questions sur la vie du village. Qui courtise qui, qui est tombée enceinte. Quel chasseur risque de défier le chef en duel.

— Je vois. (Tally essaya de se rappeler le nom.) Un anthro…

— Un anthropologue.

Tally haussa un sourcil.

Il sourit.

— Mon père disait toujours que j'avais de bonnes oreilles. Les autres dieux se moquent parfois du docteur.

— Hmm… (Les villageois en savaient plus long sur leurs divins visiteurs que les dieux ne le réalisaient, semblait-il.) Donc, tu n'as jamais rencontré de dieux qui aient l'air véritablement… effrayant, n'est-ce pas ?

Andrew plissa les yeux et repartit à grands pas. Il mettait parfois un certain temps à répondre aux questions, comme si la hâte était une chose que les villageois n'avaient pas encore pris la peine d'inventer.

— Non, c'est vrai. Pourtant, le grand-père de mon père nous parlait parfois de créatures aux armes mystérieuses et aux visages de faucons, qui accomplissaient la volonté des dieux. Elles prenaient forme humaine mais bougeaient d'une manière étrange.

— Un peu comme des insectes ? Avec des mouvements brusques, saccadés ?

Les yeux d'Andrew s'écarquillèrent.

— Ils existent donc vraiment ? Les Shayshals ?

— Shayshals? Oh! Nous les appelons Specials.

— Ils éliminent quiconque ose défier les dieux.

Elle acquiesça.

— C'est bien eux, pas d'erreur.

— Quand certains d'entre nous disparaissent, on prétend parfois que ce sont les Shayshals qui les ont emportés.

— Emportés?

Où ça? se demanda Tally.

Elle fit silence, fixant du regard la forêt devant elle. Si l'arrière-grand-père d'Andrew avait croisé les Special Circumstances, la ville devait connaître l'existence du village depuis des décennies, probablement davantage. Les scientifiques qui exploitaient ces gens le faisaient depuis longtemps, et n'hésitaient pas à faire intervenir les Specials pour renforcer leur autorité.

Défier les dieux n'était pas dépourvu de risque.

Ils marchèrent toute la journée d'un bon train à travers les collines. Tally commençait à repérer les sentiers sans l'aide d'Andrew, comme si ses yeux apprenaient à mieux observer la forêt.

À la tombée de la nuit, ils trouvèrent une grotte où dresser le camp. Tally se mit à ramasser du petit bois, mais s'interrompit en voyant l'expression perplexe d'Andrew.

— Qu'est-ce qu'il y a?

— Un feu? D'autres vont l'apercevoir!

— C'est vrai. Désolée. (Avec un soupir, elle se frotta les mains pour se réchauffer les doigts.) On dirait que votre histoire de vengeance nous promet un voyage long et froid.

— Mieux vaut avoir froid qu'être mort, Tally, dit-il avant de hausser les épaules. Et le voyage ne sera plus très long. Nous atteindrons le bord du monde demain.

— C'est ça, ouais.

Andrew n'avait pas été convaincu par la description du monde que Tally lui avait faite tout en marchant : une boule de 40 000 kilomètres de circonférence, suspendue au sein d'un vide sans air, avec la seule gravité pour coller tout le monde dessus. Cela pouvait sembler complètement dingue. Autrefois, des gens se faisaient arrêter quand ils croyaient à une planète ronde, apprenait-on à l'école – et généralement c'étaient des saints hommes qui procédaient à l'arrestation.

Tally sortit deux sachets de BoulSued.

— Au moins, nous n'avons pas besoin de feu pour manger chaud.

Andrew s'approcha, la regarda remplir le purificateur d'eau. Après avoir mastiqué de la viande séchée toute la journée, il était plutôt excité à l'idée de goûter la « nourriture des dieux ». Quand le purificateur sonna et que Tally souleva le couvercle, il demeura bouche bée devant la vapeur qui s'élevait des boulettes suédoises reconstituées. Elle lui tendit le purificateur.

— Vas-y. Toi d'abord.

Elle n'eut pas besoin d'insister. Au village, les hommes mangeaient toujours en premier. Les femmes et les gamins se partageaient les restes. Tally était un dieu, évidemment, et à bien des égards avait été traitée comme une sorte d'homme honoraire, mais certaines habitudes avaient la vie dure. Andrew lui prit le purificateur des mains et piocha une boulette de viande. Il retira aussitôt ses doigts avec un cri.

— Et fais attention de ne pas te brûler, le prévint-elle.

— Mais où est le feu? demanda-t-il doucement en se suçant les doigts.

Il éleva le purificateur pour vérifier l'absence de flamme par-dessous.

— C'est électronique... un tout petit feu. Es-tu certain de ne pas vouloir essayer les baguettes?

Il tenta en vain de maîtriser les baguettes pendant un moment, ce qui donna le temps aux BoulSued de refroidir, puis finit par manger avec les doigts. La déception s'afficha sur ses traits tandis qu'il mâchait.

— Hmm.

— Qu'y a-t-il?

— Je m'attendais à ce que la nourriture des dieux soit plus... savoureuse, en fait.

— Eh, c'est de la nourriture divine *déshydratée*, O.K.?

Tally mangea une fois qu'il eut fini, mais ne trouva pas beaucoup de goût à ses NouCurry après le festin de la veille. Elle avait déjà découvert à La Fumée à quel point la nourriture pouvait être meilleure. Même les produits frais n'étaient pas extraordinaires lorsqu'ils provenaient de cuves hydroponiques. Et Tally dut se ranger à l'opinion d'Andrew; la nourriture déshydratée n'avait rien de divin.

Le saint homme fut surpris lorsque Tally refusa de s'allonger contre lui – on était en hiver, après tout. Elle lui expliqua que l'intimité était un truc de dieux; il ne pouvait pas comprendre. Il la suivit des yeux avec une expression boudeuse tandis qu'elle mâchait sa pilule dentifrice et s'installait dans un coin de la grotte pour dormir.

Tally se réveilla au milieu de la nuit, à moitié gelée, regrettant son impolitesse. Après une longue critique muette contre elle-même, elle rampa sur le sol pour aller se blottir contre le dos d'Andrew. Ce n'était pas Zane, mais la chaleur de son corps était préférable au froid de la pierre qui la faisait grelotter, seule et misérable.

Quand elle se réveilla le lendemain, à l'aube, une odeur de fumée emplissait la grotte.

LE BORD DU MONDE

Tally voulut crier, mais une main lui ferma la bouche.

Elle faillait décocher des coups de poing dans la pénombre, et se retint d'instinct : c'était la main d'Andrew. Son nez l'avait reconnue. Après deux nuits l'un contre l'autre, l'odeur du saint homme n'avait plus de secret pour elle.

Elle se détendit, et il la lâcha.

— Qu'y a-t-il ? chuchota-t-elle.

— Des chasseurs. Plutôt nombreux, ils ont allumé un feu.

Elle retourna la phrase dans sa tête un moment, puis acquiesça : puisqu'il y avait querelle de sang, il fallait que les hommes en armes soient une vraie bande pour oser allumer un feu au-delà de la sécurité de leur village.

Tally décela une odeur de viande rôtie. Des éclats d'une conversation animée parvinrent à ses oreilles. Les hommes avaient dû dresser le camp peu après qu'Andrew et Tally s'étaient couchés, et voilà qu'ils préparaient leur petit déjeuner.

— Que fait-on ?

— Tu restes là, dis? Je vais voir si je peux trouver un chasseur isolé.

— Tu vas *quoi*? siffla-t-elle.

Il dégaina le couteau de son père.

— C'est ma chance d'équilibrer le score.

— Le *score*? C'est quoi pour toi, cette histoire, un match de foot? chuchota Tally. Tu vas te faire tuer! Tu l'as dit toi-même, ils doivent être nombreux.

Andrew fronça les sourcils.

— J'agirai uniquement contre un homme seul. Je ne suis pas stupide.

— Laisse tomber!

Elle l'empoigna, verrouillant ses doigts autour de son poignet. Il tâcha de se dégager, mais sa musculature nerveuse n'était pas de taille contre celle que l'Opération avait conférée à Tally.

Il lui jeta un regard noir, puis déclara d'une voix normale :

— Si on se bat, ils vont nous entendre.

— Sans blague. Chut!

— Lâche-moi!

Il avait encore haussé la voix. Tally comprit qu'il était prêt à crier, au besoin. L'honneur lui imposait de traquer l'ennemi, fût-ce au prix de leur vie à tous les deux. Bien sûr, les chasseurs ne feraient probablement aucun mal à Tally une fois qu'ils auraient vu son joli visage, mais Andrew serait tué s'il était capturé, ce qui se produirait à coup sûr au cas où il ne se tairait pas. Elle n'eut pas d'autre choix que de lui lâcher le poignet.

Andrew se détourna sans ajouter un mot et rampa hors de la grotte, le couteau à la main.

Tally resta assise dans l'obscurité, abasourdie, se repassant la dispute dans sa tête. Qu'aurait-elle dû lui dire ? Quels arguments chuchotés dans l'ombre auraient pu vaincre plusieurs décennies de querelle ? C'était perdu d'avance.

Le problème était peut-être même plus profond. Tally se souvint de sa conversation avec le docteur Cable, laquelle soutenait que l'être humain finissait toujours par redécouvrir la guerre, par redevenir un Rouillé – ainsi l'espèce constituait un fléau planétaire, qu'elle sache ou non ce qu'était une planète. Quel était le remède pour *cela*, sinon l'Opération ?

Et si la solution des Specials était la bonne ?

Tally s'accroupit dans la grotte, misérable, affamée et assoiffée. La gourde d'Andrew était vide, et elle n'avait rien d'autre à faire qu'attendre qu'il revienne. S'il revenait.

Comment pouvait-il la laisser ici ?

Bien sûr, il avait dû abandonner son propre père dans un ruisseau glacial, blessé et promis à une mort certaine. N'importe qui aurait sans doute envie de se venger après une chose pareille. Mais Andrew ne cherchait pas ceux qui avaient tué son père, il voulait juste assassiner un étranger au hasard. Cela n'avait aucun sens.

Les odeurs de cuisine finirent par s'estomper. En rampant jusqu'à l'entrée de la grotte, Tally n'entendit plus aucun bruit de conversation, seulement le vent dans les feuilles.

Puis elle aperçut entre les arbres quelqu'un qui venait…

C'était Andrew. Il était couvert de boue, comme s'il

avait rampé sur le ventre, mais le couteau qu'il tenait toujours avait l'air propre. Tally ne vit pas de sang sur ses mains. À mesure qu'il se rapprochait, elle put constater, soulagée, qu'il affichait un air déçu.

— Alors? lui lança-t-elle.

Il secoua la tête.

— Mon père n'est pas encore vengé.

— Dommage. Allez, en route.

Il fronça les sourcils.

— Et le petit déjeuner?

Tally se renfrogna. Un instant plus tôt il ne songeait qu'à attaquer et assassiner un parfait inconnu, et voilà qu'il faisait la même tête qu'un gamin auquel on retire la glace qui lui avait été promise.

— Plus le temps, dit-elle en jetant son sac à dos sur ses épaules. C'est par où, le bord du monde?

Ils marchèrent en silence. L'après-midi était bien entamé quand les grondements d'estomac de Tally finirent par la convaincre de s'arrêter. Elle leur prépara du RizLeg à tous les deux, n'étant pas d'humeur à avaler de la pseudo-viande.

Andrew se comporta comme un chiot avide de plaire, tenta même d'utiliser les baguettes avec des plaisanteries sur sa maladresse; mais Tally ne put se résoudre à sourire. Le froid qui s'était insinué en elle lorsqu'il l'avait laissée seule dans la grotte n'avait pas encore disparu.

Ce n'était pas tout à fait juste qu'elle en veuille à Andrew. Il ne pouvait probablement pas comprendre l'aversion de Tally pour le meurtre de sang-froid. Il avait grandi au sein du cycle de la vengeance. Cela faisait partie de sa vie pré-rouillée, au même titre que dormir pêle-mêle avec les autres ou abattre des arbres. Il n'y voyait rien de mal, pas plus qu'il ne comprenait à quel point les latrines lui répugnaient, à elle.

Tally était différente des villageois – cela, au moins, avait changé au cours de l'histoire humaine. Il y avait peut-être de l'espoir, après tout.

Mais elle n'avait pas envie d'en discuter avec Andrew, ni même de lui accorder un sourire.

— Alors, à quoi ressemble le bord du monde? demanda-t-elle finalement.

Il haussa les épaules.

— À rien.

— Il doit bien y avoir quelque chose de particulier.

— Le monde prend fin.

— Es-tu déjà allé là-bas?

— Bien sûr. Chaque garçon le fait, l'année avant de devenir un homme.

Tally fronça les sourcils – encore un truc de garçons.

— D'accord, mais à quoi ça ressemble? Une grande rivière? Une sorte de falaise?

Andew secoua la tête.

— Non. Ça ressemble à la forêt, comme n'importe quel autre endroit. Mais c'est la fin. Des petits hommes veillent à ce qu'on n'aille pas plus loin.

— Des petits hommes, hein? (Tally se souvint d'une vieille carte sur le mur de la bibliothèque de son école, où les mots «Ici sont des dragons» s'étalaient en lettres fleuries sur tous les endroits laissés vierges. Ce fameux bord n'était peut-être, pour des villageois, que la limite de la représentation mentale qu'ils se faisaient du monde. Comme leur besoin de vengeance, ils étaient incapables de voir au-delà.) Eh bien, ce ne sera pas la fin pour moi.

Il haussa de nouveau les épaules.

— Tu es un dieu.

— Tu l'as déjà dit. C'est encore loin?

Il leva les yeux vers le soleil.

— Nous serons là-bas avant la nuit.

— Bien.

Tally n'avait pas l'intention de passer une nuit de plus collée contre Andrew Simpson Smith, si elle pouvait l'éviter.

Ils ne distinguèrent pas d'autres signes d'étrangers au cours des heures suivantes, mais le silence s'était installé entre eux. Même après avoir renoncé à sa colère, Tally continua à enchaîner les kilomètres sans prononcer un mot. Andrew paraissait mortifié par ce traitement, à moins qu'il ne boude toujours en raison de sa vengeance avortée.

Bref, ce fut une mauvaise journée.

En fin d'après-midi, les ombres avaient commencé à s'allonger derrière eux quand il dit :

— C'est tout près, maintenant.

Tally s'arrêta le temps de boire un peu d'eau, et balaya du regard l'horizon. La forêt ne semblait pas différente de ce qu'elle en avait vu depuis qu'elle était tombée du ciel. Peut-être que les arbres s'éclaircissaient un peu, que les clairières se faisaient plus vastes et plus nues dans le froid croissant de l'hiver; mais cela ne ressemblait guère à l'idée qu'on pouvait se faire de la fin du monde.

Andrew se mit à marcher plus lentement, et l'on eût dit qu'il guettait des signes entre les arbres. Il se reportait parfois à des collines lointaines pour s'orienter. Enfin, il fit halte, fixant la forêt en écarquillant les yeux.

Il fallut à Tally un moment pour focaliser sa vision. Elle aperçut alors une chose accrochée à un arbre. On aurait dit une poupée faite de brindilles et de fleurs séchées, pas plus grosse que le poing. Elle se balançait dans la brise comme si elle dansait. Tally en vit d'autres qui s'échelonnaient à distance.

Elle ne put s'empêcher de sourire.

— Ce sont les petits hommes dont tu parlais?

— Oui.

— C'est donc ça, ton bord du monde?

La forêt était toujours la même aux yeux de Tally: des fourrés denses et des arbres pleins d'oiseaux poussant des cris rauques.

— *Le* bord, pas le mien. Personne ne l'a jamais franchi.

— Tu parles.

Tally secoua la tête. Les poupées marquaient probablement le territoire de la tribu voisine. Elle remarqua un oiseau perché près de l'une d'entre elles, qui la regardait avec curiosité, se demandant peut-être si elle était comestible.

Elle soupira, rajusta son sac à dos sur ses épaules et s'avança à grands pas vers la poupée la plus proche. Andrew ne suivit pas, mais il la rattraperait dès qu'il verrait combien ses superstitions étaient infondées. Des siècles auparavant, se souvint Tally, les marins avaient peur de naviguer en haute mer, craignant de basculer tôt ou tard par-dessus le bord du monde. Jusqu'à ce que l'un d'entre eux tente l'aventure, et découvre d'autres continents derrière l'horizon.

D'un autre côté, mieux valait peut-être qu'Andrew ne la suive pas. Elle n'avait pas besoin d'un compagnon de route obnubilé par la vengeance. Les gens qui vivaient au-delà du bord du monde n'avaient sans doute rien à voir avec la mort de son père, alors que pour Andrew, un étranger en vaudrait un autre.

En s'approchant, Tally put voir les poupées plus en détail. Elles pendaient tous les deux ou trois mètres, délimitant une sorte de frontière, comme les mobiles ornementaux d'une fête en plein air. Leurs têtes formaient des angles curieux, vit-elle – les poupées étaient toutes accrochées par le cou, au moyen d'un nœud coulant de liane. Elle comprit que les villageois les trouvaient effrayantes. Un frisson lui parcourut l'échine.

Puis la sensation gagna ses doigts…

Au début, Tally crut que ses bras s'étaient engourdis sous le poids de son sac à dos. Des picotements et four-millements lui descendaient désormais des épaules. Elle rajusta la position de son sac, tenta de rétablir sa circulation, mais la sensation demeura.

Après quelques pas, Tally entendit le son – un gron-dement sourd qui semblait émaner de la terre même, si grave qu'elle le percevait jusque dans ses os. Il joua sur sa peau tandis que le monde tremblait autour d'elle. La vision de Tally se brouilla, comme si ses yeux vibraient en accord avec le son. Elle fit encore un pas, et le gron-dement se renforça ; il évoquait maintenant un essaim de criquets sous son crâne.

Il y avait quelque chose de très bizarre là-dessous.

En voulant faire demi-tour, Tally découvrit que ses muscles s'étaient amollis. Son sac à dos lui donnait soudain l'impression d'être rempli de pierres, et le sol lui collait aux semelles. Elle tituba en arrière ; le son s'estompa légèrement.

Élevant une main devant ses yeux, elle constata qu'elle tremblait ; sa fièvre l'avait peut-être reprise.

À moins que cet endroit n'en soit le responsable ?

Tally tendit le bras loin devant elle, et les vibrations augmentèrent au bout de ses doigts, picotant sa peau à la manière d'un coup de soleil. L'air même vibrait, alors qu'elle progressait vers les poupées. Comme si ces dernières repoussaient la chair.

Tally serra les dents et s'avança avec témérité, mais le bourdonnement lui emplit la tête, brouillant de nouveau sa vision. Sa gorge se noua, l'air semblait à présent trop électrique pour être respiré.

Tally recula en trébuchant, et tomba à genoux quand le son eut un peu diminué. Des picotements couraient sur sa peau, telle une marée de fourmis grouillant sous ses vêtements. Elle essaya de s'éloigner davantage, mais son corps refusa d'obéir.

Puis elle sentit l'odeur d'Andrew. Ses mains vigoureuses la soulevèrent du sol et la traînèrent loin de la rangée de poupées. Le déferlement de sensations s'estompa lentement.

Tally secoua la tête, essayant de chasser les échos qui y vibraient encore. Tout son corps frissonnait de l'intérieur.

— Ce bourdonnement, Andrew... j'avais l'impression d'avoir avalé une ruche.

Andrew acquiesça, contemplant ses propres mains.

— Oui. Un bourdonnement, comme celui des abeilles.

— Pourquoi ne m'as-tu rien dit ? s'écria-t-elle.

— Mais je l'ai fait. Je t'ai parlé des petits hommes. Je t'ai dit qu'on ne pouvait pas passer.

Tally se renfrogna.

— Tu aurais pu te montrer plus explicite.

Il fronça les sourcils, puis haussa les épaules.

— C'est le bord du monde. Il est ainsi depuis toujours. Comment pouvais-tu l'ignorer ?

Levant les yeux vers la poupée la plus proche, Tally remarqua un détail qui lui avait échappé jusqu'ici. Apparemment faite de brindilles et de fleurs séchées – matériaux périssables –, elle n'était en rien abîmée. Toutes ces poupées avaient l'air flambant neuves, comme si elles n'étaient jamais restées sous une pluie diluvienne pendant des jours. À moins que quelqu'un ne soit venu les remplacer une à une, ces poupées devaient être fabriquées dans un matériau plus résistant que des brindilles.

Du plastique, par exemple.

Et renfermer quelque chose de beaucoup plus sophistiqué, un dispositif de sécurité assez puissant pour tétaniser un être humain, tout en étant suffisamment sélectif pour ne pas affecter les arbres ou les oiseaux ; une chose qui attaquait le système nerveux humain, traçant une frontière infranchissable autour du monde des villageois.

Tally comprit alors comment les Specials pouvaient autoriser l'existence du village. Il ne s'agissait pas de quelques personnes isolées vivant dans la nature, mais de la marotte de quelqu'un, d'une sorte de projet anthropologique. Comment les Rouillés appelaient-ils cela ?

Une réserve.

Et Tally était piégée à l'intérieur.

JOUR SACRÉ

— N'y a-t-il pas un moyen de traverser? demanda
Andrew.

Tally testait depuis une heure la rangée de poupées
qui s'étirait loin devant elle. Ses doigts la picotaient :
toutes semblaient en parfait ordre de marche.

Elle s'écarta du bord du monde, et le fourmillement
diminua dans ses doigts. Après sa première expérience,
Tally n'avait pas tenté de se rapprocher davantage de la
barrière – une fois lui suffisait – mais elle ne doutait
pas que les autres poupées aient tout autant de punch
que celle qui l'avait mise à genoux. Les machines de
la ville pouvaient fonctionner très longtemps, et il y
avait de l'énergie solaire en abondance au-dessus des
arbres.

— Non. Aucun moyen.

— J'aurais cru le contraire, avoua Andrew.

— Tu as l'air déçu.

— J'avais espéré que tu pourrais me montrer... ce
qu'il y a au-delà.

Elle fronça les sourcils.

— Je pensais que tu ne me croyais pas, quand je te
disais que le monde se poursuivait.

— Je te crois, Tally. Enfin, pas en ce qui concerne le vide sans air et la gravité, mais il y a forcément autre chose. La ville où tu vis doit bien exister.

— Où je vivais, rectifia-t-elle en avançant les doigts encore une fois.

Le picotement les traversa une fois de plus. Tally battit en retraite et se massa le bras. Elle n'avait aucune idée du genre de technologie utilisé par la barrière, mais ce n'était peut-être pas très sain de continuer à la tester. Inutile de prendre des risques.

Les petites poupées se balançaient dans la brise, avec l'air de se moquer d'elle. Tally était coincée, à l'intérieur du monde d'Andrew.

Elle se souvint de tous les trucs qu'elle avait employés durant sa mocheté – pour faire le mur de son dortoir, franchir la nuit le fleuve ou même s'inviter à une fête à la résidence de Peris lorsqu'il avait viré Pretty. Mais ses talents d'Ugly ne s'appliquaient pas ici. Comme elle l'avait appris à l'occasion de sa conversation avec le docteur Cable, la ville était volontairement facile à tromper. La sécurité y était conçue pour stimuler la créativité des Uglies, et non pour leur griller la cervelle.

En revanche, cette barrière avait pour but de tenir de dangereux chasseurs pré-rouillés à l'écart de la ville, de protéger les campeurs, les randonneurs et quiconque s'aventurerait dans le secteur. Tally ne risquait pas d'en démonter les poupées avec la pointe de son couteau.

Songer à ses tours d'Ugly lui fit penser à la fronde, dans la poche arrière de son pantalon. Il paraissait peu probable qu'elle occasionne une brèche dans ce bord du monde, mais cela méritait d'être tenté.

Elle trouva une pierre lisse et plate et la mit en place. Le cuir gémit quand elle banda la lanière. Elle tira sur la poupée la plus proche. Raté.

— Je manque un peu d'entraînement, on dirait.

— Jeune Sang! s'écria Andrew. Est-ce bien prudent?

Elle sourit.

— Tu as peur que je brise le monde?

— On raconte que ce sont les dieux qui ont installé les poupées à cet endroit, pour marquer le commencement du néant.

— Mmm, ce sont plutôt des panneaux style « Entrée interdite », ou « Sortie interdite », vu qu'elles vous empêchent surtout de vous en aller. Le monde est beaucoup plus vaste que ça, tu peux me croire. Ces poupées ne sont qu'une ruse qui masque la réalité.

Tally crut qu'Andrew allait insister; au lieu de ça, il se baissa et ramassa une pierre de la taille de son poing. Il arma son bras, visa, et lança. Tally vit tout de suite qu'il ferait mouche. Sa pierre frappa la poupée la plus proche et la fit tournoyer sur elle-même, resserrant le nœud autour de son cou, avant qu'elle se remette à tourner dans l'autre sens, pour se dérouler comme une toupie.

— C'était courageux de ta part, observa Tally.

Il haussa les épaules.

— Je te l'ai dit, Jeune Sang, je crois ce que tu me racontes. Ceci n'est peut-être pas vraiment le bord du monde; dans ce cas, je veux voir ce qui se trouve au-delà.

— Tu as raison.

Tally fit un pas en avant et tendit la main. Pas de

321

changement : ses doigts captèrent l'énergie qui vibrait dans l'air, et les fourmis remontèrent le long de son bras. Elle finit par reculer.

Un système de ce type, conçu pour fonctionner des décennies en pleine nature – en dépit des tempêtes de grêle, des animaux affamés et de la foudre – était probablement de taille à encaisser quelques jets de pierre.

— Les petits hommes continuent leur truc. (Elle se massa les doigts pour activer la circulation.) Je ne sais pas comment passer, Andrew. Mais c'était bien tenté.

Il était surpris lui-même d'avoir osé défier l'œuvre des dieux.

— C'est plutôt étrange, de vouloir franchir le bord du monde. Non ?

Elle s'esclaffa.

— Bienvenue dans ma vie. En tout cas, je suis désolée de t'avoir fait venir jusqu'ici pour rien.

— Je suis content d'avoir vu ça, Tally.

— Vu quoi ? Moi, en train de me griller le système nerveux ?

Il secoua la tête.

— Non. Ton tir de fronde.

— Pardon ?

— Quand je suis venu ici en tant que gamin, j'ai senti les petits hommes ramper à l'intérieur de moi. J'ai tout de suite eu envie de regagner le village. (Il la regarda, perplexe.) Toi, tu as voulu leur jeter des pierres. Tu ignores certaines choses que tous les enfants savent, et cependant tu es très sûre de toi pour décrire la forme de cette... *planète*. Tu agis comme si...

Il n'acheva pas, ne maîtrisant pas assez bien la langue de la ville.

— Comme si je voyais le monde différemment ?

— Oui, dit-il d'une voix douce.

Andrew n'avait donc jamais envisagé qu'il puisse exister plusieurs façons de voir le monde. Entre les attaques des chasseurs ennemis et la recherche permanente de nourriture, les villageois n'avaient sans doute guère de temps à consacrer à des débats philosophiques.

— C'est ce qu'on ressent, lâcha-t-elle, une fois hors de la réserve, je veux dire, quand on franchit le bord du monde. À propos, es-tu certain que nous finirons par tomber sur ces petits bonshommes, quelle que soit la direction dans laquelle nous irons ?

Andrew acquiesça.

— Mon père m'a enseigné que le monde est un cercle qui se traverse en sept jours de marche. Ce bord-ci est le plus près de notre village. Un jour, mon père a fait le tour du monde.

— Intéressant. Tu crois qu'il cherchait une issue ?

Andrew fronça les sourcils.

— Il ne me l'a jamais dit.

— Je suppose qu'il n'a rien trouvé. Malheureusement, tout ça ne m'apprend pas comment je vais m'échapper d'ici et regagner les Ruines rouillées.

Andrew demeura silencieux un long moment, mais Tally vit qu'il réfléchissait, prenant tout son temps pour peser la question. Enfin, il déclara :

— Tu dois attendre le prochain jour sacré.

— Pardon ?

— Les jours sacrés sont ceux où les dieux nous rendent visite. Ils arrivent en aérocars.

— Ah, ouais ? (Tally soupira.) Je ne sais pas si tu

avais deviné, Andrew, mais je ne suis pas censée me trouver là. Si les dieux aînés m'aperçoivent, je vais avoir de gros ennuis.

Il éclata de rire.

— Me prends-tu pour un imbécile, Tally Jeune Sang? J'ai écouté ton histoire à propos de la tour. J'ai bien compris que tu avais été bannie.

— Bannie?

— Oui, Jeune Sang. Tu es marquée.

Ses doigts effleurèrent le sourcil gauche de Tally.

— Marquée? Ah, ça... (Pour la première fois depuis qu'elle avait rencontré les villageois, Tally se rappela son tatouage.) Tu crois que ce dessin a une signification particulière?

Andrew se mordit la lèvre, baissa les yeux.

— Je n'en suis pas sûr, évidemment. Mon père ne m'a jamais parlé de ce genre de signe. Mais dans mon village, on ne marque que ceux qui ont volé.

— Sans blague! Alors tu pensais que c'était mon cas? (Il la regarda d'un air penaud, et Tally leva les yeux au ciel. Pas étonnant que les villageois aient été si mal à l'aise en sa présence; ils prenaient son tatouage pour une marque d'infamie.) Écoute, ce n'est qu'un truc décoratif. Enfin, laisse-moi formuler ça autrement. C'est une chose que mes amis et moi faisons pour nous amuser. Tu as remarqué qu'il bougeait par moments?

— Oui. Chaque fois que tu es en colère, que tu souris, ou que tu réfléchis.

— Exact. On appelle ça être « intense ». Bref, la vérité c'est que je me suis enfuie. Je n'ai pas été bannie.

— Et ils veulent te ramener chez toi. Je comprends.

Vois-tu, quand les dieux viennent, ils laissent leurs aérocars derrière eux pour s'enfoncer dans la forêt…

Tally cligna des paupières, et un sourire s'étala sur son visage.

— Tu m'aiderais à leur en voler un?

Il haussa les épaules.

— Tu ne crains pas de t'attirer leur colère?

Andrew soupira et caressa ses maigres poils de barbe, réfléchissant à la question.

— Il faudra nous montrer prudents. Mais j'ai remarqué que les dieux n'étaient pas… parfaits. Tu t'es échappée de leur tour, après tout.

— Voilà des dieux imparfaits, maintenant. (Tally s'autorisa un petit gloussement.) Que dirait ton père s'il t'entendait, Andrew?

Il secoua la tête.

— Je ne sais pas. Mais il n'est pas là. C'est moi le saint homme aujourd'hui.

Ce soir-là, ils campèrent à proximité de la barrière. Andrew prétendait que personne – étranger ou autre – ne s'aventurerait aussi près des poupées pendant la nuit. C'était un lieu de terreur superstitieuse, et puis, personne n'avait envie de se faire griller la cervelle en se relevant dans le noir pour pisser.

Le lendemain matin, ils entamèrent le voyage de retour au village d'Andrew, sans se presser, en évitant le territoire des chasseurs ennemis. Ils mirent trois jours, au cours desquels Andrew démontra sa connaissance de la forêt, qui mêlait folklore de son village et connaissances scientifiques glanées auprès des dieux. Il comprenait le cycle de l'eau et le principe général de la chaîne alimentaire, mais après une journée à tenter de lui expliquer la gravité, Tally renonça.

Lorsqu'ils regagnèrent les abords du village, il restait encore une semaine avant le prochain jour sacré. Tally demanda à Andrew de lui trouver une grotte où se cacher, le plus près possible de la clairière où les dieux posaient leurs aérocars. Elle avait décidé de ne pas se montrer. Si les villageois ignoraient son retour, ils ne risqueraient pas de la livrer aux dieux aînés. Et elle ne tenait pas à ce qu'on leur reproche d'avoir hébergé une fugitive.

Andrew repartit vers les siens, auxquels il comptait raconter que Jeune Sang avait franchi le bord du monde et s'en était allée. Les villageois savaient donc mentir, en fin de compte – les saints hommes, tout au moins.

Et l'histoire de Tally deviendrait vraie, dès qu'elle aurait mis la main sur un aérocar. Elle n'était pas une experte en pilotage mais avait suivi le même cours d'initiation aux manœuvres de sécurité que tous les Uglies à l'âge de quinze ans : comment voler droit, atterrir en cas d'urgence, etc. Elle savait que certains Uglies avaient l'habitude de pirater des aérocars. Bien sûr, ils dérobaient toujours des véhicules bridés, réglés sur la grille de la ville. Mais piloter ne pouvait pas être beaucoup plus ardu que se tenir sur une planche magnétique, non ?

Jour après jour, dans sa grotte, Tally s'interrogeait à propos des autres Crims. Tant que sa propre survie était en jeu, elle n'avait pas eu trop de mal à les oublier. Maintenant qu'elle n'avait rien d'autre à faire que tuer le temps, l'inquiétude commençait à la rendre folle. Les Crims avaient-ils échappé aux Specials ? Avaient-ils retrouvé les Nouveaux-Fumants ? Et, plus important, comment se portait Zane ? Elle espérait que Maddy serait parvenue à soigner ce qui n'allait pas chez lui.

Elle se souvint de leurs dernières minutes avant qu'il ne saute du ballon – les paroles qu'il lui avait dites : des mots qui l'avaient transportée au-delà de l'intense, comme si le monde allait changer à tout jamais.

Et voilà qu'elle ne savait même pas s'il était encore en vie.

Cela ne la tranquillisait pas non plus de songer que Zane et les autres Crims s'inquiétaient sans doute autant à son sujet. Elle aurait dû les rejoindre aux Ruines rouillées depuis une bonne semaine maintenant, et ils devaient s'imaginer le pire.

Combien de temps s'écoulerait avant que Zane n'abandonne, et ne se résigne à la considérer comme morte ? Et si elle n'arrivait pas à s'échapper de la réserve ? Qui pouvait conserver la foi éternellement ?

Lorsqu'elle n'était pas en train de se ronger les sangs, Tally tuait le temps en s'interrogeant sur le monde confiné d'Andrew. Comment avait-il été créé ? Pourquoi les villageois étaient-ils autorisés à vivre ici, alors que La Fumée avait été détruite sans pitié ? Peut-être était-ce le fait que les villageois soient piégés, croient en d'anciennes légendes et soient tenus par des querelles ancestrales alors que les Fumants avaient connu la vérité au sujet des villes et de l'Opération. Mais pourquoi maintenir en vie une société si brutale, alors que l'objectif premier de la civilisation consistait justement à infléchir les tendances violentes et destructrices de l'être humain ?

Andrew venait lui rendre visite tous les jours, apportant des noix et quelques racines afin d'agrémenter ses repas divins déshydratés. Il insista pour lui proposer des lanières de viande séchée jusqu'à ce qu'elle finisse par en goûter. Elle trouva cela salé comme des algues et plus coriace qu'une vieille semelle. Par contre, elle accueillit les fruits et le reste avec reconnaissance.

En retour, Tally racontait à Andrew toutes sortes d'histoires au sujet de son monde, pour montrer en particulier que la ville des dieux n'était en rien un lieu de perfection divine. Elle lui parla des Uglies, de l'Opération, lui expliqua que la beauté des dieux n'était que le produit de la technologie. La différence entre magie et technologie avait beau lui échapper, Andrew l'écoutait avec passion. Il avait hérité du scepticisme de son père, dont la fréquentation des dieux, semblait-il, ne l'avait pas toujours laissé empli de respect.

La compagnie d'Andrew avait parfois quelque chose de frustrant, néanmoins. Il était capable d'intuitions fulgurantes, mais par moments, se révélait assez borné, en particulier au sujet de la prétendue supériorité masculine, ce qui agaçait Tally au plus haut point. Elle savait qu'elle aurait dû se montrer plus tolérante mais ne voulait pas non plus être trop laxiste ; qu'il soit né dans une société où les femmes n'étaient que des servantes ne justifiait pas de perpétuer le modèle. D'ailleurs, Tally n'avait-elle pas elle-même tourné le dos à tout ce qu'on lui avait appris à désirer : une vie de confort, une beauté parfaite, la belle mentalité ? Andrew pouvait bien faire un effort de son côté.

Les barrières dressées autour du joli monde de Tally n'étaient peut-être pas aussi visibles que les petits hommes accrochés dans les arbres, mais elles n'étaient pourtant pas plus faciles à renverser. Peris, par exemple, avait renoncé au dernier moment à abandonner derrière lui tout ce qu'il avait connu. Chacun en ce bas monde était conditionné par son lieu de naissance, engoncé dans ses croyances, mais on devait au moins *tenter* de penser par soi-même. Sans quoi, autant vivre dans une réserve, et adorer une bande de dieux foireux.

Ils arrivèrent à l'aube, pile à l'heure.

Le rugissement de leurs aérocars déchira le ciel – deux véhicules semblables à ceux des Special Circumstances, portés par quatre rotors de sustentation. Ce n'était pas un mode de transport bien discret ; leur souffle courba les arbres comme une tempête, et de sa grotte, Tally vit un nuage de poussière s'élever au-dessus de la zone d'atterrissage. Puis le gémissement des rotors se réduisit à un concert de piaillements d'oiseaux apeurés. Après presque deux semaines de bruits naturels, les puissantes machines sonnaient curieusement à l'oreille de Tally, tels des engins issus d'un autre monde.

Elle rampa jusqu'à la clairière, dans la lumière de l'aube, se déplaçant dans le silence le plus total. Tally s'était familiarisée avec chaque arbre du parcours. Pour une fois, les dieux aînés seraient confrontés à quelqu'un qui connaissait tous leurs trucs, plus quelques-uns de son cru.

Depuis la lisière de la clairière, elle observa discrètement quatre grands Pretties qui déballaient du matériel – outils de creusage, caméras volantes et cages à spécimens, qu'ils entassèrent sur des chariots. Les scientifiques ressemblaient à des campeurs en vêtements d'hiver, de grosses lunettes de protection étaient accrochées à leur cou, une gourde pendait à leur ceinture. Andrew disait qu'ils ne restaient jamais plus d'une journée mais ils semblaient parés pour plusieurs semaines. Tally se demanda lequel était le docteur.

Andrew travaillait parmi les quatre Pretties, en brave petit saint homme, leur donnant un coup de main dans la préparation des équipements. Une fois les chariots chargés, ils les poussèrent dans la forêt, laissant Tally seule face aux aérocars.

Elle endossa son sac à dos et s'avança avec prudence dans la clairière.

C'était la partie la plus délicate de son plan. Tally ignorait en tout point quels dispositifs de sécurité protégeraient les véhicules. Avec un peu de chance, les savants se seraient contentés de mesures élémentaires, les codes de base pour empêcher des gamins de s'envoler accidentellement.

À moins qu'on les ait avertis que des fugitifs rôdaient dans le coin…

C'était ridicule, évidemment. Personne ne savait que Tally était piégée ici, sans sa planche. D'ailleurs, elle n'avait plus aperçu le moindre aérocar depuis la nuit où elle avait quitté la ville. Si les Specials continuaient à la chercher, ce n'était pas par là.

Elle atteignit l'un des véhicules et se pencha par la trappe de chargement. Elle ne vit que des morceaux d'emballage en mousse qui se balançaient dans la brise. Quelques pas supplémentaires l'amenèrent jusqu'à la cabine, vide également. Elle posa la main sur la poignée.

C'est alors qu'une voix d'homme retentit dans son dos.

Tally se figea. Après deux semaines de sommeil à la dure, dans ses vêtements crasseux et déchirés, elle pouvait peut-être passer de loin pour une villageoise ; mais son visage de Pretty la trahirait.

La voix s'éleva de nouveau, dans le langage du village, empreinte de l'autorité rocailleuse d'un ancien Pretty. Des bruits de pas se rapprochèrent. Devait-elle bondir dans l'aérocar et tenter de fuir ?

Les mots moururent dans la bouche de l'homme. Il venait de remarquer ses habits de ville sous la crasse.

Tally se retourna.

Il était équipé de la même manière que les autres, avec gourde et lunettes de chantier. Son visage était un masque de surprise. Il avait dû se trouver à bord de l'autre aérocar, et plus lent que ses collègues, il l'avait surprise.

— Juste ciel ! s'exclama-t-il en changeant de langue. Mais qu'est-ce que tu fabriques ici ?

Elle battit des cils, marqua une petite pause et prit son expression la plus innocente.

— Nous étions en ballon…

— En ballon ?

— … et nous avons eu une sorte d'accident. Mais je ne me rappelle pas bien.

Il s'avança d'un pas, puis fronça le nez. Tally était peut-être belle, mais elle empestait.

— Il me semble avoir vu aux infos une histoire de ballons égarés… ça remonte à une quinzaine de jours ! Ne me dis pas que tu es là depuis tout ce… (Il jeta un coup d'œil à ses vêtements déchirés, puis fit la grimace.) Si, je suppose que si.

Tally secoua la tête.

— Je ne sais pas depuis combien de temps je suis là.

— Ma pauvre chérie. (Il s'était remis de sa surprise et n'exprimait plus qu'une inquiétude d'ancien Pretty.) Tout va bien, maintenant. Je suis le docteur Valen.

Elle lui adressa un joli sourire, réalisant qu'il devait s'agir du fameux docteur dont avait parlé Andrew. Après tout, un simple observateur d'oiseaux n'aurait pas maîtrisé la langue des villageois. Elle était manifestement tombée sur le patron.

— J'ai l'impression de me cacher depuis des siècles, dit-elle. Il y a plein de cinglés par ici.

— Oui, ils peuvent parfois se montrer dangereux. (Il secoua la tête, comme s'il n'arrivait pas à se persuader qu'une jeune Pretty de la ville ait pu survivre à l'extérieur aussi longtemps.) Tu as de la chance d'être restée à l'écart d'eux.

— Qui sont-ils?

— Ce sont… les éléments d'une étude extrêmement importante.

— Une étude de quoi?

Il gloussa.

— Oh, tout ça est très compliqué. Je devrais peut-être prévenir que nous t'avons retrouvée. Je suis sûr qu'on doit s'inquiéter pour toi quelque part. Comment t'appelles-tu?

— Qu'est-ce que vous étudiez ici?

Il cligna des yeux, décontenancé par son insistance à poser des questions.

— Eh bien, nous observons certains traits caractéristiques de la... nature humaine.

— Comme la violence, la vengeance ?

Il fronça les sourcils.

— En un sens, oui. Mais comment...

— C'est bien ce que je pensais. (Soudain, tout lui paraissait clair.) Et pour étudier la violence, il vous faut un groupe de personnes brutales et violentes, pas vrai ? Vous êtes anthropologue ?

La confusion se lisait toujours sur le visage de l'homme.

— Oui, mais je suis également médecin. Es-tu certaine d'aller bien ?

Tally eut un éclair de lucidité.

— Vous êtes un médecin du cerveau.

— On appelle cela un neurologue, en fait. (Le docteur Valen se tourna prudemment vers la portière de l'aérocar.) Je ferais sans doute mieux d'appeler. Je n'ai pas retenu ton nom.

— Je ne vous l'ai pas donné.

Le ton de sa voix le pétrifia sur place.

— Ne touchez pas à cette poignée, dit-elle.

Il se retourna face à elle, perdant son assurance d'ancien Pretty.

— Mais tu n'es pas...

— Pretty ? Oh, que non. (Elle lui sourit.) Je m'appelle Tally Youngblood, j'ai les idées moches, et je vais prendre votre véhicule.

Le docteur avait peur des sauvages, visiblement — même des belles.

Il se laissa enfermer dans le coffre de l'un des aérocars sans opposer de résistance, après avoir remis les codes de décollage de l'autre. Tally aurait pu court-circuiter la sécurité, bien sûr, mais c'était plus rapide ainsi. Et l'expression du docteur Valen quand il lui donna les codes valait son pesant d'or. Il avait l'habitude de traiter avec des villageois impressionnés par sa divinité ; un seul regard de Tally lui avait fait comprendre qui donnait les ordres.

L'homme répondit encore à quelques questions, jusqu'à ce que Tally sache sans l'ombre d'un doute ce qui se déroulait dans cette réserve.

C'était l'endroit où l'Opération avait été mise au point, c'était de là que les premiers sujets d'expérience étaient issus. L'objectif des lésions cérébrales étant d'éradiquer la violence et le conflit, qui d'autre qu'un peuple déchiré par des querelles de sang interminables était plus à même de les tester ? Pareilles à des ennemis jurés bouclés dans une même pièce, les tribus piégées dans le cercle des petits hommes révélaient aux savants tout ce qu'ils désiraient savoir sur les origines proprement humaines de l'affrontement.

Pauvre Andrew... Son univers entier n'était qu'une expérience, et son père avait trouvé la mort dans un conflit dénué de sens.

Une fois à l'intérieur de l'aérocar, Tally marqua une pause avant de décoller, prenant le temps de se familiariser avec les commandes. Ce véhicule avait beau ressembler à ceux de la ville, Tally n'oubliait pas qu'il n'était pas bridé – rien ne l'empêcherait de s'écraser à la moindre erreur de pilotage. Il faudrait qu'elle soit très prudente en évoluant entre les ruines.

La première chose qu'elle fit consista à couper le système de communication ; elle ne tenait pas à ce que l'appareil indique sa position aux autorités de la ville.

— Tally !

Elle sursauta à ce cri, et jeta un coup d'œil à travers le pare-brise. Ce n'était qu'Andrew. Seul. Elle se glissa dehors et lui fit signe de se taire en indiquant le deuxième aérocar.

— J'ai enfermé le docteur là-dedans, siffla-t-elle. Il ne doit pas reconnaître ta voix. Que fiches-tu ici ?

Il regarda l'autre aérocar, les yeux écarquillés à l'idée qu'un dieu y était enfermé, et chuchota :

— On m'a envoyé voir ce qui le retenait. Il avait dit qu'il arrivait tout de suite.

— Eh bien, il sera en retard. Quant à moi, je m'en vais.

Il acquiesça.

— Bien sûr. Au revoir, Jeune Sang.

— Au revoir. (Elle sourit.) Je ne t'oublierai pas.

Andrew la fixa droit dans les yeux, avec la fascination familière des Uglies pour la beauté.

— Je ne t'oublierai pas non plus.

— Ne me regarde pas comme ça.

— Comme quoi, Tally ?

— Comme… un dieu. Nous ne sommes que des humains, Andrew.

Il baissa les yeux au sol, hochant doucement la tête.

— Je sais.

— Des humains imparfaits, certains bien pires que tu l'imagines. Nous commettons des choses abominables envers ton peuple, et depuis très longtemps. Nous en avons pris l'habitude.

Il haussa les épaules.

— Qu'y pouvons-nous ? Vous êtes si puissants.

— Oh, ça oui. (Elle lui prit la main.) Continuez à chercher un moyen de franchir le cercle des petits hommes. Le monde est immense. Peut-être réussirez-vous à aller si loin que les Specials renonceront à vous chercher. De mon côté, j'essaierai de…

Elle n'acheva pas sa promesse. Essayer de faire quoi ?

Un sourire illumina le visage d'Andrew, et il tendit la main pour effleurer son tatouage.

— Tu es intense en ce moment.

Elle acquiesça, en avalant sa salive.

— Nous t'attendrons, Jeune Sang.

Tally cligna des paupières, puis le serra dans ses bras sans un mot. Elle se glissa dans l'aérocar et lança les rotors. Tandis qu'enflait le bruit des moteurs, elle vit les oiseaux s'égailler à travers la clairière, terrorisés par le rugissement de la machine des dieux. Andrew se recula.

Le véhicule décolla dès qu'elle toucha les commandes. Les rotors couchèrent la cime des arbres aux alentours, et l'appareil s'éleva avec lenteur, bien en ligne.

En regardant vers le sol au moment de dépasser la cime des arbres, Tally vit Andrew lui faire signe de la main. Son large sourire malgré ses dents irrégulières était plein d'espoir. Tally sut qu'il lui faudrait revenir, ainsi qu'elle l'avait promis ; elle n'avait plus le choix. Quelqu'un devait aider ces gens à s'enfuir de la réserve, et cela ne pouvait être que Tally Youngblood.

Elle soupira. Il existait au moins une constante dans sa vie, et celle-ci devenait de plus en plus compliquée.

LES RUINES

Tally atteignit la mer alors que le soleil était en train de se lever, peignant l'eau de petites touches roses à travers les nuages bas sur l'horizon.

Elle dirigea l'aérocar vers le nord en décrivant une courbe lente et régulière.

Alors que l'appareil prenait de l'altitude, elle repéra les premiers vestiges des Ruines rouillées. Une distance qu'elle aurait mise une semaine à couvrir à pied venait de passer sous elle comme une brume, en moins d'une heure. Quand les formes sinueuses des anciennes montagnes russes apparurent à sa vue, elle vira doucement vers l'intérieur des terres.

L'atterrissage fut la partie la plus facile. Tally n'eut qu'à tirer la manette d'urgence, comme on l'apprenait aux gamins au cas où le conducteur aurait une crise cardiaque ou perdrait connaissance. Le véhicule s'immobilisa de lui-même et entama la descente. Tally avait repéré une zone plane, un de ces vastes champs de béton que construisaient les Rouillés pour y garer leurs voitures.

L'aérocar se posa dans les herbes folles et Tally ouvrit la portière à l'instant où il s'arrêta. Si les autres scientifiques avaient découvert le docteur et lancé l'alerte, les Specials devaient déjà être sur ses traces. Plus elle s'éloignerait du véhicule volé, mieux cela vaudrait.

Les tours en ruine se dressaient devant Tally, la plus haute à une heure de marche environ. Bien sûr, elle arrivait avec deux semaines de retard, mais elle espérait que les autres l'auraient attendue, ou lui auraient au moins laissé un message.

Zane était sûrement encore là, à la guetter, se refusant à partir tant que demeurait une chance de la voir arriver.

Tally endossa son sac à dos et se mit en marche.

Les rues à l'abandon étaient emplies de fantômes.

Tally n'avait jamais sillonné la ville à pied auparavant. Elle l'avait toujours survolée en planche magnétique – à dix mètres de hauteur au minimum –, pour éviter les carcasses de voitures incendiées au ras du sol. Durant les derniers jours de la civilisation rouillée, une épidémie artificielle s'était répandue à travers le monde. Elle ne contaminait pas les humains ni les animaux mais le pétrole, se propageant à travers les réservoirs à essence des voitures ou des avions, au point de rendre peu à peu le carburant instable. Le pétrole contaminé s'embrasait au contact de l'oxygène, et la fumée grasse des incendies diffusait dans la brise des spores infectieuses, vers d'autres réservoirs à essence, d'autres champs de pétrole, et jusqu'à la dernière machine rouillée du globe.

Les Rouillés n'avaient guère le goût de la marche à pied. Même lorsqu'ils eurent compris le processus de l'épidémie, les citadins pris de panique continuèrent à sauter à bord de leurs drôles de véhicules à roues en caoutchouc, dans l'espoir de se réfugier à la campagne : Tally distinguait des squelettes à travers les vitres barbouillées de suie des carcasses de voitures. Seules quelques personnes avaient eu assez d'intelligence pour s'enfuir à pied, avec la force de survivre à la mort de leur monde. Quel que soit celui qui avait mis en œuvre l'épidémie, il avait parfaitement cerné les faiblesses de ses contemporains.

— Ce que vous avez pu être stupides, marmonna Tally en contemplant l'embouteillage de carcasses.

Le mépris des morts ne les rendait pas moins inquiétants. Quelques crânes restés intacts lui retournèrent un regard vide.

À mesure qu'elle s'enfonçait dans la ville morte, les immeubles se firent de plus en plus hauts, dressant leurs poutrelles en acier telles des carcasses de créatures géantes. Tally suivit un chemin tortueux à travers les rues étroites, à la recherche du plus grand bâtiment. L'immense tour était facilement repérable depuis une planche magnétique, mais vue d'en bas, la ville devenait un véritable labyrinthe.

Enfin elle l'aperçut, au détour d'un carrefour, avec ses blocs de béton suspendus à son treillage de poutrelles en acier et ses fenêtres béantes qui l'observaient. C'était bien l'endroit – Tally se souvenait de l'avoir exploré avec Shay lors de sa première escapade dans les ruines. Il n'y avait qu'un problème.

Comment allait-elle accéder au sommet ?

Toute la partie intérieure de l'immeuble s'était effondrée depuis longtemps. Il n'y avait plus d'escaliers et pour ainsi dire plus de planchers. La charpente en acier convenait parfaitement aux suspenseurs magnétiques d'une planche, mais une personne à pied ne pouvait espérer grimper sans matériel d'escalade. Si Zane ou les Nouveaux-Fumants lui avaient laissé un message, Tally le découvrirait là-haut ; sauf qu'elle n'avait aucun moyen d'y parvenir.

Tally s'assit, soudain épuisée. Elle se retrouvait devant la tour de ses rêves, sans escalier ni ascenseur, et elle en avait perdu la clef – en l'occurrence, sa planche magnétique. La seule idée qui lui vint consistait à retourner auprès de son aérocar, et de l'approcher du toit… mais qui le maintiendrait en vol stationnaire le temps qu'elle prenne pied sur la charpente ?

Pour la millième fois, Tally regretta d'avoir brisé sa planche.

Elle étudia la tour. Et si personne ne l'attendait ? Si Tally Youngblood se retrouvait seule encore une fois ?

Elle se leva et hurla de toutes ses forces :

— Hé, hooo !

Son cri résonna à travers les ruines, faisant s'envoler un groupe d'oiseaux sur un toit lointain.

— Ohé ! C'est moi ! reprit-elle.

Lorsque le dernier écho s'éteignit, aucun son ne lui répondit. Tally avait la gorge enrouée à force de crier. Elle fouilla dans son sac à la recherche d'un feu de Bengale. La flamme serait parfaitement visible ici, dans l'ombre des immeubles en ruine.

Elle craqua la pièce d'artifice, éloigna la flamme sifflante de son visage puis cria de nouveau :

— C'est moi… Tally Youngblood !

Quelque chose bougea dans le ciel au-dessus d'elle.

Tally cligna des paupières et scruta le ciel bleu. Une forme se détacha lentement de la masse écrasante de l'immeuble, un ovale minuscule qui grossit peu à peu…

La face inférieure d'une planche magnétique. Quelqu'un descendait !

Tally jeta le feu de Bengale sur un tas de gravats, le cœur battant, consciente d'ignorer qui descendait à sa rencontre. Comment avait-elle pu se montrer aussi stupide ? Ce pouvait être n'importe qui. Si les Specials avaient attrapé les autres Crims et les avaient fait parler, ils étaient au courant du lieu de rendez-vous. La dernière évasion de Tally allait connaître une fin abrupte.

Elle s'astreignit au calme. Il s'agissait d'une planche, après tout, et d'une seule. Si les Specials lui avaient tendu un piège, une nuée d'aérocars aurait déjà surgi de toutes les directions.

D'ailleurs, à quoi bon paniquer ? Elle n'allait pas s'échapper à pied maintenant. Elle ne pouvait qu'attendre. Le feu de Bengale mourut en crachotant tandis que la planche descendait sans hâte, collée à la charpente métallique de l'immeuble. Une ou deux fois, Tally aperçut un visage se pencher par-dessus, mais à contre-jour, ç'aurait pu être n'importe qui.

Lorsque la planche ne fut plus qu'à dix mètres de hauteur, Tally appela d'un ton mal assuré :

— Ohé ?

— Tally… lui répondit une voix familière.

La planche s'immobilisa devant elle, et Tally se retrouva face à un visage tout à fait moche : le front trop haut, le sourire de travers, une cicatrice blanche en travers du sourcil. Elle le dévisagea, clignant les yeux dans la pénombre de la ville morte.

— David ? dit-elle doucement.

FACE À FACE

David la dévisagea en ouvrant de grands yeux.

Même si elle n'avait pas crié, il aurait reconnu sa voix. Mais à la façon dont il la regardait, on aurait dit qu'il voyait quelqu'un d'autre.

— David, répéta-t-elle. C'est moi.

Il acquiesça, incapable de parler. Son regard tâchait de reconnaître ce que l'Opération avait laissé de l'ancien visage, avec une expression incertaine... et un peu triste.

David était plus moche que dans les souvenirs de Tally. Parmi ses rêves de prince moche, jamais ses traits n'apparaissaient aussi imparfaits, ses dents à ce point irrégulières. Sa peau n'était pas aussi vilaine que celle d'Andrew, bien sûr. Il n'était pas pire que Sussy ou Dex, des gosses de la ville qui avaient grandi avec des pilules dentifrices et des timbres de protection solaire.

Mais il s'agissait de *David*, quand même.

Malgré le temps qu'elle venait de passer parmi les villageois, dont beaucoup étaient édentés et balafrés, ce visage lui causa un choc. Non parce qu'il était affreux – ce n'était pas le cas – mais parce qu'il était simplement... quelconque.

Ce n'était pas un prince moche. Rien qu'un Ugly.

Et le plus bizarre fut que, alors même qu'elle avait ces pensées, ses souvenirs longtemps refoulés lui revinrent enfin. C'était *David*, celui qui lui avait appris à faire du feu, à vider et cuisiner un poisson, à s'orienter selon les étoiles ; ils avaient travaillé côte à côte, voyagé ensemble pendant des semaines, et Tally avait renoncé à la ville pour rester avec lui à La Fumée – elle avait voulu vivre avec lui pour toujours.

Toutes ces réminiscences avaient survécu à l'Opération, enfouies quelque part dans son cerveau. Mais sa vie parmi les Pretties avait changé quelque chose de plus profond encore : la manière dont elle voyait David, comme si ce n'était plus la même personne qui se tenait devant elle.

Aucun d'eux ne prononça un mot pendant un long moment.

Finalement, il se racla la gorge.

— On ferait mieux de partir. Ils envoient parfois des patrouilles à cette heure de la journée.

Elle baissa les yeux au sol.

— O.K.

— Je dois t'examiner d'abord.

Il sortit une sorte de baguette de l'une de ses poches et la promena sur elle de la tête aux pieds. L'instrument demeura muet.

— Pas de mouchard sur moi ? demanda-t-elle.

Il haussa les épaules.

— On n'est jamais trop prudent. Tu n'as pas de planche ?

Tally secoua la tête.

— Je l'ai cassée lors de l'évasion.

— Waouh! Il faut un sacré choc pour briser une planche.

— C'était une longue chute.

Il sourit.

— Toujours la même, à ce que je vois. Je savais que tu finirais par te montrer. Maman disait que tu avais probablement...

Il n'acheva pas.

— Je vais bien. (Elle releva les yeux vers lui, ne sachant que dire.) Merci de m'avoir attendue.

Ils montèrent à deux sur la planche. Tally, qui était la plus grande désormais, se plaça à l'arrière, les bras autour de la taille de David. Elle avait abandonné ses lourds bracelets anticrash avant sa marche en compagnie d'Andrew Simpson Smith, mais elle portait toujours son capteur agrafé à sa boucle ventrale, de sorte que la planche pouvait percevoir son centre de gravité et compenser le supplément de poids. Malgré tout, ils volèrent lentement dans un premier temps.

La sensation du corps de David, la façon dont il se penchait dans les virages lui étaient toujours familières – même son odeur réveillait des émotions en elle, à donner le tournis. (Tally préférait ne pas penser à l'odeur qu'elle devait dégager, mais cela ne parut pas le gêner.) Elle fut surprise de voir tout ce qu'elle se rappelait ; on aurait cru que ses souvenirs attendaient, prêts à bondir : maintenant que David se tenait près d'elle, ils affluaient en masse. Le corps de David lui criait de le serrer contre elle.

Mais était-ce à cause de sa mocheté ? Tout le reste avait changé.

Tally savait qu'elle aurait dû l'interroger au sujet des autres, en particulier au sujet de Zane. Pourtant elle ne put se résoudre à prononcer son nom, ni même à dire quoi que ce soit. Se tenir sur la planche avec David, cela semblait déjà presque trop.

Elle se demandait toujours pourquoi c'était Croy qui lui avait apporté le remède. Dans sa lettre écrite à elle-même, Tally semblait tellement certaine que David viendrait la sauver. C'était *lui* le prince de ses rêves, après tout.

Lui en voulait-il encore pour avoir trahi La Fumée ? La blâmait-il pour la mort de son père ? La nuit même où elle lui avait tout avoué, elle avait regagné la ville pour se livrer, pour devenir Pretty afin de pouvoir tester le remède. Elle n'avait pas eu l'occasion de lui expliquer à quel point elle était désolée. Ils n'avaient même pas pu se dire au revoir.

Et si David la détestait, pourquoi était-ce lui qui l'avait attendue dans les ruines ? Elle avait la tête qui tournait, comme sous l'effet de la belle mentalité, mais sans la dimension joyeuse.

— Ce n'est pas très loin, dit David. Peut-être trois heures, à ce rythme.

Elle ne répondit rien.

— Je n'ai pas pensé à apporter une autre planche. J'aurais dû deviner que tu n'avais plus la tienne, vu le temps que tu as mis pour venir.

— Je suis désolée.

— Ce n'est pas grave. On va juste voler plus lentement.

— Je suis désolée, pour ce que j'ai fait, précisa-t-elle.

346

Elle se tut. Ces simples mots l'avaient épuisée.

Il laissa la planche s'arrêter d'elle-même entre deux masses de métal et de béton, et ils restèrent ainsi un long moment, David continuant à lui tourner le dos. Elle posa la joue contre son épaule, les yeux brûlants.

Enfin, il dit :

— Je croyais que je saurais quoi te dire.

— Tu avais oublié mon nouveau visage, hein ?

— Pas vraiment. Mais je ne pensais pas que tu serais... si différente.

— Moi non plus, avoua Tally.

Puis elle réalisa que ces mots n'auraient aucun sens pour lui. Le visage de David n'avait pas changé, après tout.

Il se retourna avec précaution sur la planche et lui toucha le sourcil. Tally sentit son tatouage pulser sous sa caresse.

Elle sourit.

— Oh, c'est ça qui t'ennuie ? C'est juste un truc de Crim, pour voir qui est intense ou non.

— Ouais, un tatouage réglé sur les battements du cœur. Ils me l'ont expliqué. Je ne m'attendais pas à en découvrir un sur toi. C'est tellement... bizarre.

— Je suis toujours la même, à l'intérieur.

— C'est l'impression que j'ai en volant avec toi.

Il se détourna et enfonça la planche vers l'avant pour la faire repartir.

Tally le serra fort afin qu'il ne se retourne plus, tant la confusion des sentiments l'envahissait chaque fois qu'elle le regardait. De son côté, il n'avait sans doute pas envie de voir son visage artificiel avec ses yeux immenses et son tatouage animé.

— Dis-moi, David, pourquoi est-ce Croy qui est venu m'apporter le remède et non toi?

— Les choses ne se sont pas déroulées comme prévu. Je comptais te l'apporter à mon retour.

— Ton retour? D'où ça?

— J'étais parti en reconnaissance vers une autre ville, à la recherche d'autres Uglies à recruter, quand les Specials ont débarqué en force. Ils ont entamé un quadrillage systématique des ruines. (Il lui prit la main et la pressa contre sa poitrine.) Ma mère a décidé de s'éloigner pour un temps. Nous avons dû disparaître dans la nature.

— En me laissant seule en ville, dit-elle. Maddy n'a pas hésité longtemps, j'imagine.

Tally ne doutait pas un instant que la mère de David la tenait encore pour responsable de tout – la fin de La Fumée, la mort d'Az.

— Elle n'avait pas le choix, protesta David. Nous n'avions encore jamais vu autant de Specials à la fois. C'était trop dangereux de rester ici.

Tally se souvint de sa petite conversation avec le docteur Cable.

— Je suppose que les Special Circumstances ont accéléré le recrutement ces derniers temps.

— Mais je ne t'avais pas oubliée, Tally. J'avais fait promettre à Croy de t'apporter les pilules et la lettre s'il m'arrivait quoi que ce soit, pour être sûr que tu aies une chance de t'échapper. Quand ils ont commencé à remballer La Nouvelle-Fumée, il s'est dit que nous ne serions peut-être pas de retour avant un moment, et il s'est glissé en ville.

— Tu lui avais demandé de venir?

— Bien sûr. C'était ma solution de repli. Jamais je ne t'aurais laissée toute seule là-bas, Tally.

— Oh.

Le vertige la reprit, comme si la planche était une plume qui tombait en tournoyant. Elle ferma les yeux et resserra les bras autour de David, étreignant la solidité, la réalité de son corps plus forte que n'importe quel souvenir. Un sentiment de malaise la quitta, dont elle n'avait pourtant pas pris conscience auparavant. L'inquiétude qui imprégnait ses rêves, la crainte que David l'ait abandonnée, tout cela découlait d'un malentendu, un simple grain de sable dans l'engrenage, comme dans ces vieilles histoires de lettre qui arrive trop tard ou qui est adressée à la mauvaise personne, et où il s'agit de ne pas se tuer pour ça.

Une certitude : David aurait voulu venir en personne.

— Sauf que... tu n'étais pas toute seule, ajouta-t-il avec douceur.

Tally se raidit : il était au courant pour Zane. Bien sûr. Comment lui expliquer qu'elle l'avait tout simplement *oublié* ? David n'ignorait rien des lésions – ses parents lui avaient enseigné ce que signifiait la belle mentalité. Il fallait qu'il comprenne.

Pourtant, Tally n'avait *pas* oublié Zane. Elle se rappela son beau visage, amaigri et vulnérable, la manière dont ses yeux d'or avaient étincelé juste avant qu'il ne saute du ballon. Et son baiser lui avait donné la force de trouver les pilules ; il avait partagé le remède avec elle. Alors, que pouvait-elle dire ?

Le moins compliqué était de demander :

— Comment va-t-il ?

David haussa les épaules.

— Pas terrible. Mais pas si mal, tout bien considéré. Tu as eu de la chance, Tally. Ç'aurait pu être toi.

— Le remède est dangereux, c'est ça ? Il ne marche pas avec certaines personnes.

— Il marche parfaitement. Tes copains l'ont tous pris, et ils se portent à merveille.

— Mais les migraines de Zane…

— Ce ne sont pas de simples migraines. (Il soupira.) Je préfère laisser ma mère t'expliquer.

— Mais qu'est-ce…

Tally n'acheva pas. Comment reprocher à David de n'avoir pas envie de parler de Zane ? Au moins, toutes les questions qu'elle n'avait pas posées avaient trouvé une réponse. Les autres Crims avaient rejoint les Fumants sans encombre ; Maddy avait pu aider Zane ; l'évasion s'était déroulée à la perfection. Et maintenant que Tally avait rallié les ruines à son tour, tout allait pour le mieux.

— Merci de m'avoir attendue, répéta-t-elle.

Il ne répondit rien, et ils firent le reste du trajet sans échanger le moindre mot.

MAÎTRISE
DES DÉGÂTS

Le chemin jusqu'à la cachette des Nouveaux-Fumants survolait des lits de torrents et d'anciennes voies ferrées contenant assez de métal pour maintenir la planche magnétique en l'air. En fin de compte, ils escaladèrent une petite montagne à quelque distance des Ruines rouillées où les suspenseurs de la planche prirent appui sur les rails d'un vieux funiculaire. Ils parvinrent ainsi devant un gigantesque dôme de béton, ouvert et fissuré par les siècles.

— Quel était cet endroit? demanda Tally, d'une voix sèche après trois heures de silence.

— Un observatoire. Autrefois, il y avait un télescope géant sous ce dôme. Mais les Rouillés l'ont retiré lorsque la pollution de leur ville est devenue trop importante.

Tally avait vu des photos de ciel noirci par la crasse et la fumée — on leur en montrait beaucoup à l'école — mais avait du mal à imaginer qu'on puisse réussir à changer la couleur de l'air même. Elle secoua la tête. Les choses les plus exagérées que ses professeurs lui avaient enseignées à propos des Rouillés se révélaient toujours exactes. La température avait décru régulièrement à mesure qu'ils s'élevaient en altitude et le ciel de l'après-midi lui semblait clair tel du cristal.

— Comme les scientifiques ne pouvaient plus observer les étoiles, le dôme a été récupéré pour les touristes, poursuivit David. D'où la présence de tous ces funiculaires. Ça nous offre plusieurs voies d'évasion, au cas où nous aurions besoin de lever le camp précipitamment et, de là-haut, on peut voir à plusieurs kilomètres dans n'importe quelle direction.

— Fort Fumant, hein ?

— Je suppose. Si les Specials nous retrouvent, ça nous laissera au moins une chance.

Une sentinelle les avait manifestement repérés durant leur ascension – des gens se déversèrent de l'observatoire en ruine quand la planche magnétique vint se poser sur l'esplanade. Tally repéra les Nouveaux-Fumants – Croy, Ryde, Maddy, ainsi que quelques Uglies qu'elle ne reconnut pas – et deux douzaines de Crims qui avaient pris part à l'évasion.

Elle chercha le visage de Zane dans la foule mais ne l'aperçut nulle part.

Tally bondit de la planche et courut serrer Fausto dans ses bras. Il lui sourit. À la vivacité de son expression, on voyait qu'il avait pris les pilules. Il n'était plus simplement intense ; il était guéri.

— Tally, tu empestes, protesta-t-il avec un grand sourire.

— J'ai fait un long voyage. Et c'est une longue histoire.

— Je savais que tu réussirais. Mais où est Peris ?

Elle prit une grande bouffée d'air frais de la montagne.

— Il s'est dégonflé, hein ? dit Fausto avant qu'elle ne puisse répondre. (Elle acquiesça.) J'ai toujours pensé qu'il le ferait.

— Emmène-moi auprès de Zane.

Fausto pivota, avec un geste en direction de l'observatoire. Les autres traînaient autour d'eux mais paraissaient hésiter à s'approcher de Tally à cause de son aspect échevelé et de son odeur forte. Les Crims lui dirent bonjour, et les Uglies réagirent à son visage de jeune Pretty, écarquillant de grands yeux malgré la crasse qui la recouvrait. Ça marchait à tous les coups, même quand on ne vous prenait pas pour un dieu.

Tally s'arrêta, le temps d'adresser un signe de tête à Croy.

— Je n'ai pas encore eu l'occasion de te remercier.

Il haussa un sourcil.

— Ne me remercie pas. C'est toi qui as tout fait.

Elle remarqua que Maddy la fixait d'un drôle d'air ; Tally l'ignora, se moquant de savoir ce que la mère de David pensait, et elle suivit Fausto sous le dôme brisé.

Il faisait sombre à l'intérieur – quelques lanternes étaient suspendues autour de l'immense hémisphère, et un rai de soleil aveuglant se déversait par la grande fissure du dôme. Un feu de joie emplissait l'espace d'ombres dansantes, dont la fumée s'élevait paresseusement jusqu'à la voûte fendue.

Zane était allongé près du feu, sous un tas de couvertures, les paupières closes. Plus maigre encore que lorsqu'ils jeûnaient afin de se débarrasser de leurs bracelets, il avait les yeux profondément creusés. Les couvertures se soulevaient et retombaient d'un mouvement paisible au rythme de sa respiration.

Tally eut un choc.

— David disait qu'il était O.K.

— Son état reste stable, dit Fausto, ce qui n'est pas si mal, vu les circonstances.

— *Quelles* circonstances?

Fausto écarta les mains avec impuissance.

— Son cerveau.

Un frisson parcourut Tally.

— Eh bien, quoi? demanda-t-elle doucement.

— Il a fallu que tu improvises, hein, Tally? fit une voix dans l'obscurité.

Maddy s'avança dans la lumière, David à ses côtés.

Tally soutint son regard meurtrier.

— De quoi parlez-vous?

— Ces pilules qu'on t'a remises étaient destinées à être prises ensemble.

— Je sais. Mais nous étions deux…

Tally laissa sa phrase en suspens devant l'expression de David. *Et j'avais trop peur pour les prendre toute seule*, pensa-t-elle, se rappelant ces instants de panique à Valentino 317.

— J'aurais dû m'en douter, fit Maddy en secouant la tête. C'était trop risqué de laisser une Pretty se soigner elle-même.

— Pourquoi ça?

— Je ne t'ai jamais expliqué comment fonctionnait le remède, hein? dit Maddy. Comment les nanos suppriment les lésions de ton cerveau? Eh bien, ils les

354

décomposent, de la même façon que les pilules qui guérissent le cancer.

— Alors, que s'est-il passé ?

— Les nanos ne se sont pas arrêtés. Ils ont continué à se reproduire, en décomposant le cerveau de Zane.

Tally se retourna vers la silhouette allongée. Sa respiration semblait si fragile, le mouvement de sa poitrine tout juste perceptible.

Elle fit face à David.

— Mais tu prétendais que le remède fonctionnait parfaitement.

Il hocha la tête.

— C'est le cas. Tes autres amis vont bien. Mais les deux pilules étaient différentes. La deuxième, celle que tu as prise, sert à traiter le remède. Elle provoque l'autodestruction des nanos après la guérison des lésions. Sans elle, les nanos de Zane ont continué à lui dévorer la cervelle. Maman dit qu'ils se sont arrêtés à un certain point, mais pas avant d'avoir commis… des dégâts.

Tally réalisa enfin : c'était *sa* faute. Elle avait avalé la pilule qui aurait pu épargner cette épreuve à Zane, le traitement du remède.

— Beaucoup de dégâts ?

— Il est trop tôt pour le dire, répondit Maddy. J'avais assez de tissu souche pour régénérer les zones détruites de son cerveau, mais les anciennes connexions établies entre ses cellules ont disparu. Elles correspondaient aux centres de la mémoire, des fonctions motrices et de la cognition. Certaines parties de son cerveau sont presque totalement effacées.

— Effacées ? Vous voulez dire… que c'est un *légume* ?

— Non, seules quelques zones ont été touchées, intervint Fausto. Et son cerveau peut se reconstruire, Tally. Ses neurones peuvent tisser de nouvelles connexions. C'est ce qu'il est en train de faire, d'ailleurs. Zane le fait depuis le début ; il est arrivé jusqu'ici sur sa planche sans l'aide de personne, avant de s'écrouler.

— C'est incroyable qu'il ait tenu si longtemps, admit Maddy en secouant lentement la tête. Je crois que c'est le fait de ne pas manger qui l'a sauvé. En s'affamant, il a fini par affamer les nanos. Il n'en a plus aucune trace en lui.

— Il peut encore parler et tout ça, précisa Fausto. (Il baissa les yeux sur Zane.) Il est juste… un peu fatigué pour le moment.

— Tu aurais pu être à sa place sous ces couvertures, Tally. (Maddy secoua la tête.) C'était du fifty-fifty. Tu as eu de la chance.

— C'est tout moi, ça. Je n'arrête pas d'avoir de la chance, dit Tally d'une voix douce.

Bien sûr, elle devait reconnaître que ce n'était pas faux. Ils s'étaient partagé les pilules au hasard, les croyant identiques. Les nanos auraient pu s'en prendre à elle plutôt qu'à Zane. *Petite veinarde.*

Elle ferma les yeux, enfin consciente des efforts qu'avait dû déployer Zane pour masquer ce qui lui arrivait. Pendant tous ces longs silences alors qu'ils portaient les bracelets, il luttait, dans l'effort de rester cohérent, sans savoir exactement ce qui se passait mais risquant le tout pour le tout plutôt que retomber dans la belle mentalité.

Tally le contempla, regrettant un instant de ne pas être à sa place. Tout, plutôt que le voir ainsi. Si seulement elle avait pris la pilule de nanos, et lui celle qui servait à… à quoi, au fait ?

— Attendez une minute. Si Zane a pris les nanos, comment ma pilule a-t-elle réussi à me guérir ?

— Elle ne t'a pas guérie, répondit Maddy. Sans la première pilule, l'antinanos que tu as prise ne sert strictement à rien.

— Mais…

— C'était *toi*, Tally, fit une voix faible. (Les yeux de Zane s'entrouvrirent, accrochant le soleil comme la tranche de deux pièces d'or. Il lui adressa un sourire las.) Tu es devenue intense par toi-même.

— Mais je me sentais si différente, après que…

Elle se rappela cette journée – leur baiser, leur intrusion à la résidence Valentino, l'escalade de la tour. Mais, bien sûr, tout cela s'était produit *avant* qu'ils prennent les pilules. Être avec Zane l'avait transformée depuis le début, depuis ce premier baiser.

Tally se souvint à quel point les effets du « remède » lui semblaient fluctuants, comment elle devait sans cesse travailler pour rester intense, davantage que Zane.

— Il a raison, Tally, concéda Maddy. D'une manière ou d'une autre, tu as réussi à te soigner toute seule.

DOUCHE FROIDE

Tally resta au chevet de Zane. Maintenant qu'il était réveillé et pouvait parler, elle trouvait plus facile d'être avec lui que d'affronter ce que David et elle avaient encore à débrouiller. Les autres les laissèrent seuls.

— Savais-tu ce qui t'arrivait ?

Zane mit longtemps à répondre. Désormais, son discours était entrecoupé de longs silences, presque à la manière des pauses théâtrales d'Andrew.

— Je savais que tout devenait plus difficile. Par moments, je devais me concentrer rien que pour arriver à marcher. Mais je ne m'étais jamais senti aussi vivant depuis que j'avais viré Pretty ; je pensais que ça en valait la peine, pour être intense avec toi. Je me disais qu'une fois que nous aurions trouvé La Nouvelle-Fumée, je trouverais de l'aide.

— C'est ce qui s'est passé. Maddy t'a remis...

Tally se tut.

— Du tissu cérébral dans le crâne ? acheva-t-il avec un sourire. Sûr, de beaux neurones tout chauds, à peine sortis du four. Ne reste plus qu'à les remplir.

— On le fera et nous ferons d'autres expériences intenses, dit Tally.

Cette promesse sonnait bizarrement dans sa bouche – «nous» voulait dire Zane et elle, comme si David n'existait pas.

— S'il reste assez de mon ancien moi pour être intense, dit-il avec lassitude. Tous mes souvenirs n'ont pas disparu. Ce sont principalement les fonctions cognitives qui ont été touchées, ainsi que certaines fonctions motrices.

— Les fonctions cognitives? Comme *penser*, tu veux dire?

— Ouais, et les fonctions motrices, comme marcher. (Il haussa les épaules.) Mais le cerveau est conçu pour encaisser, Tally. Il est connecté de telle sorte que ce qu'il contient est stocké partout, pour ainsi dire. Quand une de ses parties est endommagée, les choses ne s'effacent pas, elles se brouillent simplement; par exemple, quand on a la gueule de bois. (Il rit.) Une sacrée gueule de bois. Sans oublier mes courbatures, à force de rester allongé toute la journée. Et j'ai l'impression que cette nourriture de Fumants me donne mal aux dents. Maddy prétend que c'est juste une douleur fantôme, après ce que j'ai subi au cerveau.

Il se massa la joue en fronçant les sourcils.

Elle lui prit la main.

— Je n'en reviens pas que tu sois si courageux. C'est incroyable.

— Tu peux parler, Tally. (Il lutta pour s'asseoir, en tremblant comme un invalide.) Tu as réussi à te soigner toute seule, sans te faire grignoter le cerveau. C'est ça que je trouve incroyable.

Tally baissa les yeux sur leurs mains jointes. Elle ne se sentait pas particulièrement formidable; plutôt puante, sale, écœurée qu'elle n'ait pas eu les tripes de prendre les deux pilules, ce qui aurait évité ce drame. Elle n'avait même pas les tripes de parler de David à Zane, ou vice versa. Pathétique.

— Ça te fait un drôle d'effet, de le revoir ? demanda Zane.

Elle le dévisagea, et il rit de sa surprise.

— Ça va, Tally. J'étais prévenu, après tout. Tu m'as parlé de lui la première fois qu'on s'est embrassés, tu te rappelles ?

— Ah, oui. (Ainsi, Zane s'y était préparé depuis le début. Tally aurait dû s'en douter. Peut-être n'avait-elle pas voulu affronter l'évidence.) Oui, c'est drôle de le revoir. Je ne m'attendais pas à ce qu'il me guette dans les ruines. À me retrouver seule avec lui.

Zane acquiesça.

— C'était intéressant, de t'attendre. Sa mère disait que tu ne viendrais pas. Que tu avais dû te dégonfler, parce que tu n'étais pas vraiment guérie. Que tu n'avais fait que jouer avec moi, en imitant mon intensité.

Tally roula des yeux.

— Elle ne me porte pas dans son cœur.

— Sans blague ? (Il sourit.) David et moi étions sûrs que tu finirais par te montrer. On pensait que…

Tally geignit.

— Ne me dis pas que lui et toi êtes devenus *copains* ?

Zane marqua l'une de ses insupportables pauses.

— J'en ai l'impression. Il m'a posé beaucoup de questions sur toi à notre arrivée. Je crois qu'il voulait savoir à quel point la belle mentalité t'avait transformée.

— Vraiment?

— Vraiment. C'est lui qui nous a accueillis dans les ruines. Lui et Croy campaient dans les parages, en guettant les feux de Bengale. En fait, ce sont eux qui avaient laissé les magazines à l'intention des Uglies de la ville, pour faire savoir que les ruines étaient de nouveau visitées. (La voix de Zane devenait rêveuse, comme s'il était en train de s'endormir.) Enfin, je me retrouvais en face de lui, après m'être dégonflé la première fois. (Il se tourna vers Tally.) Tu lui as manqué, tu sais.

— J'ai détruit sa vie, dit Tally.

— Tu ne voulais pas ce qui est arrivé ; David le sait aujourd'hui. Je lui ai raconté comment les Specials avaient menacé de te garder moche toute ta vie pour te contraindre à trahir La Fumée.

— Tu lui as dit ça ? (Tally souffla.) Merci. Je n'avais pas eu l'occasion de lui expliquer pourquoi j'étais venue à La Fumée, par quel moyen on m'avait forcé la main. Maddy m'a obligée à partir le soir même où je leur ai tout avoué.

— Ouais. David en a voulu à sa mère, pour ça. Il aurait souhaité pouvoir te parler.

Il y avait tant de questions en suspens entre David et elle. Bien sûr, imaginer les discussions entre Zane et lui à son sujet n'avait rien de particulièrement exaltant, mais au moins, David connaissait les faits désormais. Elle soupira.

— Merci de m'avoir dit tout ça, fit Tally. Cela doit être étrange pour toi.

— Un peu. Mais tu n'as aucune raison de te sentir mal, à propos de ce qui s'est passé.

— Tu trouves? J'ai quand même détruit La Fumée, et le père de David est mort à cause de moi.

— Tally, nous sommes tous manipulés. Ce qu'on nous enseigne a pour seul et unique but de nous apprendre à redouter le changement. J'ai tenté d'expliquer à David en quoi, depuis le jour de notre naissance, la ville entière n'est qu'une machine destinée à nous contrôler.

Elle secoua la tête.

— Ce n'est pas une excuse pour trahir ses amis.

— Ouais, eh bien, je l'ai fait moi aussi, longtemps avant que tu rencontres Shay. En ce qui concerne La Fumée, je suis tout aussi coupable que toi.

Elle le dévisagea avec incrédulité.

— Toi? Comment ça?

— Est-ce que je t'ai raconté les circonstances de ma rencontre avec le docteur Cable?

Tally le regarda, réalisant que c'était là une conversation qu'ils n'avaient jamais pu finir.

— Non. Tu ne me l'as pas raconté.

— Après la nuit où Shay et moi nous sommes dégonflés, la plupart de nos amis étaient partis pour La Fumée. J'étais le chef. Les surveillants du dortoir sont donc venus m'interroger pour savoir où ils étaient passés. J'ai voulu jouer les durs, et je n'ai rien dit. Alors, les Special Circumstances sont venus me chercher. (Il baissa la voix, comme s'il avait encore le bracelet au poignet.) On m'a conduit à leur quartier général dans la ceinture industrielle, comme toi. J'ai tenté de résister, mais ils m'ont menacé. Ils disaient qu'ils allaient faire de moi l'un des leurs.

— L'un des leurs? Un *Special*?

Tally avala sa salive.

— Ouais. Après ça, être Pretty dans la tête ne semblait plus aussi terrible. Alors, je leur ai raconté tout ce que je savais. Que Shay prévoyait de s'enfuir mais avait pris peur au dernier moment, comme moi. Voilà comment ils ont su, à son sujet. Et c'est probablement la raison pour laquelle ils se sont mis à surveiller...

Sa voix s'éteignit.

— À me surveiller *moi*, poursuivit Tally, quand Shay et moi sommes devenues amies.

Il acquiesça d'un air las.

— Tu vois ? J'ai tout déclenché, en refusant de m'enfuir au moment où j'étais censé le faire. Je ne te juge pas pour ce qui est arrivé à La Fumée, Tally. C'était ma faute autant que la tienne.

Elle lui prit la main en secouant la tête. Il ne pouvait pas s'en vouloir, pas après tout ce qu'il avait subi.

— Non, Zane. Ça ne peut pas être ta faute. C'était il y a longtemps. (Elle soupira.) Peut-être qu'aucun de nous n'est vraiment responsable.

Ils demeurèrent silencieux un long moment, tandis que les paroles de Tally résonnaient dans sa tête. Avec Zane allongé devant elle, la moitié du cerveau en bouillie, à quoi bon se complaire dans la culpabilité – la sienne, la leur, ou celle de qui que ce soit ? La rancune de Maddy n'avait peut-être pas plus de sens que la querelle entre le village d'Andrew et ses ennemis. S'ils devaient vivre ensemble ici, à La Nouvelle-Fumée, il leur faudrait tirer un trait sur le passé.

Bien sûr, la situation n'en demeurait pas moins compliquée.

Tally inspira lentement, puis demanda :

— Alors, que penses-tu de David?

Zane contempla la voûte du plafond d'un air rêveur.

— Il est très sérieux. Presque grave. Pas aussi intense que nous, tu vois?

Tally sourit, et lui pressa la main.

— Ouais, je vois.

— Et, heu... plutôt moche.

Elle acquiesça, se souvenant qu'à l'époque de La Fumée, David l'avait toujours trouvée jolie. Et par moments, Tally avait ressenti la même chose à son sujet. Peut-être que lorsqu'elle aurait pris le vrai remède, ces sentiments reviendraient? À moins qu'ils ne se soient envolés pour de bon, non pas à cause de l'Opération, mais simplement parce que le temps avait passé, et à cause de ce qu'elle avait vécu avec Zane.

Quand Zane fut endormi, Tally décida d'aller se laver. Fausto lui indiqua une source de l'autre côté de la montagne, à moitié gelée à cette période de l'année, mais assez profonde pour qu'elle s'immerge complètement.

— Emporte un manteau chauffant, lui recommanda-t-il. Sinon, tu vas mourir de froid sur place.

Tally se dit qu'il valait mieux mourir que rester sale, et ce n'était pas une toilette de chat avec un chiffon mouillé qui lui permettrait de se sentir de nouveau propre. Elle avait aussi envie de se retrouver seule un moment. Et le choc salutaire de l'eau froide lui donnerait peut-être le courage de parler à David.

En planant vers le pied de la montagne dans l'air vif et glacial de cette fin d'après-midi, Tally fut surprise de constater à quel point tout lui semblait clair. Elle trouvait encore difficile de croire qu'elle n'avait pas véritablement pris le remède ; elle se sentait plus intense que jamais. Maddy avait marmonné quelque chose à propos d'un « effet placebo », comme si se croire guéri pouvait suffire à soigner le cerveau. Tally savait que c'était davantage que cela.

Zane l'avait métamorphosée. Tally se demanda même si elle avait encore besoin du remède, ou si elle parviendrait à rester ainsi définitivement. L'idée d'avaler la pilule qui avait rongé la cervelle de Zane ne l'excitait pas plus que cela, même avec les antinanos pour la faire passer. Elle pourrait peut-être s'épargner cette démarche et s'en remettre à la magie de Zane ? Ils pourraient s'entraider désormais, lui pour reconnecter son cerveau, elle pour lutter contre la belle mentalité.

Ils avaient parcouru un tel chemin ensemble, au fond. Même avant les pilules, ils s'étaient changés l'un l'autre.

Bien sûr, David aussi avait transformé Tally. À l'époque de La Fumée, c'était lui qui l'avait convaincue de vivre dans la nature, de rester moche, d'abandonner l'avenir qui l'attendait en ville. Sa réalité avait connu une modification profonde lors de ces deux semaines à La Fumée, à compter du jour où... David et elle s'étaient embrassés.

— Tu parles d'un coup de bol, grommela Tally dans sa barbe. Une Belle au bois dormant avec deux princes.

Qu'était-elle censée faire ? *Choisir* entre David et Zane ? Maintenant qu'ils se retrouvaient tous les trois à Fort Fumant ? Cela lui semblait injuste d'être placée dans cette position. Tally se souvenait à peine de David au moment où elle avait rencontré Zane – mais elle n'avait jamais demandé qu'on lui efface la mémoire.

— Merci pour tout, docteur Cable, marmonna-t-elle.

L'eau avait l'air très froide.

Tally avait facilement crevé d'un coup de pied la pellicule de glace à sa surface, mais elle contemplait maintenant la source bouillonnante avec effroi. Puer n'était peut-être pas si grave que ça? Le printemps viendrait d'ici trois ou quatre mois, après tout…

Elle frissonna, mit le chauffage de son blouson à fond, puis entreprit de se déshabiller. Au moins ce petit bain la rendrait-il intense.

Tally se tartina le corps avec le contenu d'un sachet de savon avant de sauter dans l'eau, sans oublier ses cheveux, convaincue qu'elle tiendrait peut-être dix secondes dans la source à moitié gelée. Elle savait qu'elle allait devoir sauter – pas question de commencer par tremper un pied ou de s'immerger progressivement.

Tally prit son souffle, le retint… et bondit dans la source.

L'eau glacée l'enserra comme un étau, chassant l'air hors de ses poumons, tétanisant chacun de ses muscles. Elle eut beau se tenir les flancs et se rouler en boule dans le bassin peu profond, le froid lui transperçait la chair jusqu'aux os.

Avec un effort de volonté titanesque, Tally plongea la tête dans l'eau : sa respiration rauque et le gargouillis de la source furent remplacés par le grondement de l'eau contre ses tympans. Elle se frotta furieusement les cheveux de ses mains tremblantes.

Quand elle ressortit la tête, elle éprouvait une sensation plus intense que lorsqu'elle avait plongé vers le sol sur sa planche magnétique. Elle resta un moment couchée dans l'eau, ébahie par tout ce qui l'entourait – la pureté du ciel, la perfection d'un arbre sans feuilles à proximité.

Tally se souvint de son premier bain dans un torrent sur le chemin de La Fumée, tant de mois auparavant ; l'expérience avait modifié son regard sur le monde – avant que l'Opération ne lui cause des lésions au cerveau, avant qu'elle ait rencontré David et Zane. À ce moment-là déjà, elle avait commencé à changer, à réaliser que la nature ne requérait aucune opération pour devenir belle – puisqu'elle l'était, tout simplement.

Peut-être Tally n'avait-elle pas besoin d'un prince charmant pour rester éveillée – ni d'un prince moche, d'ailleurs. Après tout, elle s'était soignée sans l'aide de la pilule et s'était débrouillée toute seule pour arriver ici. Elle ne connaissait personne d'autre qui ait fui la ville à *deux reprises*.

Peut-être avait-elle toujours été intense, au fond d'elle-même. Il lui suffisait d'aimer – ou de se retrouver dans la nature, voire simplement de se tremper dans l'eau glacée – pour faire remonter cela à la surface.

Tally était encore dans l'eau quand elle entendit crier : un cri rauque qui déchira l'air.

Elle sortit précipitamment. Le vent cinglant lui parut plus glacial que la source. Les serviettes qu'elle avait apportées étaient raidies par le froid, et elle était toujours en train de se sécher quand une planche magnétique apparut, qui s'immobilisa en souplesse à quelques mètres.

David sembla à peine remarquer qu'elle était nue. Il bondit de sa planche et courut vers Tally, avec un objet à la main. S'arrêtant en dérapage devant elle, il promena l'appareil le long de son corps – à la recherche d'un mouchard, réalisa-t-elle.

— Ce n'est pas toi, dit-il. J'en étais sûr.

Tally enfilait ses vêtements.

— Mais tu m'avais déjà…

— Un signal vient de se déclencher quelque part, diffusant notre position. Nous l'avons détecté à la radio, mais pas encore localisé. (Il baissa les yeux sur le sac de Tally, visiblement soulagé.) En tout cas, ce n'est pas toi qui l'as apporté.

— Bien sûr que ce n'est pas moi. (Tally s'assit pour enfiler ses bottes. Le martèlement de son cœur commençait à la réchauffer.) Vous n'examinez pas tous ceux qui vous rejoignent ?

— Si. Mais le mouchard devait être inactif – il n'a commencé à émettre qu'après avoir été déclenché par quelqu'un, à moins qu'il n'ait été réglé pour s'activer automatiquement à un certain moment. (Son regard parcourut l'horizon.) Les Specials ne vont plus tarder.

Elle se leva.

— Alors il faut fuir.

Il secoua la tête.

— Impossible de partir avant d'avoir trouvé le mouchard.

— Pourquoi ? dit-elle en bouclant ses bracelets anti-crash.

— Il nous a fallu des mois pour réunir les provisions

et le matériel que nous avons, Tally. Nous ne pouvons pas tout laisser derrière nous, surtout maintenant, avec ces nombreux Crims qui nous ont rejoints. Mais nous ne saurons pas quoi emporter tant que nous ignorerons d'où vient le signal. Il n'apparaît nulle part.

Tally jeta son sac à dos sur ses épaules et claqua des doigts. Sa planche s'éleva dans les airs. Alors qu'elle grimpait dessus, et sous l'effet du coup de fouet de son bain glacial, elle se souvint d'une chose entendue plus tôt dans la journée.

— Le mal de dent, dit-elle.

— Quoi ?

— Zane est passé à l'hôpital il y a quinze jours. C'est en lui.

MOUCHARD

Ils repartirent vers le sommet en enchaînant les virages serrés. Tally volait en tête, certaine de ne pas se tromper. Les médecins avaient endormi Zane quelques minutes à l'hôpital, le temps de soigner sa main cassée. Ils avaient dû en profiter pour dissimuler un mouchard dans l'une de ses dents. Bien sûr, de simples médecins de la ville n'auraient jamais pris une telle mesure de leur propre initiative – c'était forcément un coup des Special Circumstances.

Le campement était en ébullition à leur arrivée. Nouveaux-Fumants et Crims franchissaient la porte de l'observatoire dans les deux sens, empilant le matériel, les vêtements et la nourriture en deux tas que Croy et Maddy passaient frénétiquement au scanner. Les autres se hâtaient ensuite de rempaqueter les fournitures, pour être prêts à prendre la fuite dès que le mouchard aurait été trouvé.

Tally enfonça l'arrière de sa planche et la fit grimper aussi haut que possible, sautant par-dessus le chaos pour atterrir sur le dôme brisé. Au moment où la planche atteignit son altitude maximum, les suspenseurs vibrèrent, puis se stabilisèrent quand les aimants accrochèrent la charpente en acier. La fissure du dôme était assez large pour planer à l'intérieur, et Tally se laissa descendre droit dans la fumée, pour s'immobiliser juste à côté de la couchette de Zane.

Il leva les yeux vers elle et lui sourit.

— Quelle entrée, Tally!

Elle s'agenouilla auprès de lui.

— À quelle dent as-tu mal?

— Que se passe-t-il? Tout le monde a l'air affolé.

— À *quelle dent as-tu mal, Zane?* Montre-moi.

Il fronça les sourcils et glissa un doigt tremblant dans sa bouche, palpant prudemment le côté droit. Tally écarta sa main et lui ouvrit la bouche en grand, malgré son gémissement de protestation.

— Chut. Je t'expliquerai après.

Même dans l'éclairage diffus, elle vit tout de suite qu'une dent se distinguait par une nuance de blanc différent des autres – l'œuvre d'un dentiste pressé, de toute évidence.

Le signal provenait bien de Zane.

Le bip d'un scanner qu'on allumait résonna à son oreille; David avait suivi Tally. Il passa l'appareil devant le visage de Zane, et fut récompensé par un crépitement rageur.

— C'est dans sa bouche? demanda David.

— Dans sa dent! Va chercher ta mère.

— Mais, Tally...

— Va la chercher! Ni toi ni moi ne pouvons arracher une dent!

Il posa la main sur son épaule.

— Elle non plus. Pas en quelques minutes.

Tally se redressa, contempla son visage moche.

— Qu'es-tu en train de me dire, David ?

— Qu'il va falloir l'abandonner derrière nous. Ils seront là bientôt.

— Non ! cria-t-elle. Va chercher ta mère.

David jura, tourna les talons et courut vers la porte de l'observatoire. Tally se pencha de nouveau sur Zane.

— Que se passe-t-il ? demanda-t-il.

— Ils t'ont collé un mouchard, Zane. À l'hôpital.

— Oh, dit-il en se massant la mâchoire. Je l'ignorais, Tally, je te le jure. Je croyais que ce mal de dent venait de la nourriture.

— Bien sûr que tu l'ignorais. Tu es resté inconscient plusieurs minutes à l'hôpital, tu te souviens ?

— Ils vont vraiment me laisser là ?

— Je les en empêcherai. Je te le promets.

— Je ne veux pas retourner là-bas, protesta-t-il faiblement. Je ne veux pas redevenir Pretty dans ma tête.

Si Zane était reconduit en ville maintenant, les médecins s'empresseraient de lui rouvrir ses lésions, en plein sur ses nouveaux tissus. Son cerveau se reconstruirait autour d'elles... Quelle chance aurait-il de rester intense ?

Elle ne pouvait pas laisser faire cela.

— Je t'emmènerai sur ma planche, Zane – on partira tous les deux s'il le faut.

Son cerveau tournait à plein régime. Elle devait trouver un moyen de lui enlever le mouchard. Elle regarda autour d'elle à la recherche d'un outil quelconque, mais les Nouveaux-Fumants avaient déjà emporté tout ce qui aurait pu lui être utile.

Des voix retentirent dans l'obscurité. C'étaient

Maddy, David et Croy. Tally vit que Maddy tenait des sortes de forceps à la main, et son cœur se serra.

Maddy s'agenouilla auprès de Zane et lui ouvrit la bouche sans ménagement. Il geignit de douleur au contact de l'instrument contre ses dents.

— Faites attention, implora Tally.

— Tiens-moi ça.

Maddy lui tendit sa lampe torche. Quand Tally la braqua sur la bouche de Zane, la dent décolorée devint évidente.

Après un moment, Maddy déclara :

— Rien à faire.

Elle relâcha la tête de Zane, qui retomba sur ses couvertures en gémissant, les yeux clos.

— Vous n'avez qu'à l'arracher !

— Ils l'ont soudée à l'os. (Elle se tourna vers Croy.) Terminez les préparatifs. Il faut lever le camp.

— Ne le laissez pas comme ça ! cria Tally.

Maddy lui prit la torche des mains.

— Tally, sa dent fait partie intégrante de l'os. Je serais obligée de lui briser la mâchoire pour la retirer.

— Alors, laissez le mouchard en place mais empêchez-le d'émettre ! Cassez-lui la dent ! Il peut le supporter.

Maddy secoua la tête.

— Les dents des Pretties sont faites du même matériau qu'on utilise dans les ailes d'avion. On ne peut pas les briser comme ça. Il me faudrait des nanos dentaires spécifiques.

Elle braqua la torche sur Tally, et tendit la main vers sa bouche.

Tally se dégagea.

— Qu'est-ce que vous faites?

— Je vérifie sur toi.

— Mais je ne suis pas allée à l'hôp… commença Tally.

Maddy lui ouvrit la bouche de force. Tally poussa un grognement, mais se laissa examiner; elle perdrait moins de temps ainsi.

— Satisfaite? ajouta-t-elle une fois que Maddy l'eut relâchée.

— Pour l'instant. Mais nous allons devoir laisser Zane derrière nous.

— Jamais! cria Tally.

— Ils seront là dans dix minutes, prévint David.

— Moins que ça, dit Maddy en se relevant.

Des points lumineux dansaient devant les yeux de Tally, éblouie par la lampe. Elle distinguait à peine les visages à la lueur du feu. Ne comprenaient-ils pas ce que Zane avait subi pour arriver ici, ce qu'il avait sacrifié pour le remède?

— Je refuse de l'abandonner.

— Tally… commença David.

— Ça ne fait rien, l'interrompit Maddy. Techniquement, elle est encore Pretty dans sa tête.

— Ce n'est pas vrai!

— Tu n'as même pas pris la bonne pilule. (Maddy posa la main sur l'épaule de David.) Tally a toujours ses lésions. Une fois qu'ils auront passé son cerveau au scanner, ils ne se donneront même pas la peine de la réopérer. Ils penseront qu'elle a seulement voulu s'offrir une escapade.

— Maman! protesta David. On ne va pas la laisser là!

— Et moi, je refuse de partir avec vous, déclara Tally.

Maddy secoua la tête.

— Peut-être que ces lésions ne sont pas aussi déterminantes que nous le pensions. Ton père a toujours suspecté que la belle mentalité était un état naturel chez la plupart des gens ; qu'ils *voulaient* être insipides, paresseux, vaniteux… (Maddy jeta un coup d'œil vers Tally)… et égoïstes ; et qu'il suffisait d'un petit coup de pouce pour fixer définitivement ces traits de caractère. Il a toujours pensé que certaines personnes s'en sortiraient par la seule force de leur volonté.

— Az ne se trompait pas, déclara Tally. Je suis guérie, désormais.

— Guérie ou pas, tu ne peux pas rester ici, Tally, s'écria David. Je n'ai pas envie de te perdre encore une fois. Maman ! Fais quelque chose !

— Tu veux essayer de la convaincre ? Vas-y. (Maddy pivota sur ses talons et partit à grands pas vers l'entrée de l'observatoire.) Nous partons dans deux minutes ! annonça-t-elle sans se retourner. Avec ou sans toi.

David et Tally demeurèrent silencieux quelques instants. C'était comme lorsqu'ils s'étaient revus pour la première fois dans les ruines ce matin-là, sans savoir quoi dire. Sauf que désormais le visage de David ne choquait plus Tally. La panique du moment, ou son bain glacé, avait peut-être achevé de la débarrasser de ses préjugés de Pretty. À moins qu'il n'ait suffi de quelques heures pour faire coïncider ses souvenirs et ses rêves avec la réalité…

David n'était pas un prince – charmant ou non. C'était le premier garçon dont elle était tombée amoureuse, mais pas le dernier. Le temps et les expériences vécues loin de lui avaient modifié la nature de leur relation.

Surtout, elle avait quelqu'un d'autre dans sa vie maintenant. Aussi injuste que soit l'effacement de ses souvenirs avec David, Tally s'était forgé de nouveaux souvenirs, qu'elle ne pouvait se contenter de troquer contre les anciens. Zane et elle s'étaient prêté main-forte pour devenir intenses, ils avaient partagé la contrainte des bracelets et s'étaient échappés ensemble de la ville. Elle ne pouvait l'abandonner à présent, simplement parce qu'on lui avait volé une partie de son cerveau. Zane était la seule personne au monde qu'elle n'avait jamais trahie ; elle n'allait pas commencer aujourd'hui. Elle lui prit la main.

— Je ne l'abandonnerai pas.

— Sois logique, Tally. (David parlait lentement, s'adressant à elle comme si elle était une gamine.) Tu ne pourras pas soutenir Zane en restant ici. Vous serez capturés tous les deux.

— Ta mère a raison. Ils ne toucheront pas à mon cerveau, et je l'aiderai de l'intérieur de la ville.

— Nous pourrons toujours lui faire parvenir le remède, comme pour toi.

— Je n'ai pas eu *besoin* du remède, David. Peut-être que Zane saura s'en passer, lui aussi. Je le garderai intense, je participerai à la reconstruction de son cerveau. Sans moi, il n'a aucune chance.

David fit mine de parler, puis se figea brièvement. Sa voix changea alors, tandis que ses yeux s'étrécissaient.

— Tu ne restes avec lui que parce qu'il est beau.

Tally écarquilla les yeux.

— *Pardon ?*

— Tu ne le vois donc pas ? Tu le disais toi-même : c'est l'évolution. Depuis que tes amis Crims nous ont rejoints, maman a eu le temps de m'expliquer comment fonctionne la beauté. (Il pointa le doigt sur Zane.) Il a ces grands yeux vulnérables, cette peau lisse et enfantine ; il a l'air d'un bébé en danger, un bébé qu'on a envie d'aider. Tu ne réfléchis pas de manière rationnelle. Tu vas te livrer uniquement parce qu'il est beau !

Tally dévisagea David avec incrédulité. Comment osait-il lui dire ça, à elle ? Le simple fait qu'elle se tienne là devant lui prouvait pourtant qu'elle prenait ses décisions seule.

Puis elle réalisa que David ne faisait que répéter les paroles de Maddy. Celle-ci avait dû le prévenir de ne pas se fier à ses sentiments lorsqu'il reverrait la nouvelle Tally. Elle ne tenait pas à ce que son fils se comporte comme un Ugly subjugué, baisant le sol que Tally aurait foulé.

David la prenait encore pour une gosse de la ville. Peut-être n'avait-il jamais vraiment cru à sa guérison. Peut-être ne l'avait-il jamais pardonnée.

— Ce n'est pas à cause de l'apparence de Zane, David, dit-elle d'une voix vibrante de colère. C'est parce qu'il me rend intense, et que nous avons pris des tas de risques ensemble. Ce pourrait être moi, allongée là, à sa place, eh bien, lui resterait auprès de moi.

— C'est du conditionnement !

— Non. Je l'aime.

David voulut répliquer, mais sa voix s'étrangla.

— Va-t'en, David, soupira-t-elle. Ta mère peut parler, elle ne s'en ira pas sans toi. Vous allez tous vous faire prendre si vous ne partez pas tout de suite.

— Tally…

— Va-t'en ! cria-t-elle.

David devait s'enfuir sans plus tarder, ou La Nouvelle-Fumée périrait, une fois de plus par sa faute.

— Mais tu ne peux pas…

— Tire-toi d'ici, *mocheté* ! hurla Tally.

Les murs de l'observatoire résonnèrent longuement de l'écho de ce cri, et Tally détacha ses yeux de David. Elle prit le menton de Zane au creux de sa main et l'embrassa. L'insulte eut l'effet escompté : David battait en retraite dans l'obscurité.

Elle avait traité David de mocheté. Il ne pourrait jamais l'oublier – et elle non plus.

J'étais obligée *d'employer ce mot*, se dit Tally. Chaque seconde comptait, et aucun argument n'aurait pu le convaincre de manière aussi décisive. Elle avait fait son choix.

— Je prendrai soin de toi, Zane, dit-elle.

Il entrouvrit les yeux et lui sourit faiblement.

— Hmm, j'espère que tu ne m'en voudras pas si j'ai fait semblant d'être inconscient.

Tally eut un rire étranglé.

— C'était une bonne idée.

— Ne peut-on vraiment pas s'enfuir ? Je crois être capable de me lever.

— Non. Ils nous retrouveraient.

Il se palpa la dent du bout de la langue.

— Ah, ouais. C'est nul. Sans compter que les autres ont tous failli se faire prendre à cause de moi.

Elle haussa les épaules.

— Je connais ça.

— Es-tu certaine de vouloir rester avec moi ?

— Je pourrai toujours m'échapper de la ville, Zane, quand je le voudrai. Vous sauver, toi, Shay et tous ceux que nous avons laissés là-bas. Je suis guérie pour de bon, maintenant. (Tally jeta un coup d'œil vers l'entrée, et vit des planches magnétiques s'élever dans les airs. Ils partaient, tous. Elle haussa de nouveau les épaules.) D'ailleurs, je crois que c'est un peu tard pour changer d'avis. Courir après David maintenant gâcherait mon brillant discours de rupture.

— Ouais, ce n'est pas faux. (Zane rit doucement.) Promets-moi un truc ? Si tu veux rompre avec moi un de ces jours, contente-toi de me laisser un mot.

Elle lui sourit.

— D'accord. Si tu me promets de ne plus jamais remettre ta main dans un broyeur.

— Marché conclu. (Zane regarda ses doigts, puis ferma le poing.) J'ai peur. Je veux rester intense.

— Tu le redeviendras. Je t'aiderai.

Il hocha la tête, lui prit la main. Sa voix tremblait quand il dit :

— Crois-tu que David a raison ? Que tu m'as choisi pour mes beaux yeux ?

— Non. Je crois que je t'ai choisi à cause de... ce que j'ai dit. Et de ce que tu m'as dit avant de sauter du ballon. (Elle avala sa salive.) Qu'en penses-tu, toi ?

Zane retomba en arrière, ferma les yeux et resta silencieux si longtemps que Tally crut qu'il s'était rendormi. Mais il répondit d'une voix douce :

— Et si David et toi aviez raison tous les deux ?

Peut-être que les êtres humains sont bel et bien conditionnés… à s'entraider, ou même à tomber amoureux. Mais que ce soit inscrit dans la nature humaine n'en fait pas quelque chose de mauvais, Tally. Sans compter que nous avions une ville entière de Pretties pour faire notre sélection, et que nous nous sommes choisis.

Elle lui prit la main et murmura :

— Je suis heureuse que nous l'ayons fait.

Zane sourit, puis ferma les yeux de nouveau. Un instant plus tard, elle vit sa respiration ralentir et comprit qu'il avait réussi à s'évanouir encore une fois. Ses dommages au cerveau n'avaient pas que des inconvénients, finalement.

Tally sentit ses dernières bribes d'énergie l'abandonner. Elle regretta de ne pouvoir s'endormir elle aussi et de se réveiller dans la ville en princesse captive, comme si tout n'avait été qu'un rêve. Elle posa la tête sur la poitrine de Zane et ferma les yeux.

Cinq minutes plus tard, les Special Circumstances débarquaient.

LES SPECIALS

Le hurlement des aérocars emplit l'observatoire, tels des cris de rapaces. Le vent brassé par leurs rotors s'engouffra dans la fissure du dôme, ranimant le feu d'un seul coup ; l'air s'alourdit de poussière, et des formes grises chargèrent à travers l'entrée, prenant position dans les coins sombres.

— J'ai besoin d'un docteur par ici ! annonça Tally d'une voix de Pretty toute timide. Mon ami a un problème.

Un Special apparut à côté d'elle, surgi des ténèbres.

— Ne bougez pas. On ne veut pas vous faire de mal, mais on s'y résoudra si c'est nécessaire.

— Je veux juste que vous soigniez mon ami, dit-elle. Il ne se sent pas bien.

Plus tôt les médecins de la ville se pencheraient sur Zane, mieux cela vaudrait. Ils sauraient peut-être l'aider mieux que Maddy ne l'avait fait.

Le Special proféra quelque chose dans un téléphone portable, et Tally baissa les yeux vers Zane. On lisait de la peur entre ses paupières entrouvertes.

— C'est O.K., dit-elle. Ils vont te soulager.

Zane sentit sa gorge se nouer, et Tally vit que ses

mains tremblaient ; la bravoure qu'il avait affichée jusqu'ici s'effritait devant l'arrivée de leurs ravisseurs.

— Je vais m'assurer que tu guérisses, d'une manière ou d'une autre, lui promit-elle.

— Une équipe médicale arrive, annonça le Special.

Tally lui adressa un joli sourire.

Les médecins de la ville attribueraient peut-être l'état de Zane à une maladie du cerveau, à moins qu'ils ne devinent que quelqu'un avait tenté de soigner ses lésions, mais ils ne détecteraient jamais la manière dont Tally s'était transformée. Elle pouvait feindre d'avoir voulu s'offrir une escapade, selon les mots de Maddy. Tally n'avait pas à craindre une nouvelle opération.

Zane aurait peut-être la capacité de se soigner sans pilule, la prochaine fois. Et tous les habitants de la ville guériraient aussi. Après leur évasion en ballons et un nouveau « sauvetage » par les Specials, Zane et Tally allaient devenir encore plus célèbres. Il se pourrait même qu'ils parviennent à enclencher quelque chose d'énorme, un mouvement de grande ampleur que les Specials seraient impuissants à enrayer.

Une voix cinglante claqua dans l'ombre, et Tally tressaillit.

— Je pensais bien te trouver là, Tally.

Le docteur Cable s'avança dans la lumière, tendant les doigts vers le feu comme si elle était entrée là juste pour se réchauffer.

— Salut, docteur Cable. Pouvez-vous faire quelque chose pour mon ami ?

Le sourire carnassier de la femme scintilla dans le noir.

— Une rage de dent ?

— Plus grave que ça. Il n'arrive plus à bouger, et peut à peine parler. Quelque chose ne va pas chez lui.

D'autres Specials se déversaient dans l'observatoire, dont trois brancardiers habillés de soie bleue. Ils écartèrent Tally et posèrent leur civière à côté de Zane. Ce dernier ferma les yeux.

— Ne t'en fais pas, dit le docteur Cable. Il va s'en tirer. Nous savons tout de son état depuis votre petite visite à l'hôpital. Apparemment, quelqu'un avait glissé des nanos cérébraux dans le cerveau de notre ami Zane. Très mauvais pour sa jolie tête.

— Vous saviez qu'il était malade? (Tally se leva.) Pourquoi ne l'avez-vous pas soigné?

Le docteur Cable lui tapota l'épaule.

— Nous avons stoppé les nanos. Mais le petit implant dans sa dent était programmé pour lui donner des maux de tête – de faux symptômes, afin d'entretenir votre motivation.

— Vous vous êtes servis de nous... dit Tally en regardant les Specials emporter Zane.

Le docteur Cable examinait le reste de l'observatoire.

— Je voulais voir ce que vous manigianciez et où vous iriez. Je pensais que vous pourriez peut-être nous conduire jusqu'aux personnes responsables de l'état de Zane. (Elle fronça les sourcils.) Je comptais attendre encore un peu pour activer le mouchard, mais vu ta grossièreté de ce matin à l'encontre de mon excellent ami le docteur Valen, j'ai pensé qu'il valait mieux venir vous chercher et vous ramener à la maison. Pas de doute, tu t'y entends pour t'attirer des ennuis.

Tally demeura silencieuse. Le mouchard que Zane portait dans la dent avait été activé à distance, mais seulement après que les autres scientifiques eurent découvert le docteur Valen. Une fois de plus, Tally avait entraîné les Specials avec elle.

— Il nous fallait un aérocar pour sortir de là, expliqua-t-elle de sa plus jolie voix. Mais nous nous sommes un peu perdus.

— Oui, nous avons retrouvé le véhicule dans les ruines. Mais je ne crois pas que vous soyez arrivés jusqu'ici à pied. Qui vous a aidés, Tally ?

Elle secoua la tête.

— Personne.

Un Special en gris apparut près du docteur Cable et lui fit un bref rapport. Sa voix cinglante donna la chair de poule à Tally, mais elle ne parvint pas à entendre ce qu'il marmonnait.

— Envoyez les jeunes à leur poursuite, ordonna le docteur Cable avant de se retourner vers Tally. Personne, dis-tu ? Et ces feux de camp, ces collets et ces latrines ? Pas mal de gens campaient ici, apparemment, et ils sont partis il y a peu. Dommage que nous ne soyons pas arrivés plus tôt.

— Vous ne les attraperez jamais, déclara Tally avec un sourire de Pretty.

— Ah non ? (Les dents du docteur Cable rougeoyèrent à la lueur du feu.) Sache que, nous aussi, nous avons plus d'un tour dans notre sac.

Le docteur pivota et s'éloigna à grands pas vers l'entrée. Quand Tally fit mine de la suivre, un Special lui saisit l'épaule dans une poigne de fer et elle dut s'asseoir près du feu. Des ordres et des bruits d'aérocars en train d'atterrir emplirent le dôme, mais elle renonça à voir ce qui se passait à l'extérieur. Elle se mit à fixer les flammes d'un air maussade.

Sans Zane, Tally se sentit soudain abattue. Une fois de plus, elle avait joué le jeu du docteur Cable à la perfection : elle l'avait guidée jusqu'à La Nouvelle-Fumée, dont elle avait encore failli faire capturer tous les membres. Et après ce qu'elle lui avait dit, David devait la détester désormais.

Au moins Fausto et les autres Crims s'étaient-ils échappés, pour de bon, avec un peu de chance. Les Nouveaux-Fumants et eux avaient bénéficié de quelques minutes d'avance. Ils ne pouvaient espérer distancer les aérocars spéciaux en ligne droite, mais leurs planches étaient plus agiles ; sans le mouchard de Zane pour trahir leur position, ils disparaîtraient dans la forêt. La rébellion de Zane et Tally avait grossi les rangs des Nouveaux-Fumants d'une bonne vingtaine de membres. Et maintenant que le remède avait été testé, ils pouvaient le distribuer en ville, ainsi que dans d'autres, et un jour viendrait où tout le monde serait libre.

La ville n'avait peut-être pas gagné, cette fois-ci.

En tout cas, Zane serait mieux soigné par les médecins de la ville que par une bande de fugitifs en cavale. Tally se concentra sur la manière dont elle l'aiderait à se remettre, à retrouver toute son intensité.

Peut-être devrait-elle commencer par un baiser...

Environ une heure après l'arrivée des premiers Specials, le feu s'était éteint et Tally commença à se refroidir. Alors qu'elle montait le chauffage de son manteau, une ombre occulta le rai de soleil rouge qui filtrait par l'ouverture du dôme.

Quelqu'un descendait sur une planche magnétique. S'agissait-il de David, revenu pour la sauver? Elle secoua la tête. Maddy ne l'aurait jamais laissé faire.

— Nous en avons pris deux! lança une voix mordante.

La soie grise de l'uniforme des Specials scintilla dans la pénombre – deux autres silhouettes rejoignirent la première à travers la fissure du dôme. Leurs planches étaient plus longues que la normale, équipées de rotors de sustentation à l'avant et à l'arrière. Le battement des pales ranima les braises du feu.

C'est donc ça, ce nouveau tour qu'ils avaient dans leur sac, songea Tally. Des Specials sur des planches – l'idéal pour traquer les Nouveaux-Fumants. Elle se demanda qui s'était fait prendre.

— Des Uglies ou des Pretties? s'enquit le docteur Cable, qui l'avait rejointe près du feu.

— Seulement deux Crims. Tous les Uglies ont réussi à s'enfuir, répondit la voix.

Tally connaissait cette voix.

— Oh, non, fit-elle tout bas.

— Oh, si, Tally-wa. (La silhouette sauta à bas de sa planche et s'avança dans la lumière du feu.) Je me suis offert une nouvelle opération! Tu aimes?

C'était Shay. Elle était Special.

— Le docteur C. m'a autorisé de nouveaux tatouages. Tu ne les trouves pas totalement délirants?

Tally regarda sa vieille amie, abasourdie par sa transformation. Des lignes de tatouages recouvraient tout son corps et formaient sur sa peau comme un filet noir animé de pulsations. Son visage était mince, cruel, ses dents supérieures limées en pointes triangulaires. Elle avait grandi, avec de nouveaux muscles dans ses bras nus. La rangée de cicatrices qu'elle s'était infligée se détachait en relief, soulignée par des tatouages tourbillonnants. Ses yeux brillaient dans la lumière comme ceux d'un prédateur, passant du rouge au violet, au rythme des flammes.

Elle restait belle, bien sûr, mais sa grâce cruelle, inhumaine, donnait la chair de poule. Tally avait l'impression de regarder une araignée qui se déplaçait sur sa toile.

Les autres planches descendirent derrière Shay. Ho et Tachs, deux de ses amis Scarificateurs, tenaient chacun un prisonnier évanoui. Tally fit la grimace en voyant qu'ils avaient attrapé le pauvre Fausto, lequel n'était jamais monté sur une planche avant sa fuite. Mais la plupart des autres avaient réussi à s'échapper, au moins… et David était en sécurité.

La Nouvelle-Fumée vivait encore.

— Que penses-tu de ma nouvelle opération, Tally-wa? demanda Shay. Ça ne fait pas un peu trop?

Tally secoua la tête avec lassitude.

— Non. Je trouve ça intense, Shay-la.

Un sourire cruel s'étala sur le visage de Shay.

— Elle vaut bien plusieurs millions de milli-Helens, hein?

— Au moins.

Tally se détourna de sa vieille amie et contempla le feu.

Shay vint s'asseoir à côté d'elle.

— Être Special s'avère plus intense que tout ce que tu peux imaginer, Tally-wa. Chaque seconde a de quoi te donner le tournis. Par exemple, je peux entendre ton pouls, sentir le bourdonnement électrique de ce manteau qui essaie de te tenir chaud. Je peux *renifler* ta peur.

— Je n'ai pas peur de toi, Shay.

— Un peu quand même, Tally-wa. Tu ne peux plus me mentir, maintenant. (Shay passa le bras autour des épaules de Tally.) Hé, tu te souviens de ces visages délirants que je m'amusais à concevoir à l'époque où nous étions Uglies ? Le docteur C. est d'accord pour que je me les fasse, maintenant. Nous autres Scarificateurs avons le droit à autant d'opérations que nous voulons. Même le Beau Comité n'a pas son mot à dire là-dessus.

— Ça doit être super pour toi, Shay-la.

— Mes Scarificateurs et moi sommes la nouvelle folie aux Circumstances. Des sortes de Specials *spéciaux*, si tu veux. Tu ne trouves pas ça complètement extra ?

Tally se tourna pour lui faire face, tâchant de voir ce qui se cachait derrière ces yeux violets flamboyants. Malgré les jolies phrases, elle entendait une intelligence froide, sereine, dans la voix de Shay – ainsi qu'une joie impitoyable à l'idée de tenir enfin celle qui l'avait trahie.

Shay incarnait une nouvelle sorte de Pretty cruelle, comprit Tally. Pire encore que le docteur Cable. Moins humaine.

— Es-tu vraiment heureuse, Shay ?

La bouche de Shay trembla, ses crocs mordirent un bref instant sa lèvre inférieure, puis elle acquiesça.

— Je le suis, maintenant que je te tiens, Tally-wa. Ce n'était pas très gentil de vous enfuir comme ça, sans moi. Ça m'a rendue totalement triste.

— On voulait t'emmener avec nous, Shay, je te le jure. Je t'ai laissé un tas de messages.

— J'étais *occupée*. (Shay allongea un coup de botte aux braises mourantes.) À me scarifier. À chercher un remède. (Elle renifla.) En plus, j'en avais marre du camping. De toute façon, nous sommes ensemble, maintenant – toi et moi.

— Nous sommes ennemies, murmura Tally dans un souffle.

— Pas question, Tally-wa. (Shay lui serra l'épaule à la broyer.) J'en ai assez de ces disputes et de cette rancune. À compter d'aujourd'hui, toi et moi allons être *amies pour la vie.*

Tally ferma les yeux ; voilà donc quelle était la vengeance de Shay.

— J'ai besoin de toi parmi les Scarificateurs, Tally. C'est tellement intense !

— Tu ne peux pas m'obliger, murmura Tally en essayant de se dégager.

Shay la maintint avec fermeté.

— Justement, si, Tally-wa. Je peux.

— Non ! cria Tally qui aussitôt bondit sur ses pieds.

Vive comme l'éclair, la main de Shay jaillit, et Tally sentit une piqûre à la nuque. Quelques secondes plus tard, un épais brouillard descendait sur elle. Elle réussit à s'éloigner en titubant, mais ses membres lui parurent se changer en gelée. Elle s'écroula au sol. Un voile grisâtre recouvrit le feu devant elle, et tout devint sombre.

Des mots lui parvinrent à travers le néant, portés par une voix cinglante :

— Il faut voir les choses en face, Tally-wa, tu es...

UN RÊVE FOIREUX

Au cours des semaines suivantes, Tally ne se réveilla jamais tout à fait. Parfois, elle émergeait à moitié du sommeil, réalisant au contact des draps et des oreillers qu'elle se trouvait dans un lit, mais la plupart du temps, son esprit flottait hors de son corps, passant et repassant les fragments d'un même rêve…

Il y avait donc cette belle princesse, enfermée dans une haute tour dont les murs-miroirs ne se taisaient jamais. Il n'y avait pas d'ascenseur ni aucun moyen de sortir, mais quand la princesse se fut lassée de contempler son beau visage dans les miroirs, elle décida de sauter. Elle invita ses amis à se joindre à elle, et tous la suivirent en bas – sauf sa meilleure amie, dont l'invitation s'était perdue.

La tour était gardée par un dragon gris aux yeux de pierre précieuse et à la gueule vorace. Il avait de nombreuses pattes et se déplaçait si vite qu'on pouvait à peine le suivre du regard, mais il fit semblant de dormir et laissa passer sans encombre la princesse et ses amis.

Ce rêve, naturellement, n'aurait pas été complet sans un prince.

Il était à la fois beau et moche, intense et grave, prudent et courageux. Au début, il vivait dans la tour avec la princesse, mais, plus tard dans le rêve, il demeurait toujours au-dehors, à l'attendre. Et comme il arrive parfois dans les rêves, le prince était en fait deux personnes en une, entre lesquelles la princesse devait choisir. Parfois elle choisissait le beau prince, et parfois le moche. Dans les deux cas, elle en avait le cœur brisé.

Quel que soit son choix, le rêve s'achevait toujours de la même façon. La meilleure amie, celle dont l'invitation s'était perdue, essayait de suivre la princesse. Mais le dragon gris se réveillait, la mangeait toute crue, et appréciait tant sa chair qu'il se mettait en quête des autres, avides de les dévorer à leur tour. Du fond de son estomac, la meilleure amie regardait par les yeux du dragon et parlait par sa bouche, jurant de retrouver la princesse et de la punir pour avoir abandonné une amie.

Et durant toutes ces semaines embrumées, le rêve se terminait invariablement par la même scène. Le dragon retrouvait la princesse et lui disait :

— Il faut voir les choses en face, Tally-wa, tu es Special.

Découvrez la suite de la série
avec le 1er chapitre de

Specials

INVITATION SURPRISE

Les six planches magnétiques filaient à travers les arbres avec la grâce et la vivacité de cartes à jouer lancées en l'air. Les planchistes riaient, genoux ployés, bras écartés, baissant la tête pour esquiver les branches alourdies par la neige. Une pluie cristalline scintillait dans leur sillage, minuscules stalactites de glace arrachées aux aiguilles de pin qui s'embrasaient sous la lune.

Tally percevait tout avec une clarté glaciale : le vent froid et mordant sur ses mains nues, les fluctuations de gravité qui lui plaquaient les semelles contre la planche. Elle respirait la forêt ; des essences de pin lui coulaient sur la langue et dans la gorge, tel un sirop.

L'air froid semblait rendre perceptibles tous les sons : les pans de son uniforme de dortoir claquaient comme un drapeau dans le vent, ses semelles agrippantes grinçaient à chaque virage sur la surface de la planche. Fausto lui injectait de la techno par son antenne dermique, mais le monde extérieur n'entendait que le silence. Par-dessus le rythme syncopé, Tally pouvait capter le moindre tressaillement de ses nouveaux muscles gainés de monofilaments.

Elle plissa les paupières à cause du froid, les yeux mouillés, mais ses larmes ne firent qu'amplifier sa vision. Les stalactites de glace défilaient en rubans scintillants, l'éclat de la lune baignait le monde de reflets argentés, tel un vieux film en noir et blanc qui aurait pris vie en grésillant.

C'était l'avantage d'appartenir aux Scarificateurs : *tout* paraissait glacial désormais. Et Tally avait l'impression que le monde lui entrait dans la peau.

Shay vint se ranger bord à bord avec Tally et lui effleura brièvement les doigts. Tally essaya de lui retourner un sourire, mais son estomac se noua devant le visage de son amie. Les cinq Scarificateurs opéraient incognito ce soir : leurs iris noirs dissimulés par des lentilles de contact banalisées, leurs mâchoires cruelles adoucies par des masques en plastique intelligent. Ils s'étaient déguisés en Uglies pour infiltrer une fête au parc Cléopâtre. Tally n'était pas préparée mentalement à une telle opération. Elle avait beau n'être Special que depuis deux mois, quand elle regardait Shay, elle s'attendait à voir la beauté merveilleuse et terrible de sa meilleure amie, et non l'affreux déguisement de ce soir.

Tally fit obliquer sa planche pour éviter une branche alourdie par la glace, rompant le contact. Elle se concentra sur la forêt scintillante, sur les basculements nécessaires pour permettre à sa planche de zigzaguer entre les arbres. Le vent froid l'aida à se focaliser sur son environnement plutôt que sur cette sensation de manque qu'elle éprouvait – et qui venait du fait que Zane n'était pas avec eux.

— Fête des Uglies droit devant. (L'annonce de Shay trancha sur la musique, captée par une puce dans sa mâchoire et relayée par son antenne dermique.) Tu es sûre d'être prête pour ça, Tally-wa?

Tally prit une profonde inspiration, buvant le froid qui lui éclaircissait les idées. Ses nerfs la chatouillaient encore, mais ce serait minable de faire machine arrière maintenant.

— Ne t'inquiète pas, chef. Ça va être glacial.

— Ça devrait. C'est une fête, après tout, dit Shay. Amusons-nous en braves petits Uglies.

Certains des Scarificateurs gloussèrent, jetant un coup d'œil à la dérobée sur leurs traits grossiers. Tally prit conscience de l'épaisseur de son propre masque: des bosses et des excroissances de plastique qui lui déformaient le visage, le couvraient de boutons, et voilaient la trame splendide de ses tatouages tourbillonnants. Ses dents tranchantes comme des rasoirs étaient recouvertes de capuchons dentaires irréguliers, et elle avait même vaporisé de la fausse peau sur ses mains tatouées.

Un coup d'œil dans le miroir avait montré à Tally de quoi elle avait l'air: moche. Le visage de travers, le nez busqué, avec de bonnes joues de bébé et une expression d'impatience – impatience liée à la hâte que ce soit son anniversaire, de s'offrir enfin l'Opération des têtes vides et de se transporter de l'autre côté du fleuve. De la même façon que n'importe quelle gamine de quinze ans.

C'était la première mission de Tally depuis qu'elle avait viré Special. Elle aurait dû être prête à tout désormais – ces opérations l'avaient truffée de muscles flambant neufs et de réflexes de serpent. Sans oublier les deux mois qu'elle venait de passer dans le camp des Scarificateurs, à vivre dans la nature pratiquement sans dormir et sans aucune provision.

Mais un seul regard dans le miroir avait suffi à ébranler sa confiance.

Pour ne rien arranger, ils étaient arrivés en ville par les banlieues de Crumblyville, en survolant des rues interminables bordées de pavillons plongés dans le noir, tous identiques. L'ennui qui se dégageait de l'endroit où elle avait grandi lui infusait une sensation poisseuse à l'intérieur des bras, à laquelle s'ajoutait le contact de son uniforme recyclable de dortoir contre sa nouvelle peau ultrasensible. Les arbres manucurés de la ceinture de verdure semblaient se refermer autour de Tally, comme si la ville essayait de la replonger dans la normalité. Elle aimait cette assurance d'être Special, de se retrouver à la marge, glaciale, *supérieure* aux autres, et elle avait hâte de retourner dans la nature et d'arracher ce masque grotesque.

Tally serra les poings et prêta l'oreille aux transmissions de son réseau dermique. La musique de Fausto et les petits bruits des autres autour d'elle la submergèrent – le son léger de leur respiration, du vent contre leur visage. Elle pouvait presque entendre leur pouls, comme si l'excitation croissante des Scarificateurs résonnait jusque dans ses os.

— Séparons-nous, ordonna Shay quand les lumières de la fête apparurent. N'ayons pas l'air de débarquer en bande.

Les Scarificateurs se déployèrent. Tally resta avec Fausto et Shay, tandis que Tachs et Ho partaient vers le sommet du parc Cléopâtre. Fausto diminua le volume et la musique s'estompa, cédant la place au froissement du vent et au grondement lointain de la fête.

Tally inspira de façon nerveuse. Les odeurs de la foule – tant la sueur d'Uglies que les bouteilles d'alcool renversées – lui emplirent les narines. La sono de la fête n'utilisait pas d'antennes dermiques ; elle déversait vulgairement sa musique à plein volume, dispersant mille échos à travers les arbres. Les Uglies adoraient faire du bruit.

Selon son entraînement, Tally aurait pu fermer les yeux et ne se fier qu'aux sons pour progresser à travers la forêt, telle une chauve-souris se guidant sur ses propres cris. Mais, ce soir, elle avait besoin de sa vision spéciale. Les espions de Shay à Uglyville avaient entendu dire que des étrangers comptaient s'inviter à la fête – des Nouveaux-Fumants, venus distribuer des nanos et semer la pagaille.

Voilà pourquoi les Scarificateurs étaient là : il s'agissait d'une circonstance spéciale.

Ils s'arrêtèrent tous les trois à la limite de l'éclairage stroboscopique des globes magnétiques, et sautèrent sur un tapis d'aiguilles de pin couvertes de givre. Shay renvoya leurs planches les attendre dans les hautes branches, puis fixa un regard amusé sur Tally.

— Je te sens tendue.

Tally haussa les épaules, mal à l'aise dans son vilain uniforme de dortoir. Shay avait le don de flairer vos sentiments.

— Peut-être bien, chef.

Ici, aux abords des réjouissances, un fragment de souvenir tenace lui rappela ce qu'elle avait toujours éprouvé en parvenant au cœur d'une fête. Même lorsqu'elle était une jolie tête vide, Tally détestait ce trac qui la prenait en sentant les gens se presser autour d'elle, la chaleur de tous ces corps, le poids de ces regards sur elle. Son masque l'encombrait, telle une barrière entre elle et le monde. Gênant, pour une Special. Ses joues s'empourprèrent brièvement sous le plastique.

Shay lui pressa la main.

— Ne t'en fais pas, Tally-wa.

— Ce ne sont que des Uglies, lui glissa Fausto. Et nous sommes avec toi.

La main sur son épaule, il la poussa gentiment en avant.

Tally acquiesça, percevant, grâce à son antenne dermique, le souffle calme de ceux qui l'entouraient. Comme Shay le lui avait promis : les Scarificateurs étaient liés les uns aux autres, ils formaient une bande inséparable. Elle ne serait plus jamais seule, même si elle ressentait un vide. Même quand l'absence de Zane faisait naître en elle des bouffées de panique.

Elle s'enfonça à travers les fourrés et suivit Shay dans la lumière.

Les souvenirs de Tally étaient parfaitement clairs désormais, non pas flous et confus comme lorsqu'elle était une tête vide. Elle se rappelait très bien l'importance de la fête du printemps pour les Uglies. L'arrivée du printemps signifiait des journées plus longues pour jouer des tours et faire de la planche, ainsi que de nombreuses fêtes à l'extérieur.

Mais quand Fausto et elle suivirent Shay dans la foule, Tally ne ressentit pas l'énergie qu'elle se souvenait d'avoir éprouvée l'année dernière. La fête semblait si insipide, mollassonne et aléatoire. Les Uglies se contentaient de piétiner sur place, timides et empotés, au point que ceux qui dansaient vraiment donnaient l'impression de se forcer. Ils paraissaient ternes, artificiels : on aurait dit des projections sur un mur vidéo, avant l'arrivée des invités en chair et en os.

Pourtant, l'adage de Shay se vérifiait : les petits moches n'étaient pas aussi stupides que les têtes vides. La foule s'ouvrit devant elle. Malgré leurs visages grossiers et boutonneux, les Uglies avaient l'œil vif, nerveux, traversé de lueurs d'intelligence. Ils étaient suffisamment malins pour sentir que les trois Scarificateurs étaient différents d'eux. Personne ne fixa longuement Tally ou ne devina ce qui se cachait sous le masque de plastique, mais les danseurs s'écartaient au plus léger contact, en frissonnant d'une épaule à l'autre, comme s'ils percevaient dans l'air une sensation de danger.

Les rides de perplexité de leur visage étaient faciles à déchiffrer. Tally y lisait de la jalousie, de la haine et de l'attirance. Maintenant qu'elle était Special, ces expressions s'étalaient de manière claire, comme un sentier forestier qu'elle aurait contemplé d'en haut.

Elle sourit malgré elle, enfin sereine et prête à se mettre en chasse. Repérer les invités surprises ne poserait pas de difficulté.

Tally examina la foule, cherchant des personnes qui se détacheraient du lot : un peu trop sûres d'elles, trop musclées, le teint hâlé par la vie au grand air. Elle savait à quoi ressemblaient les Fumants.

L'été dernier, alors qu'elle était encore Ugly, Shay s'était enfuie dans la nature pour échapper à l'Opération des têtes vides. Tally l'avait suivie pour la ramener, et en fin de compte, toutes deux avaient trouvé refuge à l'ancienne Fumée pendant de longues semaines. Survivre comme un animal avait été une vraie torture, mais ce souvenir allait lui servir, ce soir. Les Fumants dégageaient une sorte d'arrogance ; ils se croyaient meilleurs que les gens de la ville.

Tally ne mit que quelques secondes à repérer Ho et Tachs à l'autre bout du terrain : un couple de chats évoluant à travers un troupeau de canards.

— Tu ne crois pas que nous sommes un peu trop visibles, chef ? chuchota-t-elle en laissant le réseau transmettre ses paroles.

— Comment ça, visibles ?

— Ils paraissent tous si abrutis. Ça nous donne l'air vraiment… spécial.

— Nous *sommes* spéciaux, dit Shay en jetant un coup d'œil à Tally, le visage traversé d'un large sourire.

— Je pensais que nous étions ici incognito.

— Ça ne nous empêche pas de nous amuser !

Soudain, Shay fendit la foule comme une flèche.

Fausto tendit le bras et toucha Tally à l'épaule.

— Regarde et apprends.

Il était Special depuis plus longtemps qu'elle. Les Scarificateurs représentaient une toute nouvelle branche des Special Circumstances, mais l'opération de Tally avait demandé plus de temps que celle des autres. Elle avait accompli beaucoup d'actes douteux par le passé, et les médecins avaient dû fournir un gros travail avant de la débarrasser de la culpabilité et de la honte consécutives. Les bribes résiduelles d'émotions risquaient de vous embrouiller les idées, ce qui n'avait rien de particulièrement spécial. Le pouvoir provenait d'une clarté glaciale, du fait de se connaître avec exactitude, ainsi que de la scarification.

Donc Tally resta auprès de Fausto, à regarder et apprendre.

Shay agrippa un garçon au hasard, l'arrachant à la fille avec laquelle il parlait. L'autre renversa à moitié son verre et fit d'abord mine de se dégager tout en protestant, quand il croisa le regard de Shay.

Shay n'était pas aussi enlaidie que ses compagnons, remarqua Tally. Les reflets violets de son regard demeuraient visibles sous son déguisement. Ses yeux scintillaient comme ceux d'un prédateur sous l'éclairage stroboscopique tandis qu'elle attirait le garçon vers elle, se frottant contre lui, les muscles parcourus par un frissonnement, pareil à l'ondulation d'une corde.

Dès lors, le garçon ne la quitta plus des yeux, même pour tendre sa bière à l'autre fille qui les contemplait, bouche bée. Il plaça les deux mains sur les épaules de Shay et commença à bouger en suivant ses mouvements.

Tous les yeux étaient braqués sur eux.

— Je ne me souviens pas que ça faisait partie du plan, observa Tally à voix basse.

Fausto rit.

— Les Specials n'ont pas besoin de plan. Ou pas besoin de le suivre, en tout cas.

Il se tenait derrière elle, les bras autour de sa taille. Elle sentait son souffle sur sa nuque, et un picotement la traversa.

Tally se dégagea. Les Scarificateurs se touchaient sans arrêt, mais elle n'en avait pas encore pris l'habitude.

Cela lui faisait ressentir davantage encore l'absence de Zane.

Grâce à son antenne dermique, Tally entendait Shay chuchoter à l'oreille du garçon. La chef des Scarificateurs haletait, bien qu'elle soit capable de courir un kilomètre en deux minutes sans la moindre suée. Un crissement de poils de barbe parvint à leurs oreilles quand elle frotta sa joue contre celle du garçon, et Fausto gloussa en voyant Tally tressaillir.

— Relax, Tally-wa, dit-il en lui massant les épaules. Elle sait ce qu'elle fait.

Ce dernier point était évident : la danse de Shay aspirait tout le monde autour d'elle. Jusqu'à présent, la fête était une bulle de nervosité en suspension dans l'air ; Shay l'avait fait éclater, libérant quelque chose de glacial à l'intérieur. Des couples commencèrent à se former, à s'étreindre, bougeant plus vite. Celui qui s'occupait de la musique avait dû s'en apercevoir – le volume augmenta, les basses aussi, tandis que les globes magnétiques pulsaient, passant de la noirceur à une brillance aveuglante. La foule se mit à sauter sur place en cadence.

Tally sentit son pouls s'accélérer. Elle n'en revenait pas de voir avec quelle facilité Shay avait déclenché cela. L'atmosphère changeait, la fête se transformait du tout au tout, et uniquement grâce à Shay. Ce n'était plus l'un de ces tours stupides qu'elles jouaient du temps de leur laideur – comme traverser le fleuve en douce ou voler des gilets de sustentation –, c'était de la *magie*.

La magie des Specials.

Qu'importe si elle portait un visage moche ! Comme Shay le disait toujours à l'entraînement, les têtes vides n'avaient rien compris : la question n'était pas de savoir de quoi on avait l'air, mais quelle *attitude* on offrait, quelle vision de soi on avait. La force physique et les réflexes n'en étaient qu'un élément ; Shay se *savait* spéciale, et cela suffisait pour qu'elle le soit. Ceux qui l'entouraient ne constituaient qu'un fond d'écran, un brouhaha de conversations indistinctes, jusqu'à ce que Shay les éclaire au moyen de son projecteur personnel.

— Amène-toi, murmura Fausto en entraînant Tally à l'écart. (Ils se reculèrent à la limite de la fête, glissant comme des ombres sous les regards braqués sur Shay et son cavalier.) Va par là. Et ouvre l'œil.

Tally acquiesça, entendant chuchoter les autres Scarificateurs qui se dispersaient à travers la fête. Soudain, tout cela prenait un sens...

Auparavant la fête était trop morte, trop terne pour dissimuler les Specials ou leur gibier. Mais à présent tout le monde avait les bras levés, oscillant d'avant en arrière au rythme de la musique. Des gobelets en plastique volaient dans les airs, emportés dans un tourbillon de mouvements. Si les Fumants prévoyaient de s'inviter discrètement, ils avaient là l'occasion idéale.

Se déplacer devenait difficile. Tally dut se frayer un chemin à travers un groupe de jeunes filles – de gamines, en fait – qui dansaient les yeux fermés. Les paillettes qu'elles s'étaient vaporisées sur le visage scintillaient sous l'éclairage syncopé des globes magnétiques, et elles laissèrent passer Tally sans un frisson ; son aura de Special était noyée dans l'énergie toute neuve de la fête, grâce à la magie de Shay.

Les vilains petits corps qui se cognaient contre elle rappelèrent à Tally à quel point elle avait changé. Elle avait de nouveaux os en céramique aéronautique, légers comme des bambous et durs comme le diamant. Ses muscles étaient des cordes monomoléculaires autoré-générantes. Les Uglies rebondissaient sur elle, mous et sans consistance, pareils à des poupées de chiffons qui avaient pris vie – bruyants mais sans danger.

Un bip résonna dans sa tête quand Fausto augmenta la portée de leurs antennes dermiques, et des fragments de sons lui parvinrent aux oreilles : les cris d'une fille qui dansait à côté de Tachs, le bourdonnement sourd des haut-parleurs près desquels se tenait Ho et, par-dessus cela, les mots doux que murmurait Shay à l'oreille du garçon aléatoire. On aurait dit cinq personnes fondues en une seule, comme si la conscience de Tally englobait l'ensemble de la fête, aspirait toute son énergie dans une confusion de bruits et de lumière.

Elle prit une profonde inspiration et se dirigea vers l'orée de la clairière, cherchant les ténèbres hors de portée des globes magnétiques. Elle verrait mieux d'ici, pourrait plus facilement garder les idées claires.

Pour se déplacer, Tally trouva plus commode de danser, d'accompagner les mouvements de la foule plutôt que de passer en force. Elle se laissa ballotter de droite à gauche, comme lorsqu'elle laissait les courants aériens guider sa planche, en s'imaginant qu'elle était un rapace.

Fermant les yeux, Tally but la fête par ses autres sens. N'était-ce pas *cela*, être Special : danser en accord avec les autres, tout en sachant qu'on était la seule personne réelle…

Soudain, Tally sentit les poils se dresser sur sa nuque et ses narines s'ouvrir en grand. Sous les odeurs de sueur et de bière renversée, elle en captait une, particulière, qui lui remit en mémoire sa période Ugly, quand elle s'était enfuie et retrouvée seule en pleine nature, pour la première fois.

Une odeur de fumée – la puanteur tenace d'un feu de camp.

Elle ouvrit les yeux. Les Uglies de la ville ne faisaient pas brûler d'arbres, pas même des torches : ils n'en avaient pas le droit. Les seules lumières de la fête provenaient des globes magnétiques et de la lune en train de se lever.

L'odeur ne pouvait provenir que du Dehors.

Tally se mit à décrire des cercles de plus en plus larges, balayant la foule du regard, cherchant à localiser la source de l'odeur.

Personne ne se détachait du lot. Elle ne voyait qu'une bande d'Uglies engagés dans une danse stupide, les bras ballants, faisant voler la bière dans tous les sens. Aucun n'était gracieux, ni fort, ni sûr de lui…

Puis Tally aperçut la fille.

Elle dansait avec lenteur, collée à un garçon, en lui murmurant quelque chose à l'oreille. Les doigts du garçon tressautaient nerveusement dans le dos de la fille, à contretemps de la musique – on aurait dit deux gamins mal à l'aise qui jouaient la scène du premier rendez-vous. La fille avait noué sa veste autour de sa taille, comme si elle ne sentait pas le froid. Et, à l'intérieur de son bras, plusieurs carrés de peau pâle indiquaient les endroits où elle s'était collé des timbres anti-UV.

Cette fille devait passer beaucoup de temps en plein air.

En s'approchant, Tally perçut de nouveau l'odeur de feu de bois. Ses yeux parfaits saisirent le grain grossier de la chemise de la fille, tissée en fibres naturelles, cousue à gros points et dégageant une odeur étrange... le détergent. Cet habit n'était pas destiné à être porté puis jeté dans un recycleur ; il fallait le *laver*, le frotter avec du savon puis le frapper contre des pierres dans un ruisseau d'eau froide. Tally nota la coupe irrégulière de la fille – on lui avait taillé les cheveux, à la main, avec des ciseaux en métal.

— Chef, murmura-t-elle.

Shay lui répondit d'une voix ensommeillée :

— Déjà, Tally-wa ? Je *m'amuse*, là.

— Je crois que je tiens une Fumante.

— Tu en es sûre ?

— Affirmatif. Elle empeste la lessive.

— Je la vois, dit Fausto par-dessus la musique. La chemise brune ? Qui danse avec ce type ?

— Ouais. Et elle a le teint *hâlé*.

On entendit un soupir agacé, quelques excuses marmonnées tandis que Shay se détachait de son Ugly.

— Tu n'en tiens pas d'autres ?

Tally balaya la foule du regard, décrivant un grand cercle autour de la fille alors qu'elle essayait de capter d'autres relents de fumée.

— Pas pour l'instant.

— Je ne vois personne d'autre avec un air suspect, confirma Fausto.

Tally l'aperçut à proximité, qui haussait la tête au-dessus de la foule. De l'autre côté de la fête, Ho **et Tachs** convergeaient vers la fille.

— Que fait-elle ? demanda Shay.

— Elle danse, et… (Tally s'interrompit, en voyant la main de la fille se glisser dans la poche du garçon.) Elle vient de lui refiler quelque chose.

Shay siffla doucement entre ses dents. Quelques semaines auparavant, les Fumants n'apportaient que leur propagande à Uglyville, mais depuis peu ils avaient commencé à y introduire quelque chose de beaucoup plus dangereux : des pilules bourrées de nanos.

Ces nanos rongeaient les lésions qui maintenaient le vide dans la tête des Pretties. Ils excitaient leurs émotions violentes et leurs bas instincts. Et contrairement à une drogue, dont les effets finissent toujours par s'estomper, ce changement était permanent. Les nanos étaient des machines voraces, microscopiques, qui croissaient et se multipliaient de jour en jour. Si vous n'aviez pas de chance, ils pouvaient littéralement vous ronger la cervelle. Il suffisait d'une pilule pour vous faire perdre la tête.

Tally en avait déjà été témoin.

— Cueillez-la, ordonna Shay.

Un flot d'adrénaline se déversa en elle, et la clarté masqua la musique et les mouvements de la foule. Elle avait repéré la fille en premier, c'était donc son job, son *privilège* de s'emparer d'elle.

Elle fit pivoter la bague à son majeur gauche, sentit l'aiguille sortir en position. Une simple égratignure et la Fumante tituberait avant de s'écrouler, comme si elle avait trop bu. Elle se réveillerait dans les locaux des Special Circumstances, prête à passer sous le scalpel.

Tally eut des frissons à l'idée que cette fille deviendrait très bientôt une tête vide : belle, heureuse… et parfaitement abrutie.

Mais cela valait toujours mieux que ce qui était arrivé au pauvre Zane.

Tally plaça ses doigts en coupe autour de l'aiguille, de crainte de piquer accidentellement un Ugly dans la foule. Quelques pas de plus, puis elle allongea l'autre bras pour tirer le garçon en arrière.

— Je peux m'incruster ? demanda-t-elle.

L'autre écarquilla les yeux, un grand sourire aux lèvres.

— Quoi, tu veux danser avec elle ?

— C'est O.K., dit la Fumante. Elle en veut peut-être, elle aussi.

Elle dénoua la veste autour de sa taille et la jeta sur ses épaules. Ses mains s'enfoncèrent dans les manches, puis dans les poches, et Tally entendit un froissement de sac en plastique.

— Bonne défonce, ricana le garçon en reculant d'un pas.

Son expression fit venir le rouge aux joues de Tally. Il *riait* d'elle, amusé, comme si elle était quelqu'un de banal dont on pouvait se moquer – comme si elle n'avait rien de spécial. Le plastique intelligent qui l'enlaidissait commençait à la démanger.

Cet imbécile se figurait que Tally était là pour son divertissement. Il avait besoin d'une bonne leçon.

Tally opta pour un nouveau plan.

Elle écrasa un bouton sur son bracelet anticrash. Le signal atteignit le plastique recouvrant son visage et ses mains à la vitesse du son, et les molécules intelligentes se détachèrent les unes des autres ; son vilain masque explosa dans un nuage de poussière pour dévoiler la beauté cruelle par-dessous. Elle plissa les paupières, fort, faisant sauter ses lentilles de contact afin d'exposer au froid hivernal ses yeux de louve noirs comme le jais. Elle sentit ses capuchons dentaires se détacher et les cracha aux pieds du garçon, retrouvant son sourire hérissé de crocs.

La transformation complète avait demandé moins d'une seconde, à peine le temps pour le garçon d'effacer son rictus.

Tally sourit.

— Dégage, mocheté. Quant à toi (elle se tourna vers la Fumante), ôte tes mains de tes poches.

La fille encaissa, écartant les bras de part et d'autre de son corps.

Tally sentit tous les regards converger sur ses traits cruels, perçut la stupéfaction de la foule devant la trame scintillante de ses tatouages animés de pulsations. Elle lâcha la phrase d'arrestation traditionnelle :

— Je ne veux pas te faire de mal, mais je le ferai si tu m'y obliges.

— Ce ne sera pas nécessaire, dit la fille d'une voix calme.

Puis elle effectua un petit geste avec les mains, les deux pouces vers le haut.

— N'y pense même p… commença Tally,

C'est alors qu'elle remarqua les bosses cousues sous les vêtements de la fille – des sangles comme celles d'un gilet de sustentation, qui semblaient maintenant bouger d'elles-mêmes, se boucler autour de ses épaules et de ses cuisses.

— La Fumée vit, cracha la fille.

Tally tendit le bras…

… et la fille s'envola d'un coup, tout droit, comme si elle se trouvait au bout d'un élastique tendu à bloc. Tally referma la main dans le vide. Elle leva la tête, bouche bée. La fille continuait à prendre de la hauteur. D'une manière ou d'une autre, elle avait réussi à régler la batterie de son gilet de façon à se propulser dans les airs à partir d'un point fixe.

Mais n'allait-elle pas forcément redescendre ?

Tally repéra un mouvement dans le ciel nocturne. À l'orée de la forêt, deux planches magnétiques fondaient sur la fête, l'une pilotée par un Fumant vêtu de cuir, l'autre inoccupée. Alors que la fille parvenait au sommet de son ascension, son complice tendit le bras et, sans ralentir, l'attrapa au vol pour la déposer sur la planche vide.

Un frisson parcourut Tally quand elle reconnut le blouson du Fumant, en cuir cousu à la main. À la lueur d'un globe magnétique, sa vision spéciale lui montra même la marque d'une cicatrice en travers d'un sourcil.

« David », pensa-t-elle.

— Tally ! Par ici !

Cet ordre de Shay arracha Tally à sa contemplation et attira son regard vers d'autres planches qui surgissaient au-dessus de la foule au ras des têtes. Elle sentit son bracelet anticrash enregistrer une traction de sa planche et ploya les genoux, se préparant à bondir.

La foule s'écartait, choquée par la beauté cruelle de Tally et l'envol soudain de la fille – mais le garçon qui avait dansé avec la Fumante essaya de la retenir.

— C'est une Special ! Aidez-les à s'enfuir !

Ses gestes étaient lents, maladroits, et Tally lui griffa la paume d'un brusque revers de bague. Le garçon retira sa main, la fixa brièvement avec une expression stupide, puis s'écroula.

Le temps qu'il touche le sol, Tally bondit. Posant les deux mains sur la surface agrippante de sa planche, elle se hissa dessus d'une soudaine détente et distribua son poids de manière à la faire pivoter.

Shay était déjà en l'air.

— Empare-toi de lui, Ho ! ordonna-t-elle en désignant le garçon inanimé, tandis que son propre masque disparaissait dans un nuage de poussière. Les autres, avec moi !

Tally filait déjà dans la nuit, cinglée par un vent glacial, un cri de guerre aux lèvres, suivie par des centaines de visages abasourdis qui la regardaient depuis le sol imbibé de bière.

David était l'un des chefs des Fumants – les Scarificateurs n'auraient pu espérer meilleur gibier. Tally avait du mal à croire qu'il ait pris le risque de venir en ville, mais elle allait tout mettre en œuvre pour qu'il ne s'en échappe pas.

Elle zigzagua entre les globes lumineux, survolant la forêt. Ses yeux s'adaptèrent rapidement à l'obscurité et elle repéra les deux Fumants à moins d'une centaine de mètres devant elle. Ils volaient au ras des arbres, penchés en avant comme des surfeurs dans un tube.

Ils avaient un peu d'avance, mais la planche de Tally était spéciale, elle aussi – ce que la ville fabriquait de mieux. Elle la poussa à fond, effleurant la cime des arbres courbés par le vent, soulevant derrière elle de brusques panaches de givre.

Tally n'avait pas oublié que la mère de David en personne avait inventé les nanos, ces machines qui avaient mis le cerveau de Zane dans l'état où il se trouvait. Ni que David avait entraîné Shay dans la nature des mois auparavant, en la séduisant, elle, puis Tally, ne reculant devant rien pour ruiner leur amitié.

Les Specials n'oubliaient pas leurs ennemis. Jamais.

— Je te tiens, dit-elle.

Découvrez la suite de la série

UGLIES
SCOTT WESTERFELD

Cet ouvrage a été composé par
PCA - 44400 REZÉ

Impression réalisée par

La Flèche (Sarthe), le 16-02-2011
N° d'impression : 62314

Dépôt légal : mars 2011

Imprimé en France

  12, avenue d'Italie

75627 PARIS Cedex 13